中国近现代针灸文献研究集成·教材卷

王富春 杨克卫／主编

针灸综合分卷

北方篇（中）

北京科学技术出版社

针灸讲义
（许盛榜用书）

提 要

一、作者小传

作者不详。

二、版本说明

该书底本为民国时期中国针灸医学专科研究社油印本。

此为许盛榜学习针灸时的讲义，后送于罗望云。该书卷首题："此册是许盛榜老师学针灸时之讲义，转赠与，录记此致谢。罗望云题。"

三、内容与特色

该书为许盛榜学习针灸时的讲义，内容繁杂，主要包括脉学发挥、病症学讲义、内外伤感杂治说、针灸经穴学讲义、中国针灸经穴学讲义、《内经》学讲义、配穴学讲义、艾灸治疗学、配穴治疗精义。

现将该书特色介绍如下。

（一）内容详尽，证治结合

该书前半部分主要介绍脉证治法及部分艾灸疗法相关内容。开篇"脉学发挥"以《黄帝内经》原文入手讲述脉诊相关知识。"病症学讲义"主要讲述治表法、治里法、治实法、治寒法、治热法等治法。"内外伤感杂治说"讲述内伤外感证治，其下分列温热条辨、伤寒论治、虚劳论治、疫症论治、痢症论治、疟症论治、肿症论治、妇女科等多条。针灸治疗部分详论五募八会穴，纳入《百症赋》《席弘赋》《胜玉歌》等歌诀及杂病选穴法等治病方法，也论述了艾绒制法、艾灸种类。

（二）重视特定穴与腧穴配伍

该书后半部分主要介绍十二经脉及奇经八脉的循行、腧穴的定位，并对其针刺方法和应用特点进行了介绍，这与后文病症的治疗部分相呼应。在“配穴学讲义”中，收录《行针指要歌诀》《四总穴歌》《长桑君天星秘诀歌》《杂病十一穴歌》《回阳九针歌》等歌诀，并摘录了《黄帝内经》中有关刺法的内容。可见作者在临床中强调对特定穴与腧穴配伍的应用。

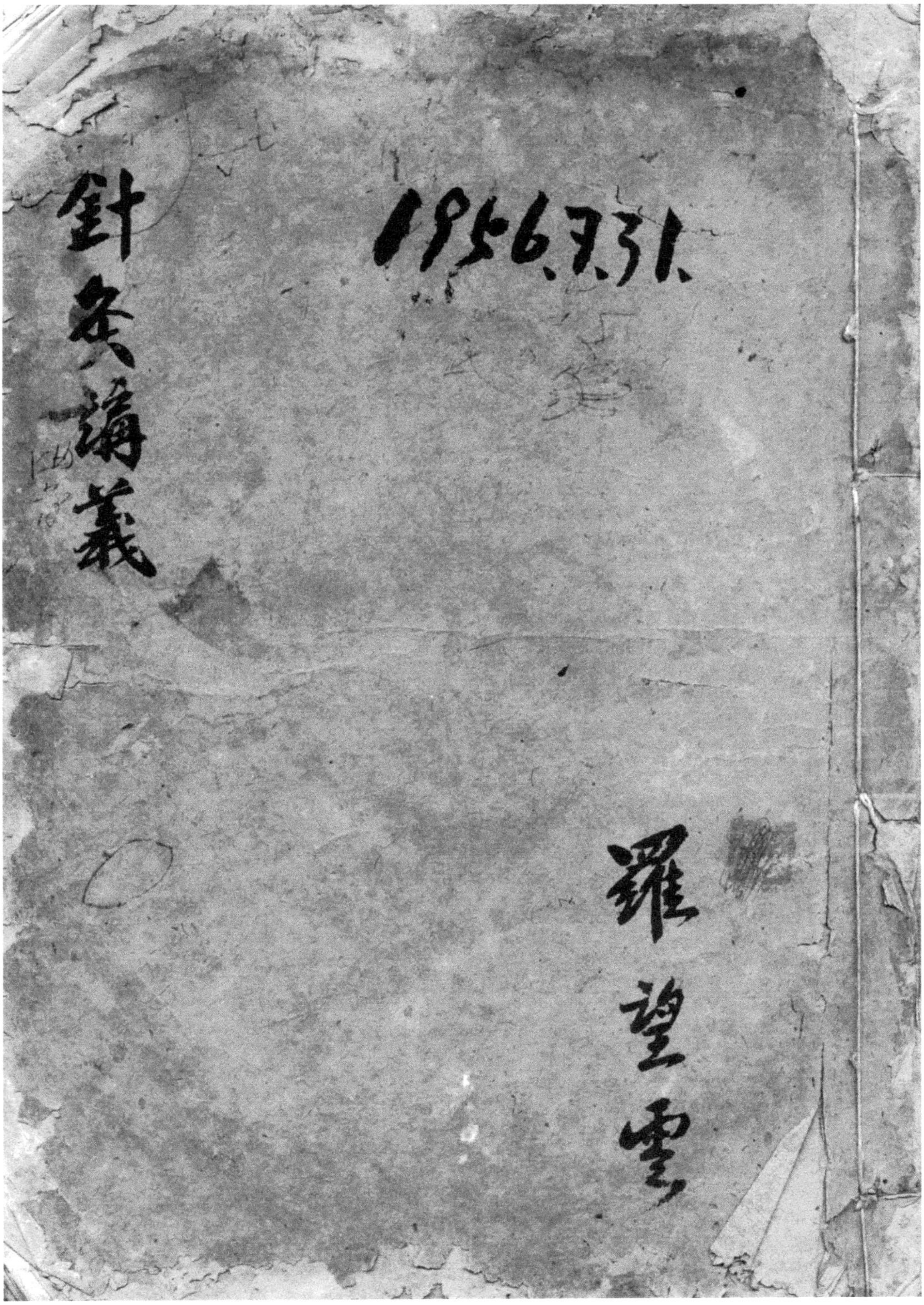
針灸講義
1956.7.31.
羅望雲

此冊是許賡榜老師學針灸
時之講義精髓所承
記此致謝 罗望雲題

客有問於余曰、脈何以能診周身臟腑之疾病、余應之曰、脈與周身臟腑有關係、故能診其疾病也、剖解學云、寸口動脈、有血管循臂而上、漸上漸大、與頸中血管連通、直達至心而止、心臟之壁為橫紋筋所成、常起收縮、每心臟收縮一次、則心臟内之血液被壓、射入於動脈管中、動脈管之管壁、富有彈性、遂因血壓而起波動、即為脈搏、是寸口動脈、通於心臟、顯然易見矣、心臟動脈管之血、傳入於分枝之毛細管、復由毛細管傳入於靜脈管中迴環於心、故動靜二脈、滿布周身、無處不到、稱為循環器、而四臟六腑之脈、皆得與之相通、是四臟六腑、亦與心臟相通、則寸口動脈、又能通周身臟腑、顯然易見矣、更查靈樞、肺脈起鼻交頞中、旁納大腸之脈、而絡於脾、心脈下絡大腸、而上至肺、腎脈絡膀胱、其直者貫肝膈入肺中、其支者從肺絡心、心主包絡之脈絡於三焦、其支者循胸出脇下、循臑下臂、出中指之端、肝脈挾胃絡膽、與督脈會於腦巔、其支者上注肺、亦言周身臟腑經脈、互相聯絡、皆由肺通於寸口、是五臟六腑之脈、皆直接間接通於寸口動脈、此脈所以能診周身臟腑之疾病也、

客曰脈能診周身臟腑之疾病、則吾既得聞命矣、但內經以兩手寸關尺三部、分配臟腑、相沿四千餘載、注家汗牛充棟、獨無至當解釋何耶、余應之曰、吾試為子說明之、古之聖人、探造化之精、悉陰陽之義、心肺胸膻居上、故配於兩寸、肝鬲脾胃居中、故配於兩關、腎與膀胱命門大小腸居下、故配於兩尺、所以然者、蓋因五臟六腑之氣血同時上注於寸口、故上者配上、中者配中、下者配下、如前中後之人、以機械式一路同行、及達目的地點、在前者居前一部、在中者居中一部、在後者居後一部、此

理勢之所必然者。至於左右之分，更有說焉。心雖居膻中（胸中）而氣向而心尖搏動處在胸左第五六肋骨中（虛里穴），是心之作用在左，所以配於左寸。肝雖大部分居腹右，而肝上之膽則向左側下，肝所造之膽汁，則向左下滲出，是肝膽之作用在左，所以配於左關。肺居胸中，左二葉，右三葉，生理偏重於右方，是肺之作用在右，所以配於右寸。胃部六分之五在膻之左側，而下口幽門則偏在右方。脾居腹左，而關於脾之甜肉汁向右方滲於腸中，且脾所主之四肢，右獨靈於左，是胃脾之作用在右，所以配於右關。腎為水臟，決諸東方則東流，決諸西方則西流，尚無分於左右也，故配於兩尺。小腸脈絡於心，大腸脈絡於肺，各相為表裡，故小腸應配於左尺，大腸應配於右尺。惟命門居胞中，宜配於兩尺，以形之虛實候腎水，以勢之盛衰候命火，不分左右。周澂之改正經旨，雖有至理，惜膀胱仍配於左尺、左膀胱之脈絡於腎、腎既配於兩尺、則相為表裏之膀胱亦宜配於兩尺、（此係作者淺見、俟高明審定）尚少人發明耳、客又曰、兩經以兩手寸關尺分配臟腑之理、令得吾子注解、可謂千古疑團、煥然冰釋、然讀歷代脈訣諸法、所言二十八脈主病、確鑿有據、但施之臨床實驗、往往未必盡然、豈脈有時不可憑耶、余應之曰、否否、病同体同則脈同、病同体異則脈異、脈訣某脈主某病者、就病與体均同而言也、臨床有脈不對症者、因病同体異而脈變也、蓋必脈與症合參、然後得診斷之精確、聖人復起、不易吾言矣、如浮為主表、沉為主裏、脈訣之定義也、然傷寒入足太陽膀胱經、有頭痛惡寒發熱之症者、脈必浮緊、麻黃湯可用也、然有時中氣素虛之人而得此病、脈反洪大、用補中益氣湯補之而愈者、或稟賦素弱之人而得此病、尺中遲弱、（弱在沉部）用小建中湯和之而愈者、此豈非同是傷寒病哉、而

脈有浮、緊、洪、大、遲、弱之不同，是浮不可概言表，沉不可概言裏
也。數為主熱，遲為主寒，脈訣之定義也。故溫邪入手太陰肺者
惡寒自罷，繼則發熱不已之症也。脈必洪數，時賫銀翹散桑菊
飲可用也。然有時熱勢大盛，肺受火刑，所謂壯火食氣，脈反遲
弱，亦用前方發散，加生津益氣之品而愈者。若曰久失治，由精
傷心營，分受邪，脈反遲澀，用炙甘草湯去薑桂，大補陰血而愈
者。此豈非同是濕熱病哉，而脈有洪數、遲弱、遲澀之不同，是熱
不可概言數，寒不可概言遲也。細主諸虛，大主諸實，脈訣之定
義也。故傷精液、胃虛，脈形必細，實熱陽盛陰虛，脈形必大，然
有時暴受冷極，痛壅寒，經絡不得宣達，脈亦沉細，外感人迎脈
大，內傷寸口脈大，卒人脈大為勞，病人脈大為病進，形瘦脈大
胸中多氣者死，是細不可概言虛，大不可概言實也。短主素弱，
長主素強，脈訣之定義也。故腎氣阨塞，不能條暢百脈，脈形必

短、心腎氣足、雖至老猶不衰、左寸尺脈必長、然有時肺氣和平、適逢秋令、脈亦短濇、虛勞至極垂死之期、脈亦弦長、是短不可概言弱、長不可概言强也、他如洪主病熱、而人死氣從陽散、脈見洪大滑盛、微主氣血虛、而傷寒桂枝二越婢一湯症、脈亦微弱、緊主寒痛、而傷寒七日、九日之間得此脈者、亦主見候、緩主風濕脾虛、而有胃氣之脈、亦必中部見緩、滑為痰食、而婦人有胎、脈亦必滑、濇為血少精傷、而婦人經停、脈亦必濇、芤為血虛、而暈眩喘急亦有芤脈、弦為痰瘧、而陰陽兩虧、寒熱似瘧、急宜扶元之症、脈亦見弦、牢為寒實、而食塡太陰、大氣不得流轉之危症、脈亦見牢、革為亡陰、而婦人半產漏下、仲景用旋覆花湯而兼下瘀、脈亦見革、虛為傷暑、而盜汗遺精、失血驚悸勞嗽、皆有虛脈、實主嘔吐發狂、傷食諸病、而久病脈陽外脫、脈亦弦數滑實、弱主氣血衰微、而血痺虛勞等病、胃氣尚存、脈亦和滑而弱、濡主亡血而中濕自汗冷痺等症，脈亦見濡、伏為霍亂而老痰宿食腹痛、脈亦見伏、散為死候、而妊娠大汗、尚有一線生機、脈亦見散、動為崩漏、而婦人有子、少陰脈亦動甚、促為熱鬱、而虛癆垂死亦有促脈、結主血氣凝滯、而有平人無病、一生結脈、代為死候、而婦人懷胎三月、脈亦見代、是專切脈不得概謂某病、所以歷代聖賢、精於診斷、學者、必於切脈之外、不廢望聞問三法、有至理存焉、然則舍脈言症可乎、不知脈隨体變、病因不拘一脈、体因病變、脈又可以斷症、吾儕曰、脈與症合參、然後知病之變化、体之虛實、得診斷上之精良結果矣、

病症學講義　一

治表法

表、治宜發散也、如初感風寒、發熱頭痛、但用蘇梗荊芥各一錢、生薑錢、表之頭痛甚加羌活、如鼻塞或流清涕、加半夏茯苓、陳皮、如咳嗽、則加桔梗、杏仁、前胡之類、一劑得汗、而熱即退、不必再服、種解風寒、忌油膩、未得汗、則再劑而止、蓋病在太陽、主表中之表、但得法一解表則無餘事矣、而陽明主肌亦表也、其證身熱目痛、而鼻乾不得臥、用升麻葛根湯、少陽主胸脅、亦表也、其症脇脅痛、目眩口苦而耳聾、傷寒論用小柴胡湯加減、治寒熱往來、欲作瘧狀、宜柴胡、酒芩各錢八、赤芍、製半夏、甘草、大棗、生薑以和之、虛者、加防黨、此其症在表、切勿妄用枳殼、神麯、麥芽等消導之藥、引邪入內、

四時感冒、其症與傷寒表症同、但輕而不重、以加味香蘇飲

之類取微汗而解宜列於表症、

四時感冒詩、

四時感冒客邪侵、寒熱頭痛嗽不禁。加味香蘇取微汗。須知病淺勿求深。

治裏法

裏、治宜歸經也、有虛實、有寒熱、宜辨其病在何臟腑而治之法詳下臟腑門、如傷寒病陽明經、大渴大熱、法用白虎湯、為表中之裏證、及其傳裏、譫語胸腹滿、不大便、為裏中之裏證、宜三承氣湯擇用、劉河間用三一承氣湯代上三方、法詳傷寒門、茲不贅述、惟喜怒憂思悲恐驚、謂之七情、此裏症之最難治者、但寬其心而藥始效、否則、無益也、然症在於裏、大忌發散、散之則虛者汗脫、熱者熵熾、醫家動輒用表、可不懼哉

治虛法

虛、治宜補也。然有陰虛、有陽虛。血虛者為陰虛，宜補其血。輕者用生地、首烏、歸身、酒芍各一錢五分，炙鱉甲、櫓豆衣、海參、北沙參之類；重者用熟地、枸杞、五味、萸肉、菟絲以填之。如面色黯、口燥者[illegible]乾欬、痰稀、氣喘、腰膝痠痛，或面色浮紅、晝輕夜重，脈浮數而[illegible]右尺脈弱者，八味丸；左尺脈弱者，六味丸。二方俱加入麥冬、阿膠、扁桃之類，為標本同治之法。氣虛者為陽虛，宜補其氣。輕者用黨參、白朮、山藥、茯苓、炙草、紅棗、生薑之類；重者用人參、黃耆以振之。氣分欲脫，則并加附子、乾薑以回陽。如羸瘦怠倦、少食、痰多、言微、脈微細，六君子湯、補中益氣湯、歸脾湯主之。如乾薑、五味、細辛、阿膠、半夏、二冬、二母、紫菀之類，隨宜加入。若氣血兼虛，則陰陽並補，八珍湯、十全大補湯皆聖藥也。

至氣奪則虛，所謂五虛者：虛在心則脈細；虛在肺則皮寒；虛在肝則氣少；虛在腎則泄利前後；虛在脾則飲食不入，皮聚毛落則肺虧損。肉脫則脾虧損。脈萎則心虧損。筋骨痿則肝腎虧損。治之奈何。損其肝者緩其中。損其心者和其榮衛。損其脾者調其飲食。適其寒溫。損其肺者益其氣。損其腎者益其精。防其邪氣。節嗜欲。溫之以氣。養之以味。皆所以救虧損也。治法詳下臟腑門不贅。

治實法

實治宜瀉也。心有邪火實于心則脈盛。肺有風寒實于肺則皮熱。脾有食積蟲痞濕熱實于脾則腹脹。腎有閉塞之處實于腎則前後不通。肝有發怒之氣實于肝則發悶。膽胃胞絡膀胱大小腸各能受邪。皆為實症。治法詳下各臟腑門。傷寒汗吐下諸法。皆所以攻其實也。若防風通聖散兩解表裏之實。方法頗純。然治實以速為功。苟有遷延日久。病未去而元氣虛。則難消導矣。

治寒法

寒、治宜温也、有分经治者、有不必分经治者、寒在表、则恶风寒、宜苏叶、藿梗、荆芥、防风、前胡、杏仁、生姜之属、以散其邪、甚则桂枝、麻黄、细辛、以驱表寒、寒在里、则喜热汤、宜製夏、藿香、焦术、製朴、吴茱萸、焦谷芽、煨姜、砂仁之属、以煖其中、甚则附子、肉桂、干姜、温里寒、他若羌活、独活、袪表之风寒、吴茱萸、川乌、温里之风寒、肉桂去血分之寒、香附佐姜附、除气分之寒、一偶三反者也、

凡寒[illegible]脏腑道、便利腹热冷痛、一投寒凉入口立脱、慎之、

治热法

热、治宜凉也、然热症有表热、中热、里热之分、有实火虚火之别、实火之症、或因外感、或内郁所致、宜分脏腑治之、下详、火之微者、黑山栀一钱五分、石斛三钱、地骨皮二钱、青蒿一钱五分、丹皮一钱、连翘一钱五分、麦冬、花粉、各五分、银花三分、竹叶三分、灯心一撮之属、甚加黄连七分、黄芩一钱五分、石膏四钱、知

病症学讲义　三

母參(一分)極甚則用大黃(一分)、(五分)龍膽草(七分)等、虛火之症、或陽虛外熱、口不渴、唇不紅、脈不數、宜四君子湯以補其陽、若陰虛內熱、舌或絳、頭或痛、目或乾、過午便熱、宜四物湯、六味地黃湯以補其陰、

內外傷感雜治說

前言陰、陽、表、裏、虛、實、寒、熱八字。殆已盡在其中矣。而表裏之中、又有內傷外感之治焉。內傷者裏症也。而有氣、血、痰、鬱四字之分、外感者表症也。而有風、寒、暑、濕、燥、火六字之別。再詳其治法、醫家餘蘊矣。

1. 內傷、一曰氣。氣虛者、四君子湯及補中而參以八味。益氣之源也。若氣實。而滯者、宜香蘇平胃散。

2. 二曰血。血虛者、四物湯而參以六味。壯水之主也若血實而滯者。宜手拈散、失笑之類。

3. 三曰痰。痰輕者。二陳湯或君子湯、若頑痰膠固、變生怪症、或停

痰飲膈間、自非滾痰丸、小半夏加茯苓湯之類不濟也、

4、四曰鬱、鬱小者、越鞠丸、逍遙散、而五鬱互結、腹膨腫滿、二便不通、自非神佑丸、承氣湯之類不濟也、此內傷之治法也

1、外感、一曰風、真中風是也、非表症中之傷風感寒也、風有中腑、中臟、中血脈之殊、中腑者中在表也、與傷寒同、太陽重則用桂枝湯、輕則用加味香蘇散之類是也、陽明用葛根湯、少陽用小柴胡湯、中臟者中在裏也、眩仆昏冒痰聲如鋸、如不語中心昏、綫中脾、鼻塞中肺、目瞀中肝、耳聾中腎、此乃邪風直入于裏、而又有热風、寒風二種、寒陰邪也、陰主靜、致其中人特为寒中、而已矣、風陽邪也、陽主動、善行数变、故其中人或为寒中、或为热中、初無定體也、然其所以無定體者、亦因乎人之臟腑为轉移耳、何者、其人臟腑素有鬱热、則風乘火勢、火借風威、热氣擁鬱不得宣通、而風为热風矣、其人臟腑本屬虛寒、則風水相遭、寒

2. [illegible]

氣冷冽、水凍冰凝、真陽衰敗、而風為寒風矣、熱風多見閉症、理
宜疏導為先、寒風多見脫症、理宜溫補為急、病者牙關緊急、兩
手握固、藥宜疏通開竅、熱痛、則先用搐鼻散、次以牛黃丸灌之、
胸滿便結者、用三化湯以攻之、冷脫者、口開心絕、眼合肝絕、手
撒脾絕、声音如鼾肺絕、遺尿腎絕、更有髮直搖頭走竄、面赤如
粧、汗出如珠、皆為脫絕之症、此際須用附子理中湯加參兩餘、
以溫補元氣、若寒痰阻塞、或用三生飲加人參以灌之、中血脈
者、中在半表半裏也、如口眼喎斜、半身不遂之屬是也、藥宜和
解、用大秦艽湯加竹瀝薑汁勾藤主之、如偏手右者為氣虛、佐
以四君子湯、偏手左者為血虛、倍用四物湯、氣血俱虛、左右并
病者、佐以八珍湯、此治中風之大法也、若隨時感冒頭痛、發熱、
惡寒自汗、脈浮緩者、傷風也、此為偶感之疾、與中風不同。
一曰寒、寒傷寒是也、寒在表、則與風之中腑治同、寒入裏、用附

子理中湯、法詳傷寒論、若隨時感冒、脈浮緊而無汗頭痛發熱而惡寒之傷寒、雖在暑月亦有之、或納涼飲冷過度、或因避暑太過而得之、臟受寒侵、逆至嘔吐痛瀉、脈沉遲、口鼻氣冷等、乃夏月中寒之候、宜用厚朴溫中湯之類、三曰暑、暑者乃夏月之正病、然有傷暑、中暑、閉暑之殊、傷暑者病之輕者也、其症汗出身熱而口渴、用益元散之類、又、中暑者、病之重者也、其症汗太泄、昏悶不醒、蒸熱齒燥、或煩心喘喝妄言、用消暑丸灌之、閉暑者、內伏暑氣而外為風寒所閉、又名寒包暑、其頭痛身痛發熱、惡寒者、風寒也、口渴煩心者、暑也、用四味香薷飲加荊芥秦艽之類、若暑天受濕而霍亂、其有吐瀉而轉筋者、大多因暑傳食伏飲以致之也、藿香正氣散主之、更有乾霍亂症、吐瀉不得、俗名攪腸痧、粥飲入口即斃、危症也、陳香圓煎湯救之、法詳痧症門、以、四曰濕、或受潮、或食冷、面黃身重、平胃散治之、若黃疸則目溺色黄，茵陳大黄湯、茵陳薑附湯；若發腫，五苓散、五皮飲。若滲入筋絡，肩背臂痛，用桑枝天麻湯、蠲痺湯之類。5. 五曰燥，此症雖秋冬時久晴有之，而吃鴉片者更易犯。其症鼻乾口渴，咽痛舌燥，目火便秘，乾熱，不宜發表，宜用生地、天冬、花粉、麥冬、沙參、元參、泊身、梨藕、蕉汁之類以潤之。6. 六曰火，治法詳于前熱治中，更審其臟腑投涼則得矣。然中寒則暴厥，中暑則猝悶，中濕則痰壅，中火則竅閉，皆能猝然昏倒，非中風而似中風，謂之類中，切概作中風治。此外感之治法也。

溫熱條辨

前言外感難治，風寒暑濕燥火字六則，病已盡在其內矣。然其中又有風溫、濕熱之辨別。假如暑濕相搏，名曰濕熱；風熱相搏，名曰風溫。風溫為病，春月與冬季居多，少陰不藏，木火同燔，風邪外襲，表裏相應，故病風溫，或惡風，或不惡風，必身熱咳嗽煩渴、此風溫症之提綱也、其症自汗、身重、多眠、鼻息鼾、語言難出、脈陰陽俱浮、亦為風溫最多之現象、蓋風為燥熱之邪、燥則傷陰、熱則傷津、泄熱和陰、為風溫症一定之治法也、是以發表宜辛涼、不宜辛熱、清裏宜泄熱、不宜逐熱、如身熱、畏風、頭痛、咳嗽、脈浮、舌苔白、此風溫之在表者也、在表者當涼解之、用薄荷、前胡、杏仁、桔梗、桑叶、川貝之屬、若見症如上述、舌苔易白為黃、煩悶、脈數、此熱在肺胃也、在肺胃者、當涼泄裏熱、用川貝、牛蒡、桑皮、連翹、橘皮、竹叶、栝蔞、黃芩之屬、涼泄裏熱、若見症如前三條而加以譫語、乾嘔、此熱灼肺胃、風火內旋也、治當泄熱和陰、用羚羊、川貝、連翹、麥冬、石斛、青蒿、知母、花粉、梔子、竹茹之屬、若見症同上三條、易煩悶、為胸痞、而加以下痢、此溫邪由肺胃下注大腸、治當升泄溫邪、用黃芩、桔梗、煨葛、豆卷、甘草、橘皮、黃連、桑叶、銀花之屬、又身熱咳嗽、口渴、胸痞、頭目脹大、面發泡瘡者、此

伤

風毒上壅、陽絡治當清熱散邪、用荊芥、薄荷、連翹、元參、牛蒡、馬
勃、青黛、銀花之屬。又身大熱、口大渴、目赤唇腫、氣粗煩燥、舌絳、
齒板、痰咳、甚至神昏譫語、下痢黃水者、此風溫熱毒深入陽明
營分、最為危候、用犀角、連翹、葛根、元參、丹皮、赤芍、麥冬、紫草、川
貝、人中黄、解毒、提斑、間有生者。又熱渴煩悶、昏憒不知人、不語、
如尸厥、脈數者、此熱邪內蘊、走竄心胞絡、治當泄熱通絡、用犀
角、連翹、遠志、鮮石斛、菖蒲、麥冬、川貝、中黄、至寶丹、木通之屬、
又風溫熱毒、熱得之便、身始口渴、目赤咽痛、卧起不安、手足厥
冷泄瀉、脈伏者、熱毒內蘊、絡氣阻遏、治當升散熱毒、用升麻、葛
根、犀角、銀花、甘草、豆卷、絲瓜絡之屬。又身熱自汗、面赤神迷、身
重難轉側、多眠、鼻鼾、語言難出者、溫邪內逼陽明、精液劫奪、神
機不運、治當泄熱救精、用石膏、知母、麥冬、半夏、竹叶、甘草、西洋
參、百合、竹瀝之屬。或手足瘈瘲、狀若驚癇、脈數者、此熱劫津液、

金因木旺，治當息風清熱，用羚羊、川貝、青蒿、連翹、知母、麥冬、元參、杭芍、絲瓜絡、鉤籐之屬。濕熱為病，夏月與秋季居多，太陰內傷，濕飲停聚，客邪再至，內外相引，故病濕熱。始惡寒，後但熱不寒，汗出胸痞，舌白，口渴不引飲，此濕熱症之提綱也。其症多四肢倦怠，肌肉煩疼，最易耳聾、乾嘔、發痙、發厥。濕熱之邪，從表傷者，十之一二；由口鼻入者，十之八九。傷寒之邪，自表傳裏；濕熱之邪，自裏達表。故昔賢忌發表，治以清熱以淡滲化之法，不使濕與熱相摶，分消上下之勢。欲濕邪之淡滲下走，不欲濕邪之鬱熱上蒸耳。假如濕熱證，惡寒、發熱，身重，關節疼痛，溼在肌內，不為汗解，宜滑石、大豆黃卷、茯苓皮、蒼朮皮、藿香葉、鮮荷葉、白通草、桔梗等味。不惡寒者，去蒼朮皮。濕熱證，寒熱如瘧，濕熱阻遏膜原，在陽明之半表半裏，宜柴胡、草菓、藿香、蒼朮皮、乾菖蒲、六一散等味。濕熱證，舌偏白，口渴，溼滯陽明，用辛開，如厚朴、草果、半夏、乾菖蒲、等味。此時濕邪尚未蘊熱、故重辛開使上焦得通、津液得下也。若根白尖红、澀漸化熱、餘濕尤滯、宜辛泄佐以清熱、如薏仁、大豆黃卷、連翹、綠豆衣、六一散、等亦可加入、此濕熱參半之證、即佐清熱者、所以存陽明之液也。濕熱證四五日、口大渴、胸悶欲絶、乾嘔不止、脈細數、舌先如鏡、胃液受劫、膽火上冲、宜西瓜汁、金汁、鮮生地汁、甘蔗汁、磨服鬱金、香附、烏藥、等味。此營陰素虧、木火素旺、木乘陽明、耗其津液、幸無飲邪、故一清陽明之熱、一散少陽之邪、不用煎者、取其氣全耳。若嘔吐清水、或痰多、濕熱內留、木火上逆、宜溫膽湯、加栝蔞、根、碧玉散、等味。此素有痰飲、亦陽明少陽同病、故一以滌飲、一以降逆、嘔同而治異、正當與上條合參也。濕熱證、嘔惡不止、晝夜不差、欲死者、肺胃不和、胃熱移肺、肺亦受邪也、宜用川連三四分、蘇汁、二三分、煎湯呷下即止。濕熱證、咳嗽晝夜不安、甚至喘不眠者、暑邪入于肺絡，宜葶藶枇杷叶、六一散等味。若熱傷元氣短倦怠，肺虛而咳者，宜人參五味子等味。蓋同一肺病，而氣粗與氣短有分，肺實與肺虛有異耳。濕熱證壯熱口渴，舌黃或焦紅，發痙，神昏譫語，或笑，邪灼心包，營血已耗，當清熱救陰，泄邪平肝為治。宜犀角黃、羚羊角、連翹、生地、元參、鈎藤、銀花、鮮菖蒲、至寶丹等味。若脈洪數有力，開泄不效者，是濕熱蘊結胸膈，宜傚涼膈散。若大便數日不通者，熱邪閉結腸胃，宜傚承氣微下之例。蓋清熱泄邪，豈能散絡中流走之熱，而不能除膈中蘊結之熱邪故也。濕熱證壯熱煩渴，舌焦紅或縮，斑疹，胸痞，神昏自利，堅厥，熱邪充斥表裏三焦，宜大劑犀角、羚羊角、生地、元參、銀花露、紫草、丹皮、金汁、鮮菖蒲等味。此條乃痙厥中之最重者，上為胸悶，下挾熱利，斑疹痙厥，陰陽告困。獨清陽明之熱，救陽明之液為急務者，恐胃液不存，其人必自焚而死也。濕熱證初起壯熱口渴、脘悶懊憹、眼欲閉、時譫語、濁邪蒙閉上焦、宜涌泄、用枳殼桔梗、淡豆豉、生山梔、無汗者加葛根、濕熱證初起發熱汗出、胸痞、口渴、舌白、濕伏中焦、宜藿香、蔻仁、杏仁、枳殼、桔梗、鬱金、蒼朮、厚朴、半夏、草果、乾菖蒲、香佩蘭、六一散、蓋病在中焦氣分、故多開中焦氣分之藥、若挾食者、其舌根必見黃色、宜加瓜蔞、查肉、萊菔子、等味、濕熱證數日後、自痢溺赤、口渴、濕流下焦、宜滑石、猪苓、茯苓、澤瀉、萆薢、通草、等味、濕滯下焦、故獨以分利為治、若兼口渴胸痞、須佐入杏仁、桔梗、苡蔻、開泄中上二焦、源清則流自潔、不可不知也、濕熱證按法治之、數日後、忽吐下一時並至者、中氣虧損、升降悖逆、宜生穀芽、蓮心、扁豆、米仁、半夏、甘草、茯苓、等味、甚者用理中法、若按法治之、諸恙皆退、惟目瞑驚悸、夢惕、則餘邪內留、膽氣未舒、宜酒浸郁李仁、猪膽皮、姜汁炒棗仁、等、泄邪安神、濕熱證四五日、忽大汗出、手足冷、脈細如絲、或絶、口渴、莖痛、而起坐自如、神清語亮、乃汗出過多、衛外之陽暫亡、濕熱之邪仍結、一時表裏不通、脈故伏、非真陽外脫也。宜五苓散、去术、加滑石、酒炒川連、生地、耆皮等味。此條脈症全似亡陽之候、獨于舉動神氣、得其真情、識其非亡陽也。濕熱證、口渴、壯熱、自汗、身重、胸痞、脈洪大而長者、此太陰之濕與陽明之熱相合、宜白虎加蒼术湯以清熱散濕。濕熱證、四肢困倦、精神減少、身熱氣高、心煩、溺黃、口渴、自汗、脈虛者、宜清暑益氣湯主治。濕熱證、上下失血、或汗血、衄血、毒深邪入營分、走竄欲泄、宜大劑犀角、生地、赤芍、丹皮、連翹、紫草、茜根、銀花等、涼血解毒救陰泄邪、而血自止矣。風溫濕熱之辨別、前已詳言之矣。然又有溫挾濕、濕熱挾風之治、如風溫證、熱久不愈、唇腫、口渴、胸悶不飢、身尽疼痛、發為白疹、如寒粟狀、自汗、脈數者、此風邪挾太陰脾濕、發為風疹、宜牛蒡、荊芥、防風、連翹、橘皮、滑石、蘆根、通草、甘草之屬、滲濕涼解之、如濕熱證三四日即口噤、四肢、牽引拘急、甚則角弓反張、此濕熱挾風侵入經絡脈隧中、宜鮮地龍、秦艽、威靈仙、滑石、蒼耳子、絲瓜絡、海風藤、酒炒黃連等味、用以息風勝濕、疏肝、宣通脈絡、耳、偲之外解者、用香豉、葱白、連翹之屬、升泄者、用葛根、升麻、桔梗之類、下走者、用黃柏、知母、硝黃之品、挾風、則加入牛蒡、薄荷之流、挾濕、則加入滑石、蘆根之輩、營分受熱、血液受虧、從風熱陷入者、犀角、羚羊、竹叶、等可用也、從濕熱陷入者、犀角、黃芩、花露等可加也、再參入涼血清熱、如生地、丹皮、阿膠、金汁、人中黃之屬、或透風于熱外、或滲濕于熱下、彼則和解半裏之熱、此則分消上下之熱、不使其內外相合、上下相搏、則其熱孤而為治易矣、凡此皆治溫熱病之要訣也

傷寒論治

傷寒之病、與春溫夏熱不同、溫熱病、頭痛發熱、身不惡寒、而口

柴葛解肌湯
柴胡 粉葛 白芷
羌活 石膏 黄芩
白芍 桔梗 甘草
姜 棗 引

知

渴、若傷寒則異是、其病由表而入裏、初起時邪在太陽膀胱經、則頭痛、惡寒發熱、脈浮、宜加味香蘇散、甚則桂枝湯、麻黄湯、柴葛解肌湯、從傳陽明胃經、則目痛、鼻氣乾、不得眠、宜葛根湯、再傳少陽膽經、則目眩耳聾、胸滿脇痛、口苦、寒熱往來、頭汗、脈弦、宜小柴胡湯、此三陽傳經之表症也、失治則傳入三陰矣、其傳入太陰脾經者、則腹滿痛下利、脈沉、宜大柴胡湯、其傳入少陰腎經者、口燥咽乾、痛利清水、目不明、危矣、宜大小承氣湯、至傳入厥陰肝經者、小腹滿、舌捲囊縮、厥逆、用大承氣湯、亦有得生者、亦有不傳三陰、而傳入太陰脾腑者、則口渴溺赤、宜五苓散、傳入陽明胃腑者、則譫語狂亂、燥渴便閉、轉矢氣、自汗不得眠、宜白虎湯、調胃承氣湯、以上謂傳經傳寒、因寒化火也、其有初起寒邪直中三陰者、其症腹冷痛、吐清沫、利完穀、蜷卧肢冷、囊縮、吐蚘、舌黑而潤、脈沉細、此寒症也、中太陰脾、理中湯、中少陰

腎、四逆湯中厥陰肝、白通加豬膽汁湯、急救勿緩、此係醫中第一要症、故提出而專論之

虛勞論治

虛勞大症也、因由真陰虧損、虛火爍金而然、其始、大半由于外感、感邪在肺、則作咳嗽、感邪在肌肉、陽氣不得外泄、久則成骨蒸、肺熱食少、盜汗、治失其宜、則咳久傷肺、熱久傷陰、腎水日枯、腎火日熾、上灼于肺、再復嗜好色慾、受邪以竭其水、而勞虛成矣、間有本原不足、思慮太过、而心血耗、心火旺、腎水乾、肺金虧者、其受病不同、及其成功、則一是症也、多見吐血、痰湧、發熱、夢遺、經閉、以及肺痿、肺癰、咽痛、音啞諸候、唯在屏棄一切、不近女色、調飲食、慎風寒、息嗔怒、靜養起居、藥始有效、自然生機餘轉、復其天和、非旦夕所能奏功、半在人之能自養耳、是症治之宜早、咳嗽初起、用止咳散加蘇梗以散之、如或不已、变生虛熱者

生地黄湯：生地 三七 丹参 丹皮 黑麦 玉金 元参 寸冬 白芍 牛夕 藕汁 童便

月華丸——滋陰保肺，平肝療治劳之圣药。天冬 麦冬 生地 熟地 山药 百部 沙参 川贝 阿胶 玄参 獭肝 田七 用菊花桑汁熬膏，将阿膏化入，和药煉蜜為丸，日三服，每一丸。

佐以團魚丸。形瘦食少、骨蒸盜汗者，用黄耆鱉甲散，加麻黄根三四分，以陳酒送下。云欬、腹冷者，用小建中湯加減。若病熱漸深，更佐以月華丸。若吐血，先四生丸，或花蕊石散（童便沖服），繼用生地黄湯（犀角）、逍遙散之類。元氣虛，五味異功散。如氣血虛而發熱，八珍湯、人參養營湯均可。咽痛，用百藥煎。音啞，用通音煎。遺精，用秘精丸，繼以澤蘭湯。至五臟虛損，則補天大造丸。用藥之法，不过如斯而已。

止嗽散——治一切咳嗽。方：桔梗、百部、荊芥、紫菀、白前、廣皮、甘草

團魚丸——川貝 前胡 杏仁 知母 柴胡 大團魚 右药與魚同煮熟，取肉連汁食之，将药渣焙乾為末，再煮魚骨汁為丸，如梧子大，麦冬湯下，日三服

黄芪鳖甲散：黄芪 鳖甲 地骨皮 秦艽 参 苓 柴 半 知 地 芍 天冬 桂 甘桔 桑皮 劳热宜。

疫症論治

時疫之症，有由天時者，有由傳人者。由天時則邪從經絡入，為頭痛、發熱、咳嗽、頸腫、發頤、大頭天行之類。由人傳則邪從口鼻入，而增寒壯熱、胸膈滿悶、口吐黄涎之類。夫在天之疫從經絡入者，宜分寒熱，用辛涼、辛溫之藥以散邪，如香蘇散、普濟消毒飲之類，俾其仍從經絡出也。在人之疫從口鼻入者，宜用芳香

之藥以解穢，如神术散、藿香正氣散之類，俾其仍從口鼻出也。
至雨露之邪，傳臟腑，漸至譫語、腹脹、唇焦、口渴者，宜從瘟清源，
散，承氣湯治之。總不外乎發散、解穢、清中、攻下四法而已。若大
吐、大下、厥逆、煩躁、手足拘攣者，通脈四逆湯加豬膽汁、人參，此
急救之。若霍亂吐瀉，中氣虛寒，陰陽雜錯，寒多不欲飲水者，理
中湯主之。若頭痛、發熱、身疼痛，熱多欲飲水者，以五苓散主之。
如表裏之邪俱實，不汗不吐者，用防風通聖散，汗下兼法一劑
逆行而不悖也。

痢症論治

痢症，伏邪之為病也，則生死所關。良由夏秋之際，暑熱在中，又
為風寒生冷所遏，火不得舒，以致暴瀉，旋而裏急後重，膿血赤
白，小腹疼痛，甚則為口噤不食之危症。熱者為赤，寒者為白，熱
傷血分者為赤，熱傷氣分者為白。初起不宜妄攻，宜當根治痢

初起方
葛根 等 苦參 八卜 酒炒
黄皮 赤芍 檳榔
麥芽 查肉 等 拉曉

治暑痢奇方
川連 不下 山查 三卜 归身
條芩 厚朴 白芍 各等
甘草 五卜
桃仁 青皮 红花 各不下
只殼 地于
各等 兵郎 等
如白痢加木香
虚坐努責
裏急後重

散以解之。但邪未已，裏急後重則用治痢奇方，以清之。腹脹痛有堅積則用朴黄丸下之。日久脾虚，五味異功散加白芍、黄連、木香、陳、補之。氣虚下陷者，補中益氣湯升提之。如邪積塞胃，嘔逆不食者，開噤散救之。若寒氣在胃，熱氣在腸，寒氣交伏而急結者，用芩連甘草湯瀉大腸之伏熱，令邪氣一行，正氣自然上顧脾胃。如恐素弱而用理中湯以温胃中之伏寒，加大黄以瀉腸中之伏熱，一方而兩擬其疑。紅者可加地榆，白者可加木香。紅白兼見者並加之。此一定之治法也。

朴黄丸—治堅積腹痛拒按
陳皮 厚朴 大黄 木香 荷叶

開噤散—人參 黄連 石菖 丹參 石蓮 茯苓 陳皮 冬瓜仁 陳米一撮 荷叶蒂三个

瘧疾診治

瘧疾者，寒熱往來有定候，其邪在少陽之經。少陽居陰陽之界，為半表半裏。陰勝于陽則發寒，陽勝于陰則發熱。寒多熱少為寒瘧，熱多寒少為熱瘧，單寒無熱為牡瘧，先熱後寒，或單熱無寒為癉瘧。又有勞瘧、食瘧、鬼瘧、瘴瘧等，無非陰陽之造其偏也。

瘧症脈

曰承者輕、兩日者重、三四日者尤重、初起用香蘇散逐之、隨用小柴胡湯和之、三四發後、用止瘧丹、加白蔻仁、醋炒鱉甲以截之、久瘧元虛、六君子湯加柴胡以補之、中氣下陷、補中益氣湯舉之、此易治也 陳子龍 果仁 姜夏麯 醋青皮 陳香附四兩 姜六麯二兩 末 飲為丸 每早服之

腫病論治

腫者、皮膚腫大、古人有氣水之分、其實氣滯則水不行、水不行則氣愈滯、二者相因為病、水脹篇以按其腹窅而不起者為氣、按其腹隨手而起、如囊裹水者為水、景岳反其說、以水病按之窅而不起、以水在肉中、如糟如泥之象、未必如水囊之比、按之隨起、惟虛無之氣、其速乃然、余閱歷之久、知二說亦不必拘、太抵腫微則按之隨起、腫甚則按之不起、而臍及臍動之處按之即起、從足面及膝股內側按之不起、辨症不必以此為憑、當於小便之利與不利、以分陰陽、身之多熱與多寒、脈之洪大與細

歡以分寒熱、病之起於驟、與成於積漸、及年高多病、與少壯無病之人、分其虛實、以先腫而後及四肢、或先四肢而後及於腫、分其順逆、景岳云、水氣本為同類、治水者當兼理其氣、蓋氣則水自化也、治氣者亦當兼行水、以氣行水亦行也、仲景云、水腫脈浮者死、謂腫盛皮膚甚厚、脈浮於皮毛之外、輕捫之如陽一絲者死脈、如初患腫病、氣喘不臥、以五皮飲為第一方、蓋此方妙在以皮治皮、不傷中氣、若腫而兼脹、水便不利、宜胃苓湯主之、或以四苓散、以半熱蒜搗丸、服極效、

又目胞與足先腫者、水也、先腹大後四肢腫者、鼓脹也、鼓脹症、用和中丸、虛者白朮丸、

水腫症四、鼓腫而腹不腫者、表也、腹亦腫者裏也、腰以上腫、邪在表也、宜發汗、五皮飲、加蘇葉、荊芥、秦艽、防風、各一錢五分、腰以下腫者、邪在裏也、宜利小便、五皮飲、加澤瀉、赤小豆、木通、車前、

萆薢各錢一分、防己一分、脉沉數、煩渴、面赤、便閉者、為陽水熱也、五皮飲加黄柏、黄芩、滑石、木通、車前、麥冬之類、脉沉遲、口不渴、便自利、其為陰水寒也、五皮飲加白朮、蒼朮、附子、乾姜、肉桂、木香之屬、脉滑實、腹脹、胸滿者、加生菔子、白芥子、枳實、半夏之類、婦人經水不調、而腫是血化為水、名水分、加紅花、桃仁、香附之屬、經水適斷、即腫是水化為血、名氣分、加當歸、五灵脂、醋炒香附之屬、先腫而後喘、或但腫而不喘者、胃經蓄水也、加茯苓、蒼朮、白朮、香附等治之。若先喘而後腫者、腎經蓄水也、金匱腎氣丸治之。愈後必以六君子湯及加減腎氣丸收功、大凡腫症積漸而成、及久而不愈、氣喘口渴不卧、腹脹小便短少。大便微溏、一切危症、求之古法、惟腎氣丸加減、最為對症之方也。若禀賦陽盛三焦多火、濕熱相因、陰虛之證、去桂附加麥冬主之、下焦濕熱。去桂附加黄柏、蛤蜊粉、余屢用之、無不見效。

太凡腫症掌中無紋者死、大便清泄水腫不消者死、唇黑腫齒焦者死、足跗腫膝如斗者死、肚上青筋見、瀉後腫者死。男從身下腫上、女從身上腫下者、皆难治、

列方　補可扶弱

四君子湯　治面色痿白、言語輕微、四肢無力、脉來虛弱、及食虛脾胃不足之症、人參　茯苓　白朮各二錢　炙草一錢　加生姜三片　大棗四枚　如無力以黨參代之

六君子湯　治脾胃虛弱痞滿痰多。　即四君子湯加陳皮一錢五分以順氣製半夏一錢二分除痰名六君子

香砂六君子湯　治胃寒痞滿飲食难化作酸嘔吐　即六君子湯加木香砂仁各八分以行氣消脹名為香砂六君子五味異功散健脾進食為病後調補之良方、即四君子湯加陳皮、不一

歌括

苓朮參甘四味同、六名君子取謙冲、增來陳夏痰涎滌、再入香

沙虎滲通水穀精微陰以化陽和布護氣斯充若刪半夏云
君內錢氏書中有異功

藥性摘要

人參氣味甘微苦無毒氣味俱薄浮而升陽中微陰主補五臟
及肺中元氣茯苓氣平味甘而淡無毒氣味俱薄浮而升陽也
能止渴利小便蓋淡能利竅可以助陽除濕之聖藥入足少陰
足太陽兩經白朮氣溫味甘陰中陽也可升可降入足太陰陽
明手太陰陽明太陽之經能除濕益燥和中益氣利腰臍間血
除脾胃中濕熱甘草氣平味甘氣薄味厚升而浮陽也入足太
陰厥陰經能緩急養陰和百藥解百毒中滿者忌之
半夏氣平味辛有毒生為微寒而味熱者溫而下氣味俱薄沉
而降陰中陽也辛厚苦輕陽中陰也入手陽明太陰少陰三經
除寒痰飲瀉和胃止嘔調氣消逆孕婦忌口渴者禁消其燥津
液也陳皮氣味苦辛溫無毒入心肝肺三經主胸中痰熱逆氣

妇女科

妇女之病，多与男子同，惟胎前产后，以及经水适来适断，与男子异耳。兹特举其异者，略述于后，以备参考。其同者照前法主之。至其脉法，已详首卷，兹不赘述。

妇女总论：妇女之病，有不肯对人言者，等于小儿之不能自言，其难治一也。而医家又有未便详细询问之处，则便暗中摸索矣。然妇女本坤阴吝啬之性，多心地浅窄，识见拘墟，凡有逆意，而牢结胸中，且内虑多而外出少，不若男子之能散闷于外，郁久而成病。故其大要不离乎中情郁结者近是。主治之法，若审无外感内伤，别病则养血疏肝四字可以概之。故古人多以四物汤加减治之，或逍遥散之类，可以得其八九矣。盖胎前产后，乃生死交关之际，务须辨症明析，用法得当，保护胎元，勿使正损邪陷也。

室女　凡天癸未至之室女，有病当从幼科论治。天癸既行，则与妇人同治矣。盖经者常也，反乎常则病。然未有神完气足而经有愆期者、其有时经闭者、苟非血海乾枯、定必经脉逆转、血枯则生内热、而咳嗽势必渐成怯瘵、经逆是血、必妄行、而为吐衄、此皆非经候也、须从速治之、再有心热烦闷、如嘈似饥、懊憹倦怠者、其情实久郁、慾火内炽所致、为父母者、察知其意、急宜择配定期、以安其心、若潜爱久留、势必相火刑金、发热咳嗽、吐血、而变成劳瘵、终至不治、慎勿选婿过严、俾饮恨以终也、然又有经水适来、偶阻溺窍、而小便不通、腹胀欲死者、急宜用调经饮、通其经、则便自利矣、

调经饮 当归钱 牛膝钱 查肉钱 香附钱 青皮钱 茯苓钱

月经见证

经者常也、月行有常度、经水有常期、循乎常道、以象月盈则亏也、经不行、其愆乎常者、病也、方书以趱前为热、退后为寒、其理近似、然亦未可尽拘也、何则、因有脏腑空虚者、其经水淋漓不断、频频数见、于趱前也、不可便断为热、又有内热血枯、经脉迟不来者、岂可便断为寒、务须察其颜色、并兼证而以红为正、其变为紫黑者、热

针灸社印

也、
黃如米泔者濕也、淺淡紅白者虛也、成塊而紫黑色明者熱積
也、成塊而紫黑色黯者寒凝也、既行而腹痛喜按者、氣虛血少也、
將行而腹痛拒按者、氣滯血凝也、經前發熱者、為血熱、經後發
熱者、為血虛、腹脹者、為氣滯、腹痛者、為血滯、泄瀉者、是脾虛濕
泄者、是寒濕、其他如脈數、內熱、唇焦口燥、畏熱喜冷者、為有熱、
若脈遲、腹冷、唇淡口和、喜熱畏寒者、為有寒、血多色鮮者、血有
餘也、血少色淡者、血不足也、凡逆行上溢而吐衄、錯行下流而
暴崩、皆為血熱妄行、然亦有脈絡傷損、瘀積肝脏所致者、或兼
赤白帶而下、臭者、為濕熱、腥者為寒濕、依此定斷、其無所失矣、
今以所見各症、及治法、詳列于下、血枯與經逆者、並用益母勝
金丹加牛膝、主之、經阻竅者、調經飲、並澤蘭湯主之、經水紫
黑者、生地四物湯、加參丹、丹皮、益母草、淡紅者、八珍湯主之、黃
如米泔者、六君子湯加苡仁扁豆、寒凝成塊者、四物湯加桂心

益母勝金丹
熟地（砂仁）　酒當歸
酒益母　土白朮
酒香附　酒丹參
酒白芍　酒川芎
酒牛膝

牛膝、熱結成塊者、生地四物湯加丹參、丹皮、益母草、氣血凝而作痛脹者、調經飲或四物湯加延胡、香附、木香、氣虛血少、而成痛或熱者、四物湯加人參、白朮、泄瀉痢者、六君子湯主之、血熱而上下妄行者、四物湯加丹皮、阿膠、荊芥、黑山梔、絡脈傷而妄行者、或喜怒或遑勞、八珍湯主之、瘀血積、則血不歸經、獨聖丸主之、肝火旺、不能藏血者、逍遙散主之、其兼赤白帶者、五苓散、加減治之、

肝氣

肝氣者、婦女之本病、婦女以血爲主、血足則盈而本氣盛、血虧則熱而木氣亢、盛與亢皆易生怒、故肝氣惟婦女爲易動、然怒氣泄、則肝血必大傷、怒氣鬱、則肝血又暗損、怒者血之賊也、其結氣在本位者、爲左脇痛、移於肺者、右脇亦痛、氣上逆者、頭痛目痛、胃脘痛、氣旁散而下注者、手足筋拘攣、腹痛、小腹痛、瘰癧、乳巖、陰腫、陰癢、陰挺、諸症、其變病不一、今以所見各症及治法、詳列於後、

左脇痛者、肝氣不和也、柴

解恨煎
白芍 陈皮 青皮 厚朴
云苓 禾山 砂仁
右胁胁痛加白芥子
如胸胁气满者加厚朴、
附只、壳合用、

柴胡疏肝汤、治肝气左胁痛
柴胡 陈皮 川芎 赤芍
只壳 醋香附 炙草

拈了散 胁痛
枳了 甘草 红花

胡疏肝散、若七情郁结、用逍遥散、解恨煎、右胁痛、用排气散、如肝燥而皮泡胀痛者、瓜蒌散、头痛者、痛或连眉棱骨眼眶、逍遥散主之、目痛者、蒺藜汤加柴胡、山栀、胃脘痛者、沉香降气散、柴胡疏肝散并主之、手足筋脉拘挛者、肝气热也、五痿汤加黄芩、丹皮、腹痛者、木乘土也、芍药甘草汤主之、小腹痛者、疝瘕之气也、橘核丸主之、瘰疬者、血燥有火也、消瘰丸散之、兼服逍遥散、乳岩者、逍遥散、归脾汤、二方间服、阴肿阴痒阴挺诸症、逍遥散主之、甚则龙胆泻肝汤、

妇女经产病温

妇人病温与男子同、但多胎前产后、以及经适来适断、凡在胎前、以护胎为要、勿使热邪入内、以伤胎气、若邪热逼胎、急清内热、外用井底泥蓝布澡冷覆盖腹上、总之以清热解邪勿伤其胎为主、若在产后、是属虚体最多空窍、当从虚怯人病邪同其治法、慎用苦寒、勿犯下焦、恐伤其已亡之阴也、若经水适来、因热邪陷入搏

結不行者、宜破其血結、若經水適斷、而邪乃乘血舍之空虛、以襲之者、宜養營清熱、其邪熱傳營逼血妄行、致經水未當期而至者、宜清熱以安營、夫經水適來適斷、而病遇邪、將陷血室、少陽傷寒言之最詳、仲景立小柴胡湯提出所陷熱邪、以參棗扶胃氣、如熱邪陷入、與血相結者、當從陶氏小柴胡湯去參棗加生地、桃仁、查肉、丹皮、或犀角等、若本經血結自甚、必少腹滿痛、輕者刺期門、重者小柴胡湯去甘藥、加延胡、歸尾、桃仁、挾寒加桂心、氣滯加香附、陳皮、枳殼等、然熱陷血室之證、多譫語如狂之象、與陽明胃實者相似、最須辨別、惟血結者身體必重、非若陽明之輕旋便捷、益陰主重濁、脈絡被阻、側旁氣痹、連胸背皆拘束不遂、故去邪通絡、正合其病、往往延久、則上逆心胞、而為胸中痛、即陶氏所謂血結胸是也、王海藏出一桂子紅花湯、加海蛤、桃仁、原為表裏上下一齊盡解之妙法也、

桂子紅花湯
即桂子湯加紅花

带症　带分五色，有青、黄、赤、白、黑之别，亦不必分属五脏，总之不外乎脾虚有湿而已。用五味异功散，加扁豆、苡仁、山药、泽泻等，无不愈者。倘挟五色，则加本脏药一二味。若有热，加黄柏、莲心。青色属肝，异功散加柴胡、山栀；黄色属脾，加石斛、荷叶、陈米；赤色属心，加丹参、当归；白色属肺，倍加苡仁；黑属肾，加杜仲、续断。

种子　种子者，极寻常事，而不得者，则极其艰难，皆由男女之际调摄未得其方也。男子以保精为主，女子以调经为主。精气足、经水调，无有不得子者。至有孕之脉，首卷中已论及，以左寸脉动为孕子之兆，若两尺脉旺，与两寸迥别，亦为有孕。其他如流利、雀啄，亦为孕脉。或两寸皆浮大，主生二男；两手皆沉实，主生两女。如经断二三月，以川芎末煎艾汤，空心服之，腹内微动者，即胎也。真水虚而左尺无力者，六味丸合五子丸，或左归饮。真水衰而右尺无力者，六味丸合五子丸，或右归饮。两尺

左归饮　右归饮去桂附，加寸冬、龟板

右归饮　杜仲　甘草　附子　北杞　肉桂　[illegible]　山萸　熟地　正山

五子丸　北杞　菟丝　五味　覆盆　前仁

贊育丹
熟地 白朮 當
杜仲 仙茅 韭
巴戟 山萸
淫羊藿 大云
附子 肉桂
蛇床

益母胜金丹

毓麟湯
巴戟 覆盆
白朮 堂
正山 力曲

調經湯
當归 元胡 白朮
香附 白芍 生地
川芎 丹皮 陳皮
母艸

紫禾飲
当川芎 紫禾
甘草 人参 白芍
大腹 陳皮
葱白

倶無力者，十補丸、合五子丸。精薄不凝者，六味丸、合五子丸，加魚鰾、鹿角膠。之陽氣虚不能射遠者，贊育丹主之。調經之法，見於月經篇。血熱者，益母勝金丹加生地、丹皮。血寒者，益母勝金丹加肉桂。氣滯腹痛者，四物湯加延胡、香附、木香，或調經飲。氣虚者，四物湯加人參、白朮、黃耆。氣血並虚者，毓麟珠主之。

胎前諸病　妊娠之月，宜節慾、食淡，勿過勞，亦勿過佚，日常走動，以活其胎。屏絕嗔怒，以靜其性，則生育自易，兒亦聰明多壽矣。然兒在腹中，孕婦又氣，一切皆能致病，今備其病以示治法如下。惡阻者，濁氣閉塞，中脘停痰，眩暈嘔吐滿悶，宜二陳湯加枳殼主之。脾虚者，六君子湯加蘇梗、砂仁、香附。胎動不安者，起居不慎也，安胎飲主之。胎漏者，經水忽下，血瀝盡則胎不保，四物湯加荊芥、防風主之。如血虚加茯苓、阿膠、艾葉。氣虚下陷者，補中益氣湯。子懸者，胎上逼也，紫蘇飲加減主之。更有氣逆而厥暈者，名曰子眩。其痰其色亦用前藥。如脾虛挾痰，則六君子湯。胎不長者，産母宿疾所致，五味異功散或八珍湯主之。子煩者，煩心悶亂也。四六兩月居多，火盛而煩，淡竹叶湯。若氣滯而悶，宜二陳湯加白朮、黃芩、蘇梗、枳殼。子癇者，血虛受風忽然口噤反張，其症最暴，受風，羚羊角散主之。若怒動肝火者，佐以逍遙散。胎氣上逆者，佐以紫蘇飲。子鳴者，小兒口中脫出，腹內哭聲也。須曲腰就地如拾物狀一二刻，兒嚥仍入兒口即止。用四物湯加白朮、茯苓，以安胎氣。子瘖者，胃脈繫舌本，為胎氣壅閉故不能言，不須服藥，分娩後自能言矣。小便不通者，小腸有熱也，四物湯加芩、萬、澤瀉主之。迷胞，胎墜胞系繚亂，點滴不通者，名曰轉胞，其禍最速，茯苓升麻湯主之，或補中益氣湯，隨服而探吐之。胎水腫滿者，名曰子腫，由胞胎壅遏，水飲不流所致，五皮飲加白朮、茯苓主之。脾虛不能制水者，六君子湯，水自出

茯苓升麻湯
赤白茯苓 升麻
當歸 川芎 苧根

黑神散
桂心　当归　炙草
姜　蒲黄　黑豆
芍

病產學

者名曰亂經、生子多不育、八珍湯補之。熱病損胎者、病熱而胎損腹中也、古方用黑神散下之、或平胃散、加朴硝五錢下之、更穩。產母面赤舌青、其子已損、若面青舌赤、母亦難全、慎之。小產者未足月而欲生、總因勞傷所致、急用安胎飲以安之。既產而腹痛拒按者、瘀血也、當歸澤蘭湯主之。小產後血不止、或煩渴面赤脈微者、虛氣血大虛也、八珍湯加炮姜補之。若腹痛嘔瀉、脾胃虛也、香砂六君子湯加姜桂。

臨產將護法

凡將臨產之月、其將護之法有三、一宜養善、勿呆坐、勿多睡、勿過飽、常食米粥以解飢渴、天熱則預擇涼處、免生火暈、天寒則擇煖室、免致血寒、二宜選穩忌喧鬧、備須用物件、三服藥、懷孕八月宜服保產無憂湯二三劑、臨產時再服此劑、則撐開道路、兒自易生、或連日不產、用力太早者、宜服八珍湯以助其力、其有調護失宜而爲逆產者、則命在呼吸、備列方法以備參考。凍產者、天寒、氣血凝滯、難以速生、須煖其室、厚其衣服。熱產者、暑月過熱、恐頭目昏眩、而生血暈、宜就涼處、若冰閣風雨、更宜謹避。橫生者、兒方轉身、用力太急也。產母宜安然仰睡、先推兒身順直、以中指探兒肩、不令臍帶攀羈、然後用脫花煎推之。倒產者、兒未轉集努力太早、手脚先出也。令穩婆輕手推入、按轉兒頭、再服脫花煎。偏產者、兒已轉身、努力太急、逼兒頭偏一邊、雖露頂非也、乃額角耳、令穩婆輕手扶正其頭、即順下。若兒頂後骨偏注穀道、露額、則輕手於穀道外旁托正、產母努力即生。礙產者、兒轉身時、臍帶伴其肩、以致不生、宜輕手推其向上、以中指按兒肩、脫去臍帶即生。交骨不開、有鎖骨者、有血虛不能運達者、以蔴油潤滑石、塗入產所、或用兩指緩緩撐開、服加味歸芎湯、脫花煎。盤腸產者、臨產子腸先出、然後生、子腸出時、以潔淨漆器盛之、用萆麻子四十九粒、研爛、塗產母頂、腸即收、急洗去其藥、其腸若乾、以麿刀水少許、溫潤之、又有用蔴油指燃、點燈吹熄、以烟薰其鼻、腸即上。產門不閉、氣血虛也、八珍湯補之、如不應、用十全大補湯。胞衣不下者、因力乏不能努力、宜于剪臍時用物繫定、再用歸芎湯一服即下、或血入胞衣、脹大不下、心腹脹痛喘急、速用清酒送失笑丸三錢、其衣自下、如不應、更佐以花蕊石散、牛膝散。

產後諸症

產後最宜調護、其要有四、一曰倚坐、上牀以被褥靠之、暑月以櫈靠之、不可遠然睡熟、預至十日後、方可平睡、常以手從心摩至臍下、俾瘀露下行、二曰擇食、初生後、宜食粥、半月後、方可食打開雞蛋、滿月後、可食羊肉、猪蹄等物。三曰避風、養神、少言語、大忌梳洗、恐招風濕、四曰服藥、初產畢、即用生化湯、或歸姜湯、以驅瘀血、自然安泰、或有變生他症者、隨症治之、今以治法列後。產後血暈者、瘀血上攻也、從胸腹脹痛拒按、宜歸芎湯下失笑丸。若去血過多、心慌自汗、用姜

生化湯
当归 川芎 桃仁
炙草 黑姜

失笑丸
卜黄 灵脂

归脾汤
党参 白术 黄芪
甘草 茯神 远志
酸枣仁 木香 元々
当 大

泽兰汤
泽兰 生地 当归
白芍 甘草 大枣

歸脾湯、加人參，甚則加附子。產後不語者，心腎不交也，氣血虛弱所致，七珍散、歸脾湯並主之。若虛火上炎，六味地黃丸。產後發熱者，若無風寒表邪之象，則血虛也，四物湯加黑姜補之，或加童便為引。更致如有脾虛傷食，則異功散加神麴、麥芽。大凡風寒發熱，晝夜不退，若血虛與傷食發熱，則晡熱晨退，且傷食更必吞酸噯腐滿悶，以此為別。更有氣血大虛，陰躁作渴者，乃陽隨陰散之危候，十全大補湯救之。狂言如見鬼者，是敗血上衝心腹，脹痛，宜擇蘭湯兼失笑丸。若血虛神不守舍，則心慌自汗，宜安神定志丸，加人參、歸芎治之，歸脾湯亦得。心神驚悸者，心血空虛也，七福飲、補旨安神丸之類。汗多變痙者，陽氣大虛也，十全大補湯主之。產後身痛者，如徧身手按更痛者，瘀血凝滯也，四物湯加黑姜、桃仁、紅花、澤蘭化之。若身痛喜按者，血虛也，四物湯加黑姜、參、术補之。若兼風寒，必頭痛鼻塞、惡寒，宜太拜散加當歸、川芎、秦艽、

婦產學 七

补漏湯
党參 白芍
条芩 生地
母草 六汗
甘草

黑姜、以散之。產後腰痛上連脊背、下連腿膝、者風也、獨活寄生湯主之。若專腰痛者、虛也、八珍湯、加杜仲、續斷、肉桂。若惡露不盡、痛如錐刺者、連用桃仁湯化之、免作癰腫。產後心腹諸痛、受風寒者、口鼻氣冷、停食者吞酸噯腐、俱用二香散。惟瘀血作痛、若刀錐之刺、失笑丸主之。其中氣虛寒、腹中冷痛、得熱則止者、理中湯加桂心。若小腹痛、虛有塊、不可手按者、此名兒枕痛、瘀滯也、失笑丸主之。惡露不絕者、因肝氣不和、用逍遙散。因脾不統血、用歸脾湯。若因瘀滯而新血不得歸經、必腹痛拒按、歸芎湯下失笑丸。蓐勞者、寒熱食少、頭痛肢痛者、最難調治、八珍湯主之。喘促者、營血暴竭、衛氣無依、最為難治、六味地黃湯加人參。若脾肺兩虛、四君子湯加黑姜、當歸。若瘀血入肺、口鼻起黑氣及鼻衄者、此肺胃將絕之候、急服參蘇飲。如厥冷自汗、更加附子、尚有得生者。產後乳少由原氣虛弱、八珍湯主之。若氣虛掀腮、是朱通也。逆宜吮通，服王不留行湯。若為兒口吹氣壅腫不痛不急治，即成乳癰，速服瓜蔞乳香散、敷香附餅，即消，如已成膿，則以神仙太乙膏貼之，吸盡膿則愈矣。乳巖初起，內結小核，不痛不癢，漸大而潰，形如熟榴，內潰深洞，此脾肺鬱結氣血虧損，最為難治。初起用加味逍遙散、加味芎歸湯二方間服，亦可浮潤、及真病勢既成，雖有盧扁亦難為力。乳卸為乳頭拖下一二尺，此肝經風熱發泄，用小柴胡湯加羌活主之，蓖麻子四十十粒，麝香一分，研塗頂心，候乳頭收之，即洗去。

完

婦科完

鍼灸經穴學講義

第一章 經穴之分寸

按經穴者乃鍼灸中首重之學也苟不明經脈之起止分佈何能識順逆之流行既知其流行別其順逆又當知其穴之名稱部位或居於谿谷之内或起於郄膕之中此更不可不知也雖然猶有宜於注意者蓋經有正奇而穴亦有正奇奇經者何（十二經之外督任衝帶二蹻二維是也前已詳述之）奇穴者何十二經内三百穴之外金津玉液大小骨空四縫二百八風十宣等三十餘穴是也茲將正奇各穴分寸部位編成歌訣庶便誦讀也

第一節 手太陰經穴之分寸歌訣 肺 11

太陰中府三肋間上行雲門寸六許雲在璇璣旁六寸天府腋三動脈求俠白肘上五寸主尺澤肘中約紋心孔最腕側七寸擬列缺腕上一寸半經渠寸口陷中取太淵掌後橫紋頭魚際

節後散脈裡、少商大指内側邊。鼻衄喉痺、刺可已。

第二節、手陽明經穴之分寸歌訣 大腸 20 節

商陽食指内側邊、二間尋來本節前、三間節後陷中取、合谷虎口岐骨間、陽谿腕上筋間是、偏歷交叉中指端、溫溜腕後去五寸、池前四寸下廉看、池前三寸上廉中、池前二寸三里逢、曲池曲肘紋頭盡、肘髎大骨外廉近、大筋中央尋五里、肘上三寸行向裏、臂臑肘上七寸量、肩髃肩端舉臂取、巨骨肩尖端上行、天鼎扶下一寸真、扶突人迎後寸五、禾窌水溝旁五分、迎香禾窌上一寸、大腸經穴是分明

第三節、足陽明經穴之分寸歌訣 胃

胃之經兮足陽明、承泣目下七分尋、四白目下方一寸、巨髎鼻孔旁八分、地倉挾物四分近、大迎頷前寸三分、頰車耳下曲頰陷、下關耳前動脈行、頭維神庭旁四五、人迎喉旁寸五真、水突

筋前迎下、在氣舍突外相乘、缺盆舍外横骨內、相去中行四寸（穴）

明、（氣户璣旁四寸至乳六寸又四分）庫房、屋翳膺窗接、乳中正在乳頭心、次有乳根出乳下、各一

寸六不相侵、却去中行須四寸、以前穴道為君陳、不容巨闕旁

二寸却近幽門寸五新、其下承滿與梁門、關門太乙滑肉門、上

下一寸無多少、共去中行二寸尋、天樞臍旁二寸間、樞下一寸

外陵安、樞下二寸大巨穴、樞下三寸水道全、水下一寸歸來好、

共去中行二寸邊、氣沖鼠鼷（即横骨盡處）上一寸、又在曲骨二

寸間、髀關膝上有尺二、伏兔膝上六寸是、陰市膝上方三寸、梁

丘膝上二寸記、膝臏陷中犢鼻存、膝下三寸三里至、膝下六寸

上廉穴、膝下七寸條口位、膝下八寸下廉看、下廉之旁豐隆是、

却是踝上八寸量、解谿跗上繫鞋處、衝陽跗上五寸喚、陷谷庭

後二寸間、內庭次指外間陷、厲兌大次指外端、

第四節　足太陰經穴之分寸歌訣脾　21

逢

大趾内側端隱白、節前陷中求大都、太白核前白肉際、節後一寸公孫呼、商邱踝前陷中逢、踝上三寸三陰交、踝上六寸漏谷是、膝下五寸地機朝、膝下内側陰陵泉、血海膝臏上内廉、箕門穴在魚腹取、動脈應手越筋間、衝門橫骨兩端同、去腹中行三寸半、衝上七分府舍求、舍上三寸腹結算、結上寸三是大橫、却與臍平莫胡亂、中脘之旁、四寸取、便是腹哀分一段、中庭旁五食竇穴、膻中去六是天谿、再上寸六胸鄉穴、周榮相去亦同然、大包腋下有六寸、淵液之下三寸絆、

脘

第五節　手少陰經穴之分寸歌訣　心　9

少陰心起極泉中、腋下筋間動引胸、青靈肘上三寸覓、少海肘後五分究、靈道掌後一寸半、通里腕後一寸同、陰郄去腕五分的、神門掌後銳骨逢、少府少指本節末、小指内側是少沖、

第六節　手太陽經穴之分寸歌訣　小腸　19

小指端外為少澤、前谷外側節前覓、節後握拳取後谿、腕骨腕前骨陷側、銳骨下陷陽谷討、腕後銳上覓養老、支正腕後五寸量、小海肘端五分好、肩貞胛下兩筋解、臑俞大骨下陷保、天宗秉風後骨中、秉風髎外舉有空、曲垣肩中曲肩陷、外俞去脊三寸從、中俞二寸大椎旁、天窗扶突後陷詳、天容耳下曲頰後、顴髎面頄銳端量、聽宮耳中大如菽、此為小腸手太陽、

第七節　足太陽經穴之分寸歌訣 膀胱

63

足太陽是膀胱經、目內眥角始睛明、眉頭陷中攢竹取、眉衝直上旁神庭、曲差入髮五分際、神庭旁開寸五分、五處旁開一寸半、細算却與顖會平、承光通天絡却穴、相去寸五調匀看、玉枕挾腦一寸三、入髮三寸枕骨取、天柱後項髮際中、大筋外廉陷中記、自此挾脊開寸五、第一大杼二風門、三椎肺俞厥陰四、心俞五督六俞穴論、膈七肝九十膽俞、十一脾俞十二胃、十三三焦

鍼灸經穴學講義　二

十四膏肓氣海俞在十五椎大腸十六椎之下、十七關元俞穴重
小腸十八胱十九中膂內俞二十椎、白環念一椎下當、以上諸
椎
穴可椎量、更有上次中下髎、一二三四腰空好、會陽陰尾尻骨
旁、背部第二諸穴了、又從脊上開三寸、第二椎下為附分、三椎
魄戶四膏肓、第五椎下神堂譩、第六譩譆膈關七、第九魂門陽
綱十、十十一意舍之穴存、十二味倉穴已分、十三肓門端正在、十
四志室不須論、十九胞肓念一秩、背部三行諸穴了、又從臀下
橫紋取、承扶居下陷中央、殷門扶下方六寸、委陽膕外兩筋鄉、
浮郄實居委陽上、相去祗有一寸長、委中在膕約紋裏、此下二
寸委合陽、承筋合陽之下直、穴在腨腸之中央、承山腨下分肉
間、外踝七寸上飛揚、跗陽外踝上三寸、崑崙後跟陷中藏、僕參
跟下脚邊上、申脈踝下五分張、金門申前墟後取、京骨外側骨
趾
際、量束骨本節後肉際、通谷節前陷中强、至陰却在小趾側、太

鍼灸社印

陽之穴始周詳

第八節　足少陰經穴之名称歌訣　腎27

足掌心中是湧泉。然谷踝前大骨边。太谿踝後跟骨上。照海踝下四分安。水泉谿下一寸覓。大鍾跟後踵筋間。復溜踝上二寸後。交信踝上二寸連。二穴止隔筋前後。太陰之後少陰前。築賓内踝上腨分。陰谷膝下内輔边。横骨大赫連氣穴。四滿中注亦相連。五穴上行皆一寸。中行旁開半寸边。肓俞上行亦一寸。俱在臍旁半寸边。商曲石關陰都穴。通谷幽門五穴纏。下上俱是一寸取。各開中行半寸前。步廊神封灵墟穴。神藏彧中俞府安。上行寸六旁二寸。俞府璇璣二寸觀。

第九節　手厥陰經穴之名称歌訣　心包絡9

心包穴起天池間。乳後旁一腋下三。天泉曲腋下二寸。曲澤肘内横紋端。郄門去腕方五寸。間使腕後三寸安。内關去腕止二寸。大陵掌後兩筋間。勞宮屈中名指取。中冲中指之末端。

第十節 手少陽經穴之名称歌訣 焦23

無名指外端関冲。液門小次指陷中。中渚液上紙一寸。陽池手表腕陷中。外関腕後方二寸。腕後三寸支溝穴。支溝横外取會宗。空中一寸用心攻。腕後四寸三陽絡。四瀆肘前五寸著。天井肘外大骨後。骨罅中間一寸确。肘後二寸清冷渊。消濼對腋臑外落。臑會肩前三寸量。肩髎臑上陷中央。天髎肩井後一寸。天牖居天容後旁。（頸大筋外完骨下髮際上）翳風耳後尖角陷。瘈脉耳後雞足張。顱息亦在青絡上。角孫耳角上中央。耳門耳缺前起肉。禾髎耳前動脉張。銳髮鄉 欲知絲竹空何在。眉後陷中仔細量。

第十一節 足少陽經穴之分寸歌訣 胆43

外眥五分童子髎。耳前陷中聽會饒。上関（開口有空處）上

壓A

行一寸是內斜曲角頷厭昭下行懸顱中厘下厘曲鬢耳顴髮際
耆・（入髮寸半率角穴）耳後入髮際二寸（天沖率後斜三分）浮白後行一寸陰竅陰穴在枕骨下完骨
耳後入髮際量得四分續閑記本神神庭旁三寸入髮五分耳
上繫陽白眉上一寸許入髮五分是臨泣臨後寸半目窗穴正
營承靈及腦空後行相去寸半同風池耳後髮際陷肩井肩上
陷解中以三指按取當中是穴大骨之前寸半取淵液腋下三
寸逢輒筋復前一寸行日月乳下二肋逢期門之下五分存臍
上五分旁九五季肋俠脊是京門季下寸八帶脈帶下三寸
五樞真維道章下五三定章下八三居髎名環跳髀樞宛中陷
風市垂手中指尋膝上五寸是中瀆陽關陽陵上三寸陽陵膝
下一寸任陽交外踝上七寸外邱外踝七寸分此是斜屬三陽
絡踝上五寸定光明踝上四寸陽輔地踝上三寸是懸鐘邱墟
踝下陷中丘邱下三寸臨泣存臨下五分地五會會下一寸俠

鍼灸經穴學講義　五

成[illegible]部

谿呈、欲覓竅陰何處有、小指次指外側尋、

第十二節　足厥陰經穴之分寸歌訣　肝 15

足大指端名大敦、行間大指縫中存、太沖本節後寸半、踝前一寸號中封、蠡溝踝上五寸是、中都踝上七寸中、膝關犢鼻下二寸、曲泉曲膝盡橫紋、陰包膝上方四寸、氣沖（足陽明經穴）三寸下五里、陰廉沖下有二寸、急脈陰旁二寸半、章門直臍季肋端、（即下脘旁門九寸）肘尖盡處側臥取、期門又在乳直下、四寸之間無差矣（一說在巨闕旁四寸五分）

第十三節　任脈經穴之分寸歌訣 24

任脈會陰兩陰間、曲骨毛際陷中安、中極臍下四寸取、關元臍下三寸連、臍下二寸石門是、臍下寸半氣海全、臍下一寸陰交穴、臍之中央即神闕、臍上一寸為水分、臍上二寸下脘列、臍上三寸名建里、臍上四寸中脘許、臍上五寸上脘在、臍上六寸巨

鬭美鳩尾蔽骨下五分、中庭膻下寸六取膻中却在兩乳間、膻
上寸六玉堂主、膻上紫宮三寸二、膻上四八華蓋舉、膻上璇璣
六寸四、廉泉頷下結上已承漿頤前下唇中、齦交齒上齦縫裡、

璣上一寸天突取 天突結喉下四寸。

第十四節 督脈經穴之分寸歌訣 27

尾閭骨端是長强、二十一椎腰俞當、十六陽關十四命、十三懸
樞十一脊、十椎中樞筋縮九、七椎之下乃至陽、六靈五神三身
柱、陶道一椎之下鄉、一椎之上大椎穴、上至髮際啞門行、風府
一寸宛中取、腦戶二五枕之方、再上四寸强間位、五寸五分後
頂强、七寸百會頂中取、耳尖直上髮中央、前頂前行八寸半、前
行一尺顖會量、一尺一寸上星會、入髮五分神庭當、鼻端準頭
素髎穴、水溝鼻下人中藏、兌端唇尖端上取、齦交齒上齦縫鄉

附經外奇穴歌訣

鍼迎香穴鼻孔內、蘆管出血法為最、魚腰二穴眉間尋、常治目

中醫不退。鼻準鼻端兩傍鍼、酒醉風皶出血端。八邪八風何處
尋、手足五指歧骨內、手臂紅腫鍼八邪、足背腫時八風邊。四縫
手內指節中、小兒糊孫出血責、奔豚之病何處覓、蘭門鍼後却
逍遙。曲骨兩傍三寸取、膀胱疝氣不須愁。尋到海泉治消渴、速
取金針刺出血、借問此穴在何方、舌下中央是真穴。聚泉一穴
舌上呈、舌縫中央仔細尋。哮喘咳嗽久不愈、隔盞灸後立時寧。
金津玉液取之良、舌下兩旁紫脈藏、三稜出血黑痧治、喉閉舌
腫重舌亦作舌腫邊有專長。大指中節大骨空、翳膜內障灸多功。
囊底陰囊十字取、能灸疝氣腎囊風。中魁中指二節端、翻味吐
食灸斯安、印堂一穴眉中陷、小兒驚風刺即康、太陽眉後紫脈
間、眼目紅腫用鍼探、十宣十指尖上取、乳蛾痧症立時刪。內踝
尖及外踝尖、內外腳筋轉不安、急用三稜鍼出血、再加艾鍼七
鍼
壯囊。二白間使後一寸、筋內筋外穴互根、痔漏脫肛鍼有效、鍼

灸同施兩相當。肩柱骨穴起肩端，治療瘰癧甚相安、肘尖曲肘
尖上取、瘰癧灸之漸次康。獨陰居足次趾彎、胎衣不下灸其間、
子宮中極旁三寸、灸治婦人子嗣艱。手疼目痛小骨空、小指第
二節尖中。以上名稱皆奇穴、或鍼或灸見奇功。

經穴學完

鍼灸社印

共七頁

中國鍼灸醫學專科研究社第　班課程時間表　民五十年秋季用

時 / 日 / 鐘	第一時 八至九	第二時 九至十	第三時 十至十一	第四時 十一至十二	第五時 一至二	第六時 二至三
星期一	紀念週	先生	先生	先生	先生	先生
星期二	先生	先生	先生	先生	先生	先生
星期三	先生	先生	先生	先生	先生	先生
星期四	先生	先生	先生	先生	先生	先生
星期五	先生	先生	先生	先生	先生	先生
星期六	先生	先生	先生	先生	先生	先生

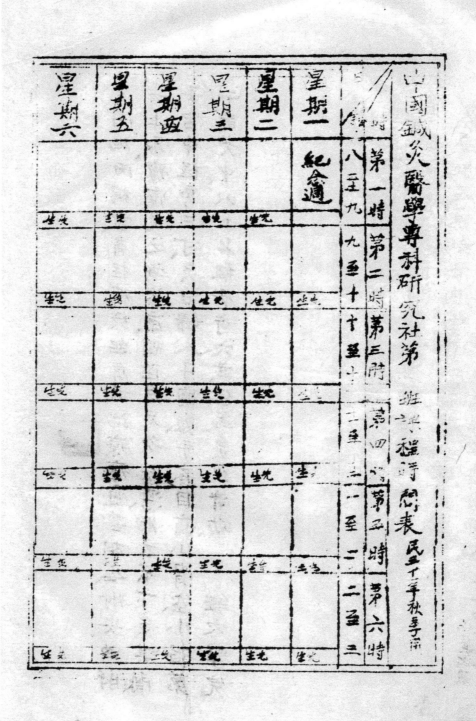

中國鍼灸經穴學講義

引言

鍼灸之學由來久矣、上古時代治療疾病用石以砭之、用艾以灸之、及後物理昌明、乃將砭石易以金鍼、艾灸則仍舊耳、蓋鍼之興灸、皆取諸孔穴以施治、是故鍼灸病列於一科、當是之時、猶祇知頭身肢三部之孔穴也、自漢代以後、而經穴之學乃大備焉、凡治醫者藉以起沉痾而療痼疾、皆賴手三陰三陽、足三陰三陽、並任督二脈之經穴而施治、經穴者何、乃吾人身體中之神經枝幹耳、我古代鍼書習於經絡之學、而未實行剖解、故不知另有神經在焉、方今東西醫學雖日漸昌明、猶將我國鍼書講譯攝圖、合其神經式、其功用研究精詳、不遺餘力、豈我國有良好文化、倘不詳加研究、極力闡揚、必致國粹淪亡而後已、仲平不揣冒昧、乃將昔日承老師淡安指導學術之外、復將新舊各種鍼灸書中，關於學術有研究價值者，靡不悉心搜羅，歷時半載，草率成篇，學者，能於此書中，專心研究，雖不敢謂從此入室升堂，當亦不致宮牆外望也，仲平知識淺鮮，遺漏必多，尚冀先進君子有以校正焉，

民國二十五年國曆二月黄仲平自識於湖南國醫學校

一符號標點形式如下

禁鍼穴……●

禁灸穴……▲

險穴……!

正穴……■

鍼灸兩禁穴……◬

中國鍼灸經穴學講演

第一章 十二經之分野起止

第一節 手太陰經脈

靈樞經脈篇曰、肺手太陰之脈、起於中焦、下絡大腸、還循胃口、上膈屬肺、從肺系橫出腋下、下循臑內、行少陰心主之前、下肘中、循臂內、上骨下廉、入寸口、上魚、循魚際、出大指之端、其支者、從腕後直出次指內廉、出其端、

講義

「肺手太陰之脈、起於中焦」、因手之三陰、均從臟起、而走至手之尖端止、故手太陰肺脈起於中焦、中焦者、乃吾人身之中部、即胃之中脘也、十二經者、營也、營即是血、故曰營行脈中、首言肺者、蓋肺朝百脈、循次序而相傳、盡於肝經、終而復始、又傳於肺、是爲一周、循環不息、「下絡大腸」、肺與大腸爲表裏、故絡大腸、凡

十二經相通、各有表裡、在本經者曰屬、連於他經曰絡、是內則絡大腸、外則絡於手陽明經也、其絡名則曰列缺、還循胃口、還復也、返也、循繞也、既已下行絡于大腸、復返循繞胃口、然後上行於膈膜之中、穿過膈膜、入其本臟、則曰「上膈屬肺」、身中膈膜居心肺之下、前齊鳩尾、後齊十一椎脊骨、周圍相着、以膈濁氣不使其氣上熏心肺、則清高之心肺、不受惡濁之氣熏蒸矣、「從肺系橫出腋下」、是肺之本系、喉嚨中橫行而出、于腋旁之下、即脇之上、膊之下也、「循臑內」、臑者、部在手膊之內側、上至腋下、至肘也、「行少陰心主之前」、手之三陰、太陰經脈居前、厥陰居中、少陰居後、手少陰屬心、手厥陰屬心包絡、又名心主、行少陰心主之前者、即此意也、沿行肘之中央尺澤穴而過、故曰「過肘中」、而循行臂內之孔最穴、上臂骨之下廉、則經渠穴、故曰「循臂內上骨下廉」、此之謂也、再「入寸口」經渠、太淵二穴、直「上魚」、「寸口」乃寸脈之處手腕之下魚即手腕之上肉隆起如魚者故名之繞循魚際穴然後出大指之端、手太陰脈止於此其脈分支從腕後列缺穴起直行食指之內廉、交手陽明商陽穴而上行、故曰其支者從腕後直出次指內廉出其端、

手太陰肺經脈循行圖

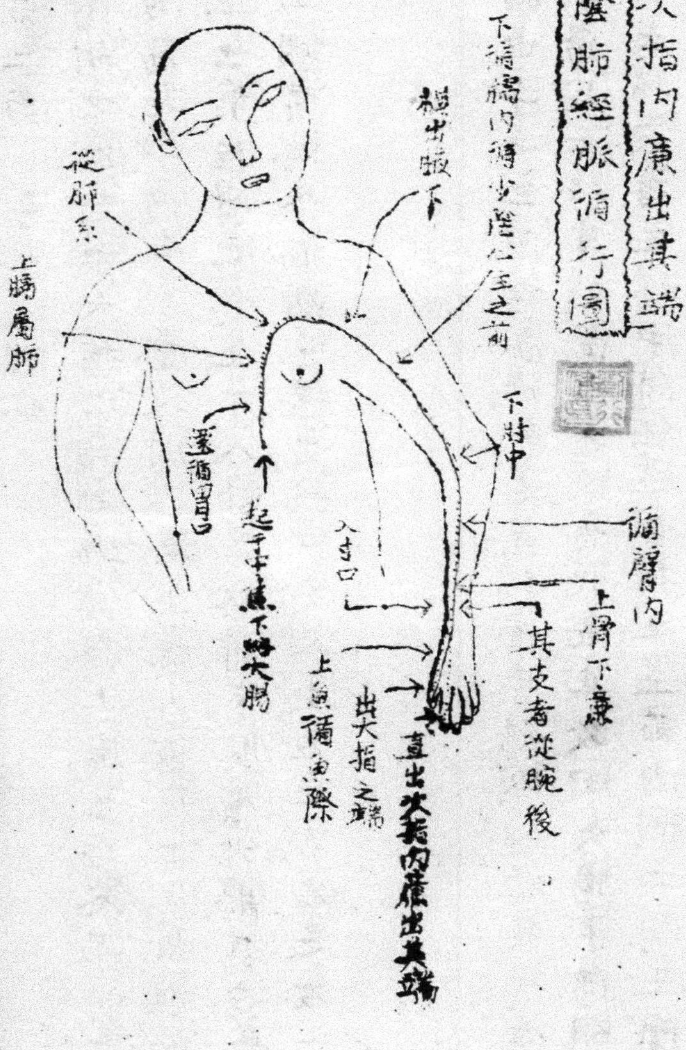

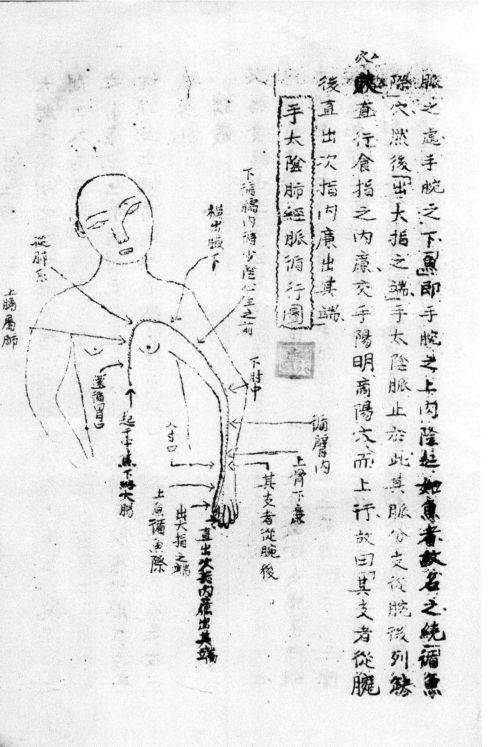

第二節 手陽明經脈

大腸手陽明之脈、起於大指次指之端、循指上廉、出合谷兩骨之間、上入兩筋之中、循臂上廉、入肘外廉、上臑外前廉、上肩、出髃骨之前廉、上出於柱骨之會上、下入缺盆、絡肺、下膈、屬大腸、其支者從缺盆上頸、貫頰、入下齒中、還出挾口、交人中、左之右、右之左、上挾鼻孔

講義

次指食指也、手之三陽經脈從手走至頭面、手陽明經脈是從食指內側商陽穴上行直達面部之迎香穴而止、故曰、大腸手陽明之脈起於大指次指之端、中間經过食指之上節內側二間、三間兩穴、此即上廉也、上廉者、指在上之一部份也、由二間三間循上兩行經过大母指食指之椏兩處岐骨支接相合之處名曰合谷穴、俗名虎口穴、即是、故曰「循指上廉出合谷兩骨之間」、凡諸經脈

陽則循行於外、陰則循行於內、蓋手內為陰脈循行之所、以此會
剔則易於記憶也。手陽明之脈既從合谷上行而至手腕之上側
兩筋陷凹之中陽谿穴經过、故曰「上入兩筋之中」。手腕之上、肘之
下為臂、「循臂上廉、入肘外廉」者、是指其經脈從陽谿穴直上手臂
之偏歷、溫溜、下廉、上廉、手三里五穴、再循行而上至肘之外邊曲
池穴、即此意也。手之中段、能伸屈之處曰肘、肩之下、肘之上曰肱、
肱之內曰臑、肱之外曰膊、臑與脇肋对、前廉者向面之部份也、後
廉者、向背之部份也、肩端骨之處名為髃、肩端骨為髃骨。手陽明
經脈從曲池上臑外邊之肘髎、五里、臂臑、肩髃四穴直上至肩之
髃骨、故曰「上臑外前廉、上肩、出髃骨之前廉」。肩之上、頸之根為天
柱骨、即大椎穴、六陽皆會於督脈、故名之為會。上是手陽明經脈
由肩端之肩髃穴上肩、從巨骨穴經过、向後行於督脈之大椎穴
明矣、故曰「上出於柱骨之會上」、再由大椎穴沿頸而前行、入缺盆

之内、即鎖骨陷中、下行絡肺、復下行穿过膈膜、當於臍旁、屬於大腸、是内則絡於肺、外則從偏歷穴絡於手太陰經也。此即「下入缺盆絡肺、下膈屬大腸」之意也。「其支者、從缺盆上頸貫頰、入下齒中」、是指其分支之處、仍從缺盆循行上頸、經过天鼎、扶突二穴上行至耳根下曲屈之處、即頰之所在也。「還出挾口、交人中、左之右、右之左、上挾鼻孔」、人中者、即督脈經之水溝穴也。頞即山根、鼻之莖也、由耳根下之曲屈處出而行、至人中、左右互相交換、經过禾髎迎香二穴而止、迎香穴在鼻莖、兩傍、即頞之部位、頞與目内眥經脈交通、何以知之、試將頞部角觸、則目内眥即流出淚來、此其明證、故由鼻莖之傍交承泣而接足陽明經也。

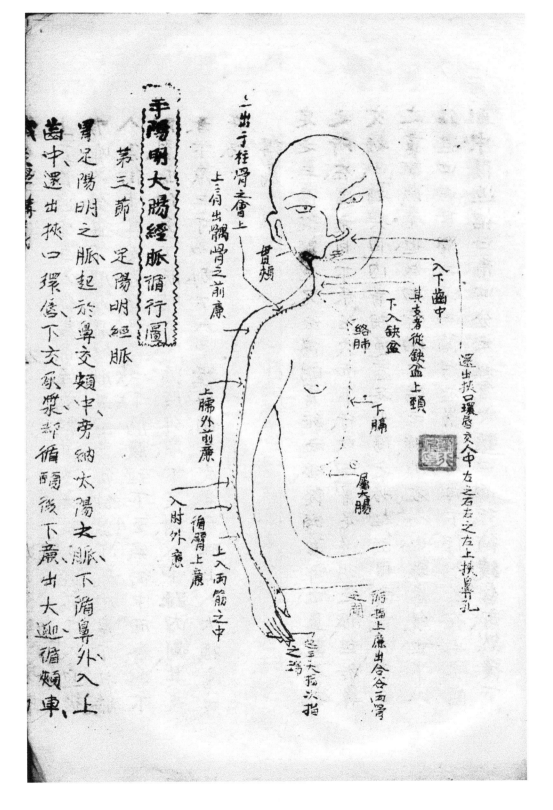

手陽明大腸經脈循行圖

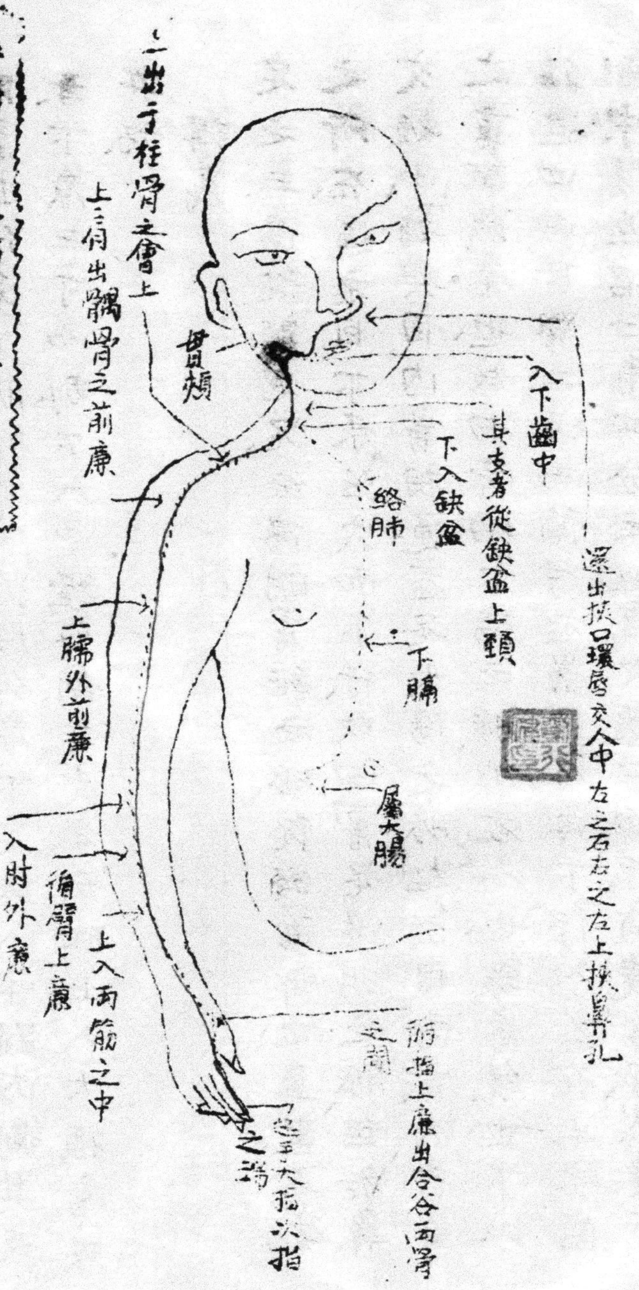

第三節　足陽明經脈

胃足陽明之脈、起於鼻交頞中、旁納太陽之脈、下循鼻外、入上齒中、還出挾口環唇、下交承漿、卻循頤後下廉、出大迎、循頰車、上耳前過客主人循髮際至額顱、其支者、從大迎前下人迎循喉嚨入缺盆下膈屬胃絡脾、其直者、從缺盆下乳內廉、下挾臍入氣街中、其支者起於胃口、下循腹裡、下至氣街中而合、以下髀關、抵伏兔、下膝臏中、下循脛外廉、下足跗、入中趾內側、其支者、下廉三寸而別、下入中趾外側、其支者、別跗上、入大趾間出其端、

講義

足之三陽從頭走足、故陽明胃經之脈、從頭面部之鼻莖、名頞之所在、通於目下承泣穴而下行、故曰胃足陽明之脈、起於鼻交頞中、頞與目內眥相通、蓋足太陽之脈、起於目內眥、內眥目之裏面眼角也、故曰旁納太陽之脈、納者入也、環者繞也、下以經过四白巨髎二穴、而循行於鼻之外、再下行入於在上之齒齗中、復返沿口角四分之地倉穴挾口而行、循繞唇部、然後下

第四節　足太陰経脈

脾足太陰之脈、起於大趾之端、循指内側白肉際、過核骨後、上内踝前廉、上踹内、循脛骨後、交出厥陰之前、上膝股内前廉、入腹屬脾絡胃、上膈挾咽、連舌本、散舌下、其支者、復從胃別上膈、注心中、

第五節　手少陰経脈

心手少陰之脈、起於心中、出屬心系、下膈絡小腸、其支者、從心系、挾咽、繫目系、直其者、復從心系、却上肺、下出腋下、下循臑内後廉、行太陰心主之後、下肘内、循臂内後廉、抵掌後鋭骨之端、入掌内後廉、循小指之内、出其端、

第六節　手太陽経脈

小腸手太陽之脈、起於小指之端、循手外側、上腕、出踝中、直上循臂骨下廉、出肘内側兩骨之間、上循臑外後廉、出肩解、繞肩

脾、交肩上、入缺盆、絡心、循咽下膈、抵胃、屬小腸、其支者、從缺盆
循頸上頰、至目銳眥、却入耳中、其支者、別循頰上䪼、抵鼻至目
内眥、斜絡於顴、

第七節 67 足太陽經脈

膀胱足太陽之脈、起於目内眥、上額、交巔、其支者、從巔至耳上
角、其直者、從巔入絡腦、還出別下項、循肩髆内、挾脊抵腰中、入
循膂、絡腎、屬膀胱、其支者、從腰中下挾脊、貫臀、入膕中、其支者、
從髆内左右別下、貫胛、挾脊内、過髀樞、循髀外、從後廉下合膕
中、以下貫踹内、出外踝之後、循京骨、至小趾外側、

第八節 27 足少陰經脈

腎足少陰之脈、起於小趾之下、斜走足心、出於然谷之下、循内
踝之後、別入跟中、以上踹内、出膕内廉、上股内後廉、貫脊、屬腎、
絡膀胱、其直者、從腎上貫肝膈、入肺中、循喉嚨、挾舌本、其支者、

從肺出絡心注胸中、

第九節 9 手厥陰经脈

心主手厥陰心包絡之脈起於胸中、出屬心胞絡、下膈歷絡三焦、其支者循胸出脇、下腋三寸、上抵腋下循臑內行太陰少陰之間入肘中、下臂行兩筋之間、入掌中循中指出其端、其支者別掌中、循小指次指出其端

第十節 手少陽経脈 三焦

三焦手少陽之脈起於小指次指之端、上出兩指之間、循手表腕、出臂外兩骨之間、上貫肘、循臑外上肩而交出足少陽之後、入缺盆布膻中散絡心胞、下膈循屬三焦、其支者從膻中上出缺盆上項繫耳後、直上出耳、上角、以屈下頰至䪼、其支者從耳後入耳中、出走耳前、過客主人前交頰至目銳眥、

第十一節 足少陽経脈

膽足少陽之脈、起於目銳眥、上抵頭角、下耳後、循頸行手少陽之前、至肩上、却交出手少陽之後、入缺盆、其支者、從耳後入耳中、出走耳前、至目銳眥後、其支者、別銳眥、下大迎、合於手少陽抵於䪼、下加頰車、下頸合缺盆、以下胸中、貫膈絡肝屬膽、循脇裏、出氣街、繞毛際、横入髀厭中、其直者、從缺盆下腋、循胸過季脇、下合髀厭中、以下循髀陽、出膝外廉、下外輔骨之前、直下抵絕骨之端、下出外踝之前、循足跗上、入小指次指之間、其支者、別跗上、入大指之間、循大指歧骨內出其端、還貫爪甲、出三毛

第十二節　足厥陰經脈

肝足厥陰之脈、起於大指叢毛之際、上循足跗上廉、去內踝一寸、上踝八寸、交出太陰之後、上膕內廉、循股陰、入毛中、過陰器、抵小腹、挾胃屬肝絡膽、上貫膈、布脇肋、循喉嚨之後、上入頏顙、連目系、上出額、與督脈會於巔、其支者、從目系下頰裏、環唇內、

其支者復從肝別貫膈上注肺

第二章 奇經八脈

第一節 督脈

督脈起於腎中、下至胞室、乃下行、絡陰器、循二陰之間至尻貫脊歷腰俞上腦後交巔至顖會入鼻柱絡於人中與任脈交、

第二節 任脈

任脈者起於少腹之內、胞室之下、出會陰之分、上毛際循臍中央、至膻中、上喉嚨、繞唇、終於唇下之承漿、與督脈交

第三節 衝脈

衝脈者、起於少腹之內、胞中、並少陰之經、挾臍上行、至胸中而散、上挾咽、

第四節 帶脈

帶脈、当腎十四椎、出屬帶脈、圍身一周、前垂至胞中、

針灸社印

第五節 陽蹻

陽蹻脈者起於跟中循外踝上行入風池

第六節 陰蹻

陰蹻脈者亦起於跟中循內踝上行至咽喉交貫衝脈

第七節 陽維

陽維脈者起於諸陽之會

第八節 陰維

陰維脈者起於諸陰之交

第二章 經穴之名稱次序

按鍼灸一科年代久遠名賢輩出各立門戶歷代流傳所以有馬家鍼法楊家鍼法長桑鍼法達摩鍼法孫家鍼法種種不同手術各異有取穴之後鍼頭直向內刺入者有取穴之後鍼二

經

九鍼十二原

黄帝問於岐伯曰、余子萬民、養百姓、而收其租稅、余哀其不給、而原有疾病、余欲使勿被毒藥、無用砭石、欲以微鍼通其經脈、調其血氣、營其逆順出入之會、令可傳於後世、必明為之法、令終而不滅、久而不絕、易用難忘、為之經紀、異其章、別其表裏、為之終始、令各有形、先立鍼經、願聞其情、岐伯對曰、臣請推而次之、令有綱紀、始於一、終於九焉。

請言其道、小鍼之要、易陳而難入、粗守形、上守神、神乎神、客在門、未觀其疾、惡知其原、刺之微、在遲速、粗守關、上守機、機之動、不離其空、空中之機、清靜而微、其來不可逢、其往不可追、知機之道者、不可掛以髮、不知機道、扣之不發、知其往來、要與之期、粗之闇乎、妙哉工獨有之、往者為逆、來者為順、明知逆順、正行無問、迎而奪之、惡得無虛、追而濟之、惡得無實、迎之隨之、

刺虛則實之者，針下熱也，氣實乃熱也。滿則泄之者，針下寒也。宛陳則除之者，出惡血也。邪勝則虛之者，出針勿按。徐而疾則實者，徐出針而疾按之。疾而徐則虛者，疾出針而徐按之。言實與虛者，寒溫氣多少也。若無若有者，疾不可知也。察後與先者，知病先後也。為虛與實者，工勿失其法。若得若失者，離其法也。虛實之要，九針最妙者，為其各有所宜也。補瀉之時者，與氣開闔相合也。九針之名，各不同形者，針窮其所當補瀉也。刺

以意和之。鍼道畢矣。凡用鍼者，虛則實之，滿則泄之，宛陳則除之，邪勝則虛之。大要曰：徐而疾則實，疾而徐則虛，言實與虛，若有若無，察後與先，若存若亡，為虛為實，若得若失。——虛實之要，九針之妙，補瀉之時，以針為之。瀉曰：必持內之，放而出之，排陽得針，邪氣得泄，按而引針，是謂內溫，血不得散，氣不得出也。補曰：隨之隨之，意若妄之，若行若按，如蚊虻止，如留而還，去如絕弦，令左屬右，其氣故止，外門已閉，中氣乃實，必無留血，急取誅之。持鍼之道，堅者為寶，正指直刺，無針左右，神在秋毫，屬意病者，審視血脈，刺之無殆，方刺之時，必在懸陽，及與兩衛，神屬勿去，知病存亡，血脈者，在俞橫居，視之獨澄，切之獨堅。——九針之名，各不同形，一曰鑱針，長一寸六分；二曰員針，長一寸六分；三曰鍉鍼，長三寸半；四曰鋒鍼，長一寸六分；五曰鈹針，長四寸，廣二分半；六曰員利針，長一寸六分；七曰毫針，長三寸六分；八曰

實謂鍼下堅者留針待氣隆至乃去針也。刺虛謂鍼下空者，留待氣隆至針下熱乃去針也。經氣已至，慎守勿失，莫勿變更也。淺深在志者，知病之內外也。近遠如一者，深淺其候等也。如臨深淵者，不敢墮也。手如握虎者，欲其壯也。神無營於眾物者，靜志觀病人，無左右視也。義無邪下者，欲端以正也。必正其神者，欲瞻病人目，制其神，令氣易行也。

長針長七寸，九曰大針長四寸。鑱針者，頭大末銳，去瀉陽氣。員針者，針如卵形，揩摩分肉間，不得傷肌肉，以瀉分氣。鍉針者，鋒如黍粟之銳，主按脈勿陷，以致其氣。鋒針者，刃三隅，以發痼疾。鈹針者，末如劍鋒，以取大膿。員利針者，大如氂，且圓且銳，中身微大，以取暴氣。毫針者，尖如蚊虻喙，靜以徐往，微以久留之而養，以取痛痹。長鍼者，鋒利身薄，可以取遠痹。大鍼者，尖如梃，其鋒微員，以瀉機關之水也。九鍼畢矣。——夫氣之在脈也，邪氣在上，濁氣在中，清氣在下。故針陷脈則邪氣出，針中脈則濁氣出，針太深則邪氣反沉，病益。故曰：皮肉筋脈各有所處，病各有所宜，各不同形，各以任其所宜，無實無虛，損不足而益有餘，是謂甚病，病益甚。取五脈者死，取三脈者恇，奪陰者死，奪陽者狂，鍼害畢矣。——刺之而氣不至，無問其數，刺之而氣至，乃去之，勿復針。針各有所宜，各不同形，各任其所為。刺之要，氣至而有效，效

內經知要　二

以

之信，若風之吹雲。明乎若見蒼天，刺之道畢矣。——黃帝曰：願聞五臟六府之所出。岐伯曰：五藏五腧，五五二十五腧，六府六腧，六六三十六腧，經脈十二，絡脈十五，凡二十七氣以上下。所出為井，所流為滎，所注為輸，所行為經，所入為合，二十七氣之所行，皆在五腧也。→節之交，三百六十五會，知其要者，一言而終，不知其要，流散無窮，所言節者，神氣之所游行出入也，非皮肉筋骨也。→睹其色，察其目，知其散復，一其形，聽其動靜，知其邪正，右主推之，左持而禦之，氣至而去之。→凡將用針，必先診脈，視病之劇易，乃可以治也。五藏之氣已絕於內，而用針者，反實其外，是謂重竭，重竭必死，其死也靜，治之者，輒反其氣，取腋與膺，五藏之氣已絕於外，而用針者反實其內，是謂逆厥，逆厥則必死，其死也躁，治之者反取四末。→刺之害中而不去，則精泄，害中而去，則致氣。精泄則病益甚而恇，致氣則生癰瘍。

五藏有六府，六府有十二原，十二原出於四關，四關主治五藏，五藏有疾，當取之十二原。十二原者，五藏之所以禀三百六十五節氣味也。五藏有疾也，應出十二原，十二原各有所出，明知其原，覩其應，而知五藏之害矣。陽中之少陰，肺也，其原出於太淵，太淵二。陽中之太陽，心也，其原出於大陵，大陵二。陰中之少陽，肝也，其原出於太衝，太衝二。陰中之至陰，脾也，其原出於太白，太白二。陰中之太陰，腎也，其原出於太谿，太谿二。膏之原出於鳩尾，一。肓之原出於脖胦，脖胦一。凡此十二原者，主治五藏六府之有疾者也。脹取三陽，飧泄取三陰。今夫五藏之有疾也，譬猶刺也，猶污也，猶結也，猶閉也。刺雖久猶可拔也，污雖久猶可雪也，結雖久猶可解也，閉雖久猶可決也。或言久疾之不可取者，非其說也。夫善用針者，取其疾也，猶拔刺也，猶雪污也，猶解結也，猶決閉也。疾雖久猶可畢也。言不可治者，未得其術也。刺諸熱者，如以手探湯；刺寒清者，如人不欲行。陰有陽疾者，取之下陵三里，正往無殆，氣下乃止，不下復始也。疾高而內者，取之陰之陵泉；疾高而外者，取之陽之陵泉也。

官針第七　法星

凡刺之要，官針最妙。九針之宜，各有所爲，長短大小，各有所施也。不得其用，病弗能移。疾淺針深，內傷良肉，皮膚爲癰；病深針淺，病氣不寫，支爲大膿。病小針大，氣寫太甚，疾必爲害；病大針小，氣不寫泄，亦復爲敗。失針之宜，大者寫，小者不移。已言其過，請言其所施。病在皮膚無常處者，取之以鑱針，于病所。膚白勿取。病在分肉間，取以員針，于病所。病在經絡痼痹者，取以鋒針。病在脈，氣少，當補之者，取之鍉針，于井滎分輸。病爲大膿者，取以鈹針。病痹氣暴發者，取以員利針。病痹氣痛而不去者，取以毫針。病在中者，取以長針。病水腫不能通關節者，取以大針。病在五藏閭居者，取以鋒針，寫于井滎分輸，取以四時，凡刺有九日應九變，一曰輸刺，輸刺者，刺諸经滎輸藏腧也，二曰遠道刺，遠道刺者，病在上，取之下，刺府腧也，三曰经刺，经刺者，刺大经之结络经分也，四曰络刺，络刺者，刺小络之血脈也，五曰分刺，分刺者，刺分肉之間也，六曰大寫刺，大寫刺者，刺大膿以鈹針也，七曰毛刺，毛刺者，刺浮痺皮膚也，八曰巨刺，巨刺者，左取右，右取左，九曰焠刺，焠刺者，刺燔針則取痺也，凡刺有十二節，以應十二经，一曰偶刺，偶刺者，以手直心若背，直痛所，一刺前，一刺後，以治心痺，刺此者傍針之也，二曰報刺，報刺者，刺痛無常處也，上下行者，直内無拔針，以左手隨病所按之，乃出針復刺之也，三曰恢刺，恢刺者，直刺傍之，舉之前後，恢筋急，以治筋痺也，四曰齊刺，齊刺者，直入一，傍入二，以治寒氣小深者，或曰三刺，三刺者，治痺氣小深者也，五曰揚刺，揚刺者，正内一，傍内四，而浮之，以治寒氣之構大者也。六曰直鍼刺，直鍼刺者，引皮乃刺之，以治寒氣之淺者也。七曰輸刺，輸刺者，直入直出，稀發鍼而深之，以治氣盛而熱者也。八曰短刺，短刺者，刺骨痺稍搖而深之，致鍼骨所以上下摩骨也。九曰浮刺，浮刺者，傍入而浮之，以治肌急而寒者也。十曰陰刺，陰刺者，左右卒刺之，以治寒厥，中寒厥，足踝後少陰也。十一曰傍鍼刺，傍鍼刺者，直刺傍刺各一，以治留痺久居者也。十二曰贊刺，贊刺者，直入直出，數發鍼而淺之出血，是謂治癰腫也。脈之所居深不見者，刺之微內鍼而久留之，以致其空脈氣也。脈淺者勿刺，按絶其脈乃刺之，無令精出，獨出其邪氣耳。所謂三刺則穀氣出者，先淺刺絶皮，以出陽邪，再刺則陰邪出者，少益深，絶皮致肌肉，未入分肉間也，已入分肉之間，則穀氣出。故刺法曰：始刺淺之，以逐邪氣而來血氣，後刺深之，以致陰氣之邪，最後刺極深之，以下穀氣，此之謂也。故用鍼者，不知年之所加，气之盛衰，虚实之所起，不可以为工也。凡刺有五，以应五藏：一曰半刺，半刺者，浅内而疾发针，无针伤肉，如拔毛状，以取皮气，此肺之应也。二曰豹文刺，豹文刺者，左右前后针之，中脉为故，以取经络之血者，此心之应也。三曰关刺，关刺者，直刺左右尽筋上，以取筋痹，慎无出血，此肝之应也，或曰渊刺，一曰岂刺。四曰合谷刺，合谷刺者，左右鸡足，针于分肉之间，以取肌痹，此脾之应也。五曰输刺，输刺者，直入直出，深内之至骨，以取骨痹，此肾之应也。

素问 刺要论篇第五十

黄帝问曰：愿闻刺要。岐伯对曰：病有浮沉，刺有浅深，各至其理，无过其道。过之则内伤，不及则生外壅，壅则邪从之。浅深不得，反为大贼，内动五藏，后生大病。故曰：病有在毫毛腠理者，有在皮肤者，有在肌肉者，有在脉者，有在筋者，有在骨者，有在髓者，

脈也

是故刺毫毛腠理無傷皮、皮傷則内動肺、肺動則秋病溫瘧、泝泝然寒慄、刺皮無傷肉、肉傷則内動脾、脾動則七十二日、四季之月病腹脹煩、不嗜食、刺肉無傷脈、脈傷則内動心、心動則夏病心痛、刺脈△無傷筋、筋傷則内動肝、肝動則春病熱而筋弛、刺筋無傷骨、骨傷則内動腎、腎動則冬病脹腰痛、刺骨無傷髓、髓傷則銷鑠胻酸、體解㑊然不去矣、

刺齊論篇第五十一

黃帝問曰、願聞刺淺深之分、岐伯對曰、刺骨者無傷筋、刺筋者無傷肉、刺肉者無傷脈、刺脈者無傷皮、刺皮者無傷肉、刺肉者無傷筋、刺筋者無傷骨、帝曰、余未知其所謂、願聞其解、岐伯曰、刺骨無傷筋者、針至筋而去、不及骨也、刺筋無傷肉者、至肉而去、不及筋也、刺肉無傷脈者、至脈而去、不及肉也、刺脈無傷皮者、至皮而去、不及脈也、所謂刺皮無傷肉者、病在皮中、針入皮

中、無傷肉也、刺肉無傷筋者、過肉中筋也、刺筋無傷骨者、過筋中骨也、此之謂反也、

刺禁論篇第五十二

黃帝問曰、願聞禁數、岐伯對曰、藏有要害、不可不察、肝生於左、肺藏於右、心部於表、腎治於裏、脾爲之使、胃爲之市、鬲肓之上、中有父母、七節之傍、中有小心、從之有福、逆之有咎、刺中心一日死、其動爲噫、刺中肝五日死、其動爲語、刺中腎六日死、其動爲嚏、刺中肺三日死、其動爲欬、刺中脾十日死、其動爲吞、刺中胆一日半死、其動爲嘔、刺跗上、中大脈、血出不止死、刺面中溜脈、不幸爲盲、刺頭中腦戶、入腦立死、刺舌下、中脈太過、血出不止爲瘖、刺足下布络、中脈、血不出爲腫、刺郄中大脈、令人仆脫色、刺氣街中脈、血不出爲腫鼠僕、刺脊間中髓爲傴、刺乳上、中乳房爲腫根蝕、刺缺盆中內陷、氣泄令人喘欬逆、刺手魚腹內陷、爲腫、無刺大醉、令人氣亂、無刺大怒、令人氣逆、無刺大勞人、

内經學

無刺新飽人，無刺大饑人，無刺大渴人，無刺大驚人。刺陰股中大脈，血出不止死。刺客主人內陷中脈，為內漏為聾。刺臂太陰脈，出血多立死。刺足少陰脈，重虛出血，為舌難以言。刺膺中陷中肺，為喘逆仰息。刺肘中內陷，氣歸之，為不屈伸。刺陰股下三寸內陷，令人遺溺。刺掖下脅間內陷，令人欬。刺少腹中膀胱，溺出，令人少腹滿。刺腨腸內陷為腫。刺匡上陷骨中脈，為漏為盲。刺關節中液出，不得屈伸。（刺膝髕出液為跛）——凡刺之禁，新內勿刺，新刺勿內。已醉勿刺，已刺勿醉。新怒勿刺，已怒勿刺。新勞、飽、飢、渴勿刺，已勞飢飽渴勿刺。大驚大恐，必定其氣，乃刺之。乘車來者，臥而休之，如食頃乃刺之。出行來者，坐而休之，如行十里頃乃刺之。凡此廿禁者，其脈亂氣散，逆其營衛，經氣不足，因而刺之，則陽病入陰，陰病入陽，邪氣復生，粗工不察，是謂伐身。上元

内經止于上元

九鍼十二原

黄帝问於岐伯曰、余子萬民、養百姓、而收其租税、余哀其不給、而属有疾病、余欲使勿被毒药、無用砭石、欲以微鍼通其经脉、调其血氣、營其逆顺出入之會、令可傳於後世、必明為之法、令終而不滅、久而不绝、易用難忘、為之经纪、異其章、别其表裡、為之終始、令各有形、先立鍼經、願聞其情、岐伯對曰、臣請推而次之、令有纲纪、始於一、終於九焉、

請言其道、小鍼之要、易陳而難入、粗守形、上守神、神乎神、客在门、未覩其疾、惡知其原、刺之微在速遲、粗守関、上守機、機之動不離其空、空中之機清静而微、其来不可逢、其往不可追、知機之道者、不可掛以髮、不知機道、扣之不發、知其往来、要與之期、粗之闇乎、妙哉工獨有之、往者為逆、来者為顺、明知顺逆、正行無问、迎而奪之、惡得無虛、追而濟之、惡得無實、迎之隨之

針學講義　卷一

以意和之。——凡用鍼者，虛則実之，滿則泄之，宛陳則除之，邪勝則虛之。大要曰：徐而疾則実，疾而徐則虛。言實与虛，若有若無。察後与先，若存若亡。為虛為実，若得若失。——靈樞之要。九針之妙，補瀉之時，以針為之。瀉曰：必持內之，放而出之，排陽得針，邪氣得泄。按而引針，是謂內溫，血不得散，氣不得出也。補曰：隨之，隨之意若妄之，若行若按，如蚊虻止，如留而還，去如絃絕，令左屬右，其氣故止，外門已閉，中氣乃実。必無留血，急取誅之。

持鍼之道，堅者為寶（宝）。正指針刺，無針左右。神在秋毫，屬意病者。審視血脉，刺之無殆。方刺之時，必在懸陽，及与兩衛。神屬勿去，知病存亡。血脈者在俞橫居，視之獨澄，切之獨堅。——九針之名，各不同形。一曰鑱針，長一寸六分；二曰員針，長一寸六分；三曰提鍼，長三寸半；四曰鋒鍼，長一寸六分；五曰鈹針，長四寸，廣二分半；六曰員利針，長一寸六分；七曰毫針，長三寸六分；八曰

長針

長針長七寸，九曰大針，長四寸。鑱針者，頭大末銳，去瀉陽氣；員針者，針如卵形，揩摩分間，不得傷肌肉，以瀉分氣；鍉針者，鋒如黍粟之銳，主按脈勿陷，以致其氣；鋒針者，刃三隅，以發痼疾；鈹針者，末如劍鋒，以取大膿；員利針者，大如氂，且圓且銳，中身微大，以取暴氣；毫針者，尖如蚊虻喙，靜以徐往，微以久留之而養，以取痛痹；長鍼者，鋒利身薄，可以取遠痹；大鍼者，尖如挺，其鋒微員，以瀉機關之水也。九鍼畢矣。——夫氣之在脈也，邪氣在上，濁氣在中，清氣在下。故針陷脈則邪氣出，針中脈則濁氣出，針太深則邪氣反沉，病益。故曰：皮肉筋脈各有所處，病各有所宜，各不同形，各以任其所宜。無實無虛，損不足而益有餘，是謂甚病，病益甚。取五脈者死，取三脈者恇；奪陰者死，奪陽者狂，鍼害畢矣。——刺之而氣不至，無問其數；刺之而氣至，乃去針。針各有所宜，各不同形，各任其所為。刺之要，氣至而有效，

鍼經學　相　……　二　金鍼

之信。善風之吹雲。明乎若見蒼天。刺之道畢矣。——黃帝曰。願聞五臟六府之所出。岐伯曰。五藏五腧。五五二十五腧。六府六腧。六六三十六腧。經脈十二。絡脈十五。凡二十七氣以上下。所出為井。所溜為滎。所注為輸。所行為經。所入為合。二十七氣之所經。皆在五腧也。

節之交。三百六十五會。知其要者一言而終。不知其要。流散無窮。所言節者。神氣之所游行出入也。非皮肉筋骨也。

覩其色。察其目。知其散復。一其形。聽其動靜。知其邪正。右主推之。左持而禦之。氣至而去之。

凡將用針。必先診脈。視氣之劇易。乃可以治也。五藏之氣。已絕於內。而用針者反實其外。是謂重竭。重竭必死。其死也靜。治之者輒反其氣。取腋與膺。五藏之氣已絕於外。而用針者反實其內。是謂逆厥。逆厥則必死。其死也燥。治之者取四末。

刺之害。中而不去。則精泄。害中而去。則致氣。精泄則病益甚而恇。致氣則生為癰瘍。

行針指要歌訣

或針風、先向風府百會中、或針水、水分俠臍上邊取、或針結、針着大腸泄水穴、或針勞、須向膏肓及百勞、或針虛、氣海丹田委中奇、或針氣、膻中一穴分明記、或針嗽、肺俞風門須用灸、或針痰、先針中脘、三里[足]間、或針吐、中脘氣海膻中補、番胃吐食一般醫、針中有妙少人知。

四總穴歌

肚腹三里[足]留、腰背委中求、頭項尋列缺、面口合谷收。

馬丹陽天星十二穴治雜病歌

三里膝眼下、三寸兩筋間、能通心腹脹、善治胃中寒、腸鳴并泄瀉、腿腫膝胻痠、傷寒羸瘦損、氣蠱[古]及諸般、年過三旬後、針灸眼便寬、取穴当審的、八分三壯安。內庭次指外、本屬足陽明、能治四肢厥、喜靜惡聞声、癮疹咽喉痛、數欠及牙疼、瘧疾不能食、

針着便惺惺　曲池拱手取、屈指骨邊求、善治肘中痛、偏風手不收、挽弓開不得、筋緩莫梳頭、喉閉促欲死、發熱更無休、遍身風癬癩、針着即時瘳　合谷在虎口、兩指歧骨間、頭痛并面腫、瘧病熱還寒、齒齲鼻衄血、口禁不開言、針入五分深、令人即便安　委中曲脷裡、橫紋脈中央、腰痛不能舉、沉沉引脊梁、痠疼筋莫展、風痺腹無常、膝頭難伸屈、針入即安康　承山名魚腹、腨腸分肉間、善治腰疼痛、痔疾大便難、脚氣并膝腫、展轉戰疼痠、霍亂及轉筋、穴中刺便安　太衝足大指、節後二寸中、動脈知生死、能醫驚癇風、咽喉并心脹、兩足不能行、七疝偏墜腫、眼目似雲朦、亦能療腰痛、針下有神功　崑崙足外踝、跟骨上邊尋、轉筋腰尻痛、暴喘滿中心、舉步行不得、一動即呻吟、若欲求安樂、須於此穴針、環跳在髀樞、側臥屈足取、折腰莫能顧、冷風并濕痺、腿胯連腨痛、轉側欷歔重、若人針灸後、頃刻病消除、陽陵居膝下外臁一寸中、膝腫并麻木冷痹及偏風、舉足不能起、坐、卧似衰翁、針入六分止、神功妙不同、通里腕側後去腕一寸中、欲言声不出、懊憹及怔冲、實則四肢重、頭腮面頰紅、虚則不能食、暴瘖面無容、毫針微微刺、方信有神功、列缺腕側上、次指手交叉、善療偏頭患、遍身風痹麻、痰涎頻壅上、口噤不開牙、若能明補瀉、應手即如拏、

長桑君天星秘訣歌

天星秘訣少人知、此法專分前後施、若是胃中停宿食、後尋三里起璇璣、脾病血氣先合谷、後刺莫遲三陰交、如中鬼邪先間使、手臂攣痹取肩髃、脚若轉筋并眼花、先針承山次内踝、脚氣痠疼肩井先、次尋三里陽陵泉、如是小腸連臍痛、先刺陰陵後湧泉、耳鳴腰痛先五會、針刺耳門三里内、小腸氣痛先長強、後刺大敦不用忙、足緩難行先絕骨（懸鍾）、次尋條口及冲陽、牙疼頭痛

兼喉痹、先刺二間後三間（间）胸膈痞滿先陰交、針到承山飲食喜、肚腹浮腫脹膨膨、先針水分瀉建里、傷寒過經不出汗、期門通里先後看、寒瘧面腫及腸鳴、先取合谷後內庭、冷風濕痹針何處、先取環跳次陽陵、指痛攣急少商好、依法施之無不靈、此是商君真口訣、時醫莫作等閑看（閑△ 看△）

雜病十一穴訣

攢竹絲竹空主頭疼、偏正皆宜向此針、更去大都除瀉動、風池針刺三分深、曲池合谷先針瀉、永與除痾病不侵、依此下針無不應、管教隨手便安寧、頭風頭痛與牙疼、合谷三間兩穴尋、更向大都針眼痛、太淵穴內用針行、牙疼三分針呂細（即太谿）、齒痛依前指上明、更推大都左之右、交互相迎仔細窮、聽會兼之與聽宮、七分針瀉耳中聾、耳門又瀉三分許、更加七壯灸聽宮、大腸經內將針瀉、曲池合谷七分中、醫者若能明此理、針下之時便見功、

迎隨補瀉法
迎而奪之為瀉
隨而濟之為補

14.肩背并和肩髆疼。曲池合谷七分深。未愈尺澤加一寸，更於三間次第行。各入七分於穴內。二風少府刺心經。穴內淺深依法用。當時蠲疾病即輕。15.咽喉以下至於臍。胃脘之中百病危。心氣痛時胸結硬。傷寒嘔噦悶涎隨。列缺下針三分許。三分針瀉到風池。二指三間及三里。中冲還刺五分依。16.汗出難來到腕骨。五分針瀉要君知。魚際經渠并通里。一分針瀉汗淋漓。二指三間及三里。大指各刺三分宜。汗至如雨通倚遍。有人明此是明醫。17.四肢無力中風邪。眼澀難開百病攻。精神昏倦多不語。風池合谷用針通。兩手三間隨後瀉。三里兼之與太冲。各入五分於穴內。迎隨瀉法有奇功。18.風池手足諸指間。右痪偏風左曰癱。各針五分隨後瀉。更灸七壯便身安。三里陰交行氣瀉。一寸三分量病看。自然癱痪即時安。19.肘痛將針刺曲池。經渠合谷共相宜。五分針刺於二穴。瘧病纏身便得離。未識灸出療学

憎△

丨俞心更加三间刺。五分深刺莫忧疑。又兼氣疼憎△寒热。间使行針莫用遲。丨1△腿胯腰疼痛氣攻。髖骨穴内七分窮。更針風市兼三里。一寸三分補瀉同。又去陰交瀉一寸。行间仍刺五分中。剛柔進退隨呼吸。去疾除根撚指功。丨从△肘膝疼時刺曲池。進針一寸是相宜。左病針右右針左。依此三分氣瀉奇。膝腹痛时針犢鼻。三里陰交要七吹。但能仔细尋其理。劫病之功在片時。

回陽九針歌

啞门勞宫三陰交。湧泉太谿中脘接。環跳三里合谷并。此是回陽九針穴。

五募八會

肝募期门。心募巨闕。脾募章门。肺募中府。腎募京门。丨腑會中脘。臟會章门。筋會陽陵。髓會絶骨（懸鐘穴）。血會膈俞。骨會大杼。脉會太淵。氣會膻中。

百症賦

百症俞穴。再三用心。顖会連於玉枕。頭風療以金鍼。懸顱頷厭之中。偏頭痛止。強間豐隆之際。頭痛難禁。原夫面腫虛浮。須仗水溝前頂。耳聾氣閉。全憑聽會翳風。面上蟲行有驗。迎香可取。耳中蟬噪有聲。聽會可攻。目眩兮。支正飛揚。目黃兮。陽綱胆俞。攀睛攻肝俞少澤之所。淚出刺臨泣頭維之處。目中漠漠。即尋攢竹三間。目覺䀮䀮。急取養老天柱。觀其雀目肝氣。睛明行間而細推。審他項強傷寒。溫溜期门而主之。廉泉中衝。舌下腫疼可取。天府合谷。鼻中衄血宜追。耳门絲竹空住牙痛於頃刻。頰車地倉穴正口喎於片時。喉痛兮液門魚際去療。轉筋兮金门丘墟來醫。陽谷俠谿。頷腫口噤並治。少商曲池。血虛口渴同施。通天治鼻內無

瞤

闻之苦。複溜去舌乾口燥之悲。啞门關冲，舌緩不語而要緊。天鼎间使，失音嚀嚅而休遲。太冲瀉唇喎以速愈。承漿瀉牙疼而即移。項強多惡風，束骨相連於天柱。熱病汗不出。大都更接於經渠。且如兩臂頑麻。少海就傍於三里。半身不遂。陽陵遠達於曲池。建里內關，掃盡胸中之苦悶。聽宮脾俞。祛殘心中之悲悽。從知脅肋疼痛。氣户華蓋有靈。腹内腸鳴。下脘陷谷能平。胸脅支滿何療。章門不用細尋。膈痛飲蓄難禁。膻中巨闕便針。胸滿更加噎塞。中府意舍所行。胸膈停留瘀血。腎俞巨髎（闕）宜徵。胸滿項強。神藏璇璣宜試。（背連腰痛）白環委中曾經。脊強兮水道筋縮。目瞤兮顴髎大迎。痓病非顱息而不愈。臍風須然谷而醒（易）。委陽天池。腋腫針而速散。後谿環跳。腿腫刺而即輕。夢魘不安。厲兑相偕於隱白。發狂奔走。上脘同起於神门。驚悸怔忡。取陽交解谿勿誤。反張悲哭。仗天冲大横須精。癲疾必身柱本神之令。發熱仗少冲曲池之津。歲病時行。陶道復求肺俞理。風癇常發。神道還須心俞寧。濕寒濕熱下髎定。厥寒厥熱湧泉清。寒慄惡寒。三间疏通陰郗譆。煩心嘔吐。幽门開徹玉堂明。行间湧泉去消渴之腎竭。陰陵水分去水腫之盈臍。癆瘵傳尸。取魄户膏肓之路。中邪霍乱。尋陰谷三里之程。治疸消黄。諧後谿勞宫而看。倦言嗜卧。往通里大鍾而明。咳嗽連聲。肺俞須迎天突穴。小便赤澀。兑端獨瀉太陽經。刺長强与承山。善主腸風新下血。針三陰與氣海。專司白濁遺精。且如肓俞横骨瀉五淋之久疾。陰郗後谿。治盗汗之多出。脾虚谷不消。脾俞膀胱俞覓。胃冷食而難化。魂门胃俞堪責。鼻痔必取齦交。瘿氣須求浮白。大敦照海。患寒疝而善蠲。五里臂臑。生癧瘡而能治。至陰屋翳。療癢疾之疼多。肩顒陽谿。消癮疹之極熱。抑又論婦人經事改常。自有地機血海。女子少氣漏血。不無交信合陽。帶下產崩，沖門氣沖宜審。月潮違限。天樞水泉須詳。肩井乳癰而極效，商丘痔瘤而最良。脫肛取百會尾翳之所。無子搜陰交石關之鄉。中脘主乎積滯。外丘收乎大腸。寒瘧兮商陽太谿驗。痃癖兮沖門血海強。夫醫乃人之生命。非立志而莫為。針乃理之淵微。須至人之指教。先究其病源。繼考其穴道。隨手見功。應針取效。方知玄理之玄。始識妙中之妙。

「取穴要訣」

人身上部有病。多取手陽明經。中部多取足太陰。下部多取足厥陰。胸前取足陽明。背部多取足太陽經穴道。

席弘賦

凡欲行鍼須審穴。要明補瀉迎隨訣。胸背左右不相同。呼吸陰陽男女別。氣刺兩乳求太淵。未應之時瀉列缺。列缺頭痛及偏正。重瀉太淵無不應。耳聾氣閉聽會針。迎香穴瀉功如神。誰知天突治喉風。虛喘須尋三里中。手連肩背痛難忍。合谷針時要太沖。曲池兩手不如意。合谷下針宜仔細。心疼手顫少海間。若要除根覓陰市。但患傷寒兩耳聾。金門聽會疾如風。五般肘痛尋尺澤。太淵針後却收功。手足上下針三里。食癖氣塊憑此取。鳩尾能治五般癇。若下湧泉人不死。胃中有積刺璇璣。三里功多人不知。陰陵泉治心胸痛。針到承山飲食美。大杼若連長強尋。小腸氣痛即行針。委中專治腰脊痛。脚膝腫時尋至陰。氣滞腰痛不能立。横骨大都宜救急。氣海專能治五淋。更針三里隨呼吸。期门穴主傷寒患。六日過經猶未汗。但問乳根二肋間。又治女人生產難。耳内蟬鳴腰又折。膝下明存三里穴。若能補瀉五會間。且莫向人容易說。睛明治眼未效時。合谷光明安可缺。人中治癲功最高。十三鬼穴不須饒。水腫水分兼氣海。皮内隨針氣自消。冷嗽先宜補合谷。却須針瀉三陰交。牙痛咽痺并腰痛。二間陽谿疾怎逃。更有三間腎俞妙。善治肩背浮風勞。若針肩井須三里。不刺之時氣未調。最是陽陵泉一穴。膝间疼痛用鍼燒。委中腰痛脚攣急。取得其經血自調。脚痛膝腫針三里。懸鐘二陵三陰交。便向太冲須引氣。指頭麻木自輕飄。轉筋目眩針魚腹。承山崑崙立便消。肚痛須是公孫妙。内關相應必然瘳。冷風冷痺疾難愈。環跳腰俞針與燒。風池風府尋得到。傷寒百症一時消。陽明二日尋風府。嘔吐還須上脘療。婦人心痛心俞穴。男子痃癖三里高。小便不禁關元妙。大便閉塞大敦燒。髖骨腿疼三里瀉。復溜氣滞便離腰。從來風府最難針。却用功夫度淺深。倘若膀胱氣氣未散。便宜三里穴中尋。若是七疝小腹痛。照海陰交曲泉針。
又不應時求氣海。關元同瀉效如神。小腸氣撮痛連臍。速瀉陰
交莫再遲。良久湧泉針取氣。此中玄妙少人知。小兒脫肛患多
時。先灸百會及鳩尾。久患傷寒兼腦痛。但鍼中渚得其宜。肩上
痛連臍不休。手中三里便須求。下針麻重即須瀉。瀉氣之時不
用留。腰連膀痛大便急。必於三里攻其隘。下針一瀉三補之。氣上
上攻噎只管住。噎不住時氣海灸。定瀉一時立便瘥。咽喉最急先百會 太沖照海
及陰交。學者潛心宜熟讀。席弘治病名最高。

勝玉歌

勝玉歌兮不虛傳。此是楊家真秘傳。或針或灸依法語。補迎隨寫（瀉）
隨手撚。頭痛眩暈百會好。心痛脾疼上脘先。後谿鳩尾及神門。
（治療）五癇立便痊。髀疼要針肩井穴。耳閉聽會莫遲延。胃冷下
脘却為良。眼痛須覓清冷淵。霍亂心痛吐痰涎。巨闕着艾便安

出。髀疼背痛中渚瀉，頭眼(風)痛上星專。頭項强急承漿保，牙顋疼
緊大迎前。行間可治膝腫病，尺澤能醫筋攣。若人行步苦艱難。
中封太冲針便痊。腳背痛時商丘刺，瘰癧少海天井邊。腹痛閉
结支溝穴。頷腫喉閉少商金。脾心痛極取公孫。委中驅療腳風
纏。瀉却人中及頰車。治療中風口吐涎。五瘧寒多熱更多，間使
大杼真妙穴。經年或變勞怯者。痞滿臍旁章门決，噎氣吞酸食
不投。膻中七壯除膈熱，目内紅腫苦皺眉，絲竹攢竹亦堪醫。若
是痰涎并咳嗽。治法須當灸肺俞。更有天突與筋縮。小兒吼閉
自然疎。兩手痠疼難执物。曲池合谷共肩髃。臂痛背針三里。頭
痛頭旋灸風池。腸鳴大便時泄瀉。臍旁兩寸灸天樞。諸般氣症
從何治。氣海針之灸亦宜。小腸氣痛歸來治。腰痛中空穴最奇。
腿股轉痠難步移。妙穴說与後人知。環跳風市及陰市。瀉却金
门病自除。热瘡臁内年年發。血海尋來可治之。兩膝無端腫如

斗。膝眼三里艾當施。兩股轉筋承山刺。脚氣復溜不須疑。踝跟骨痛炙崑崙。更有絶骨共丘墟。炙罷大敦除疝氣。針入陰交下胎衣。遺精白濁心俞治。心熱口臭大陵驅。腹脹水分多得利。黄疸至陽便能離。肝血盛兮肝俞瀉。痔疾腸風長强欺。腎敗腰疼小便頻。督脉兩旁腎俞治。六十六穴施應驗。故成歌訣顯針奇。

雜病穴法

傷寒一日刺風府。陰陽分經次第取。一切風寒暑濕邪。頭疼發熱外關起。頭面耳目口鼻病。曲池合谷爲之主。偏正頭痛左右針。列缺太淵不用補。頭風目眩項捩强。申脉金門手三里。赤眼迎香出血奇。臨泣太冲合谷侶。耳聾臨泣與金門。合谷針後聽人語。鼻塞鼻痔及鼻淵。合谷太冲隨手取。口噤喎斜流涎多。地倉頰車仍可舉。口舌生瘡舌下竅。三棱出血非粗魯。舌裂出血尋内關。太冲陰交走上部。舌上生苔合谷當。手三里治舌風舞。

牙風面腫頰車神。合谷臨泣瀉不數。二陵二蹻與二交，頭項手
足互相與。兩井兩商二三間。手上諸風得其所。手指連肩相引
痛。合谷太冲能救苦。手三里治肩連臍。脊膺心後稱中渚。冷嗽
只宜補合谷。三陰交瀉即時住。霍乱中脘可深入。三里內庭瀉
幾許。心疼反胃刺勞宮。寒者少澤灸手指。心痛手戰少海求。若
要除根陰市覓。太淵列缺穴相連。能住氣痛刺兩乳。脇痛只須
陽陵泉。腹痛公孫內關爾。痛疾合谷三里宜。甚者必須兼中脘。
心痛疼滿陰陵泉。針到承山飲食美。泄瀉肚腹諸般疾。三里內
庭功無比。水腫水分與復溜。脹滿中脘三里揣。腰痛環跳委中
求。若連背痛昆崙武。腰痛連腿腕骨升。三里降下隨拜跪。腰連
腳痛怎生醫。環跳行間与風市。腳膝行間与風市。三里申脉金
诊痛甚
门修。腳若轉筋眼發花。然谷承山法自古。兩足難移先絕骨。條
口針後能步履。兩足痠痛補太谿。僕參內庭盤根楚。腳連臍腹

痛難当環跳陽陵泉内髀冷風湿痹針環跳陽陵三里燒針用。七疝大敦与太冲。五淋血海男女通。大便虚秘補支溝，瀉足三里效可取热。閉氣閉先長强大敦陽陵堪調護。小便不通陰陵泉三里瀉下溺如注。内傷食積針三里璇璣相配塊亦消。脾痛氣痛先合谷次刺三陰針用燒。一切内傷内關穴，痰火積块退潮热。吐血尺澤功無比。衄血上星与禾髎。喘急列缺足三里。嘔噎陰交不可饒。勞宫能治五般痛。更刺湧泉疾若挑。神门專治心癡呆，人中間使祛妖癲。尸厥百会一穴美。更針隱白照海效。婦人通経瀉合谷，三里至陰催乳孕。死胎陰交不可緩。胞衣照海内關尋。小兒驚風刺少商，人中湧泉瀉莫深。癰疽初起審其穴，只刺陽経不刺陰熱。此登歸手要法得汝方知度金針。

治療捷訣完

艾灸治療學

一艾之選擇　孟子曰七年之病必求三年之艾故艾病之艾愈陳愈佳艾為一年生植物屬菊科在四五间採貯之去其莖而取其葉葉片以厚為貴則力雄蘄州出者葉厚而莖高大最為良品稱為蘄艾取而貯陳之灸病最良

二艾絨之製法　將艾收獲之後去其莖而取葉使之乾燥置石臼中杵絨之以竹篩去其粗屑使久杵之至再至三至淨如棉方始可用藏乾燥器中不使受湿應用時力厚而效宏

三艾炷之大小與灸法　成人灸病艾炷如小豆大小兒則如麥粒大灸時將艾絨用指揑緊成適当之大小放置穴上以火燃之至艾火將尽而攝出之換置一放再灸之至應灸之壯数而止

四艾灸之善後　艾灸壯數过多每發生潰膿方書中每謂不潰膿則病不愈蓋亦未必尽然惟至潰膿艾力已足病

瘡當除未潰者，雖經以艾火之力未足，每當病餘，昔人每以艾
而不潰，則熱熨法而使之潰，未知艾火力之不足也。潰膿之後
日以葱湯洗之，生肌玉紅膏塗之，自然全愈。惟潰膿之後，病尚
未愈，尚待潰愈後再灸之。〔生肌玉紅膏方〕治癰疽發背，棒瘡
潰爛。 當歸二兩 白芷五錢 白臘二兩 輕粉四錢 甘草一兩二錢 紫草二錢 血竭四錢
麻油一斤。先將當歸、白芷、紫草、甘草四味入油內浸三日，大鍋內
慢火煎微枯，細絹濾清，將油復入鍋內熬滾，入血竭化盡，次下
白臘，微火化開，即行離火，待將凝，入輕粉（研）而勻和之，用紙攤貼患處。
五、〔灸之種類〕 灸法本用艾作炷灸之，後人有發明用藥灸者，
即艾炷中和入藥物，而艾之助以藥力，易於透於皮肌，可以減
少艾灸之炷數，法至善也。又有雷火針者，用辛香活血通經之
藥物，和以艾絨，捲如竹筒，燃著，隔布而熨於穴上，使藥氣熱氣
竄入穴中而愈病，效果極佳，較之溫灸法，有實壞之分。又有太

火

乙神針灸法與雷火針相似藥味蓋多施用則一也

「雷火針方」 沉香 木香 乳香 茵陳 羌活 乾姜 川山甲 各三錢 射香少許 艾絨三兩 以綿紙半尺先鋪艾絨於上次將藥末掺匀捲極緊外用雞子清代漿糊一層薄紙不使散開陰待取用 用法—用火燃着將紅布六七層隔穴按二三秒鐘再按之如是往復鍼藥之熱已退再燃再按之每穴按次十次內部覺熱停止再按他穴

「太乙鍼神方」 肉桂一斤 人參四兩 三七八兩 山羊血二兩 千年健一斤 攢地風一斤 川椒一斤 乳香一斤 沒藥一斤 甲珠八兩 小茴一斤 蒼朮一斤 艾絨四斤 甘草二斤 射香四兩 北風四斤 共為細末用綿紙一層高方紙三層紙濶寬一尺三寸長一尺二寸將藥味薄薄鋪勻在上一鍼的用藥七捌錢捲如花爆式搓緊製為雷火針式用法以紅布四五層包之以按点穴上若火旺布薄当添布數層針時預備三四枝一針已冷即換一針

[illegible]

必預用一助手，俱着每穴宜連用七針，效用極佳，寒濕最宜。

六「現代灸法之謬誤」

近時針家之灸法，每以針插入穴中，將艾置針柄上而燃之，失去灸之真義，此法不過使針熱而已，與今日倡行之溫灸治法相同，使局部發生熱感，血液發生變化，其效極微，然病者可以減少痛苦，近人多喜用之，亦有用薑一片或蒜一片，放穴上，再置艾丸於其上而燃之，亦避免直接艾之痛苦，較力總勝。

鍼灸學全部完

1. 大椎 曲池 合谷
2. 合谷 復溜
3、水溝 風府
4、肩髃 曲池
5、环跳 阳陵泉
6、曲池 委中 下廉
8、曲池 阳陵泉
9、曲池 三陰交

10、三里 三陰交
11、三里 阳陵泉
12、合谷 太冲
13、气海 天樞
14、丰隆 阳陵泉
15、中脘 三里
16、合谷 足三里
17、足三里

18、劳宫 足三里
19、三陰交
20、隱白
21、大敦
22、大椎 内关
23、内关 三陰交
24、魚际 太谿
25、天柱 大杼

26、巨骨
27、俞府 云门
28、气海 关元 中極 子宫
29、合谷 三陰交
30、少商 合谷 商阳（刺出血）
31、曲泽 委中 尺泽

配穴治療精義　（八）大椎曲池合谷

大椎、手足三陽督脈之會，純陽主表，故凡外感六淫之在于表者，皆能疏解也；佐以曲池合谷者，以陽從陽，助大椎而斡旋營衛，清裏以達表也。審其身熱自汗，則瀉大椎以解肌；無汗惡寒，則補大椎以發表；或先補而後瀉，或先瀉而後補，神而明之，存乎其人矣。至於外感變症，至繁且雜，兼他症者，尤必兼而治之。是以邪在於經，頸項強痛者，則加風池；熱甚而心煩溺赤者，則加內關；譫語便躁胃家實者，則加豐隆、三里；嘔吐見少陽症者，則加支溝、陽陵泉；氣逆喘嗽，則加魚際；傷風鼻塞，則加上星。又若瘧疾之病，雖有陰陽表裏之別，而其寒往熱來，無不關于營衛，故是治亦能兼治。再于骨蒸勞熱、盜汗等症，雖係陰虛勞損之候，茲採用此法，亦大有養陰清熱之功，誰謂個中無活潑之天機也。

泄△

外感六淫
身熱自汗
之在表者
皆能疏解

（九）合谷腹溜

配穴精義

止汗補腹溜瀉合谷。發汗補合谷而瀉腹溜。

二六、止汗發汗書有明文、針家皆知之、而其所以能止汗發汗之理、則多未知也。試申言之。夫止汗補腹溜者、以腹溜屬腎、能溫腎中之陽、發膀胱之氣、使達于遍身、而外衛自實也。瀉合谷者、即所以清氣分之熱、熱解則汗自止矣。發汗補合谷者、則以合谷屬陽、清輕表走、故能發表托邪、隨汗出而解也、佐以瀉腹溜者、疏外衛之陽、而成其開皮毛之作用也。至若陽虛之自汗、陰虛之盜汗、固與外邪有別、而合谷腹溜亦能止之者、蓋又以腹溜非特能溫腎中之陽、亦且以滋腎中之陰也、尤有進者、寒飲喘逆、水腫等症、亦可用腹溜以振陽行水、合谷以利氣降逆、頗有奇效、可見此中變化無窮、學者當一隅三反之、

補水溝以开关

开噤通陽竅

神瀉風府搜

舌本之風舒三

(第) 水溝 風府

風者百病之長也、善行而數變、金匱曰、邪入于臟、舌即難言、口吐涎沫、蓋少陰腎脈挾舌本、太陰脾脈絡舌本、散舌下、心之別

陽之經，若加補合谷三里，則凡一切卒中急症牙關不開不省人事，均效。
頌　鄭

絡，亦繫舌本，故風邪中于此三經，則令人舌強難言、口吐涎沫，而神昏不省人事也。又三陽之經并絡入頷頰，挾于口，今諸陽風為塞所客，故經急而口噤不開也。是法補水溝以開關解噤，通陽安神，瀉風府，擾舌本之風，舒三陽之經，加補合谷之星躔，凡一切卒中急症，牙關不開，不省人事，施之開竅立啓，隨即甦醒，語言自如，轉危為安，誠針科之首選，起死回生之寶筏也。倘如口眼喎斜、偏枯不遂等症，雖有中經中絡之別，然異流同源，亦其所宜矣。

凡一切經絡客邪氣血阻滯之病，如中風偏枯諸痺等症，皆能舒暢調和之。

(廿)　肩髃　曲池

二穴皆為手陽明大腸經，大腸為肺之腑，故是法有調理肺氣之特效，尤妙在肩髃針，有舒通之氣，而曲池更走而不守，擅能宣氣行血，樓風逐邪，二者相配，真可謂之珠聯璧合。舉凡一切經絡客邪、氣血阻滯之病，無不能舒暢調和之，而凡以中風

凡中风偏枯不遂、诸痹不仁以及瘫痪筋挛腰痛痠疼等症皆能取效

治痹要穴，因曲池能搜风以利湿，委中疏风以利湿，下廉通阳以渗湿故也

偏枯诸痹等症为妨，又所谓一通百通也、

(5) 環跳 陽陵泉

二穴皆屬足少陽胆经、厥性舒通宣散，善能理氣调血，驅風祛濕，且陽陵泉又為筋之所會，尤有舒筋利節之功，故凡中風偏枯不遂、诸痹不仁等症，以及瘫痪筋攣腰痛痠疼，皆能奏效，針家輩以環跳擬肩髃，陽陵泉擬曲池，以彼此上下相應、形性相彷，而功之雷同者也

(6) 曲池 委中 下廉

痹者、風寒濕三氣合而為病也、風氣勝者為行痹、以風性遊走也、寒氣勝者為痛痹、以寒性凝结也、溼氣勝者為著痹、以溼性重著也、主以是法者、曲池搜風以利濕、委中疏風以利濕、下廉通陽以滲濕、其寒氣勝者則補瀉兼以散寒祛風而燥濕、并兼以各舒其经、各通其络、邪去而经络亦通、何痹之有哉、

（8）曲池　陽陵泉

可治半身不遂痪瘫歷節諸痺，如推廣其用，凡肝肺抑鬱，胸脅作痛，或熱結腸胃，腹脹便脹等，皆能治

曲池居於肘内，陽陵泉位於膝下，同為大關節要，曲池行氣血通經絡，陽陵泉舒經利節，皆具有宣通下降之功，以之配合，相得益彰，百症賦列其治半身不遂，是舉其要，餘如癱瘓歷節諸痺等症，可一望而知也。且也二穴尤有降濁瀉火之功，曲池清肺走表，陽陵泉泄肝胆平裡熱，茲因推廣其用，凡肝肺抑鬱，胸脅作痛，或熱結腸胃，腹脹便脹等症，借其清利疏泄之功，靡不獲效，由是可見穴法之妙，全在善用者配合也。

（9）曲池　三陰交

凡諸腹腫痛，刺之痛止腫消，花柳毒瘡，取之則毒消瘡平，并可治風濕諸痺及婦女崩漏經閉等症

一陰一陽恰相配偶也，曲池性遊走通達，故能清熱搜風，三陰交乃三陰之會，為脾腎肝三經之樞紐，亦即血科之主穴，二者相合，曲池入三陰之分，故能清血中之熱，搜血中之風，而瘀自行，血自通矣，是以諸腹腫痛，刺之則腫消痛止，花柳毒瘡，瀉之

為脾胃虛寒
氣血虧薄之主
法虛損門不
可少也
所出為井、所溜
為滎、所注為俞、
所過為原、所
行為經、所入
為合、
一
凡木土不和之
病如中消瀉
痢吞酸口苦
泄瀉嘔吐諸
症須之於求
釋氣平

則毒消瘡平、餘如風濕諸痺腰痛腳氣癒瘕以及婦女崩帶瘕
聚、經閉等症、尤能著手成春也、

(10) 三里 三陰交

若三里升陽益胃、三陰交滋陰健脾、陰陽相配、為脾胃虛寒、
氣血虧薄之主法、虛損門所不可少者也。亦有胃獨脾弱陽亢
及陰虧者、則補陰之中、勢必兼行清導、補三陰交瀉三里是也、
更有陽虛氣惡、風濕客邪、成痺腿腳麻木疼痛者、則一以振陽
氣、一以和陰血、而舒經理痺、其功效尤著者也、

(11) 三里 陽陵泉

陽陵為胆經之樞鍵、三里為胃府之樞紐、二穴相合、瀉陽陵泉
以肅清淨之府、平肝火之橫、導上逆之勢、輸胆汁入胃、遂木疏
土而完成其中精之府之使能也、再瀉三里以導胃中之濁、通
胃之陽、於是清陽得升、濁陰得降、凡木土不和之病、如中消瀉

痢吞酸、口苦泄瀉嘔吐等症、得之自覺冰消瓦解、而飲食亦開之暢和矣、且陽陵泉為筋之會、尤有舒筋利節搜風祛濕之特效、三里亦有通陽活血燥濕散寒之功能、再進而治癱瘓膝痛、筋攣歷節痿躄足氣等症、亦未始非針法之妙用也、

(12) 四關 合谷太冲

開關節以搜風邪理痺行氣血以通經行痰

墜痰瀉火以治癲狂鎮心安神而療五癇

四關者合谷太冲四穴也、經外奇穴以之名關、蓋有精義存焉、夫合谷原穴也、太冲亦原穴也、以形勢言、合谷位于兩歧骨之間、而太冲亦位于兩歧骨之間、是二者相同之處也、再以性質言、合谷屬陽主氣、而太冲則係陰主血、是又二者同中之異也、然者之同、正所以成其虎口衝要之名、二者之異、亦正所以意其斬關破巢之功、觀其開關、以搜風理痺、行氣血以通經行痰、及乎配手陽陵泉以降痰瀉火、而治癲狂、配百會神門以鎮定安神、而療五癇、是明證矣、

（13）氣海 天樞

氣海者、氣血之會、呼吸之根蒂、精之所生、氣之海、下焦至要之穴也、補之、益臟真、回生氣、益下元、振腎陽、有如釜底添薪、故能蒸發膀胱之水、使化氣上騰、而布于遍身也、天樞乃大腸之募、胃經之穴、其司理水穀糟粕、清導一切濁滯實、有特效、以之與氣海相配、取氣海振上焦之陽、以散群陰、取天樞調腸胃之氣、以利連行、故於臍腹寒疝、癥瘕、膀胱陽失、精、陰縮、厥逆、脹滿腹痛、氣喘、小便不利、婦女轉胞、崩帶、月事不調、等症、為虛勞羸瘦積寒痼冷之首法、較諸天雄散、腎氣丸等、方有過之、無不及也、

為虛勞羸瘦積寒痼冷之首法

（14.）豐隆 陽陵泉

二穴為通大便之主法、何以言之、夫豐隆為足陽明胃經之絡、絡別走太陰、其性通降、從陽明以下行也、得太陰濕以潤下也、陽陵泉性行下降、針鍼向下達三里、從木以疏土也、昔嘗以此

有承氣之功其治癲狂等症特效

法似承氣有承氣之功、而不若承氣之猛、後其治癲狂等症、兼但瀉其實、亦且折其瘦也

（後）中脘三里

二穴專理胃腑、兼理腸中一切疾病

經云、陽明之上、燥氣治之、燥者陽明之本氣也、胃腑稟此燥氣、故能消腐水穀、若此燥氣不足、則水穀停失、太過則又爲中消噎膈等症、燥氣之關于胃者、于此是法專理胃腑兼理腸中一切疾病、君以中脘者、以中脘爲六腑之會、胃之募也、臣以三里者、正所以應中脘而安胃也、審其胃中虛寒、飲食不不脹痛積聚、或停痰蓄飲者、則補中脘、即所以壯胃氣、散寒邪也、瀉三里者、引胃氣下行、降濁導滯、而襄助中脘以利運行也、其或胃腑燥化太过、消穀引飲、嘔吐反胃者、則中脘亦可酌瀉也、至于霍亂爲病、總由於秋之時、飲食不節、暑濕搏擊、擾亂中宮、以致清濁不分、陰陽混淆、上吐下瀉、腹中疼痛、而揮霍變亂、治之先刺

出悉中惡血以袪邪穢然後補中脘以升清瀉三里以降濁中氣調暢陰陽接續漸愈矣再者胃病而兼有其病他者兼治應須加減如下尤虛寒補氣海上焦鬱熱瀉通谷臟氣不足補章門腸中滯瀉天樞或取上脘或針三里等是也

(16)合谷三里

二穴相合腸胃並調

二穴皆屬陽明一手一足上下相應合谷為大腸經原穴能升能降能宣能通三里為土中真土補之益氣升清瀉之通陽降濁二穴相合腸胃並調若清陽下陷胃氣虛弱納穀不暢者則補三里瀉合谷以升下陷之陽脾胃氣充而食自進若濕熱壅塞濁滯中宮或蓄食停飲而痞脹噫噦者則瀉三里引合谷下行以導濁降逆則中宮利而氣自暢矣昔有調理中宮以宣通胃腸為立法信不誣也

(17)三里

三里為土中真土，胃之樞紐，收天精華之所根也。

五臟六腑皆賴胃氣以為營養，有胃氣則生，無胃氣則死。並以胃氣為後天之本，水穀之海，主消納者也。胃氣盛則納氣自暢，營養自調，否則臟腑失養，而生氣絕矣。夫胃者戊土也，三里者合土也，是三里為土中真土，胃之樞紐，收天精華之所根，如秦承祖云：针病皆治，益又以胃為五臟六腑之海也，諸取之此穴。然人身之陰陽、補臟腑之衰損，凡寒氣積聚之癥瘕，皆得而運矣。化之濕熱、瀰漫之腫脹，亦得而燥之消之，至其升清降濁之功，導痰行滯之力，補中升陽等方不能擅美于前矣。

凡寒氣積聚之癥瘕皆而溫之散之，濕濁瀰漫之腫脹亦得而燥之消之。

（18）勞宮 三里

大瀉心胃之火，挫上逆之勢，凡結胸痞悶嘔吐乾噦氣吞酸煩倦嗜臥等症無不效如桴鼓。

勞宮屬心包絡，性清善降，功能理勞役憂滯、痢、七情鬱陷，尤能清胸膈之熱，導腑氣下行之路，與三里相合，大瀉心胃之火，挫上逆之勢，凡結胸痞悶嘔吐、乾噦、噫氣吞酸、煩倦嗜臥等症，無不效若桴鼓，用針者其勿忽諸。

(19) 三陰交

李東垣治病、以脾為主、宗之者頗不乏人、惟立方皆升提辛燥、與陰虛體質大相違背、自唐容川氏滋脾陰(潤燥)提倡以來、深得醫林多數人信仰、蓋脾陽每陷、運化失司、誠宜益氣升陽;若脾陰枯槁、津液不行者、則溫燥之法斷乎不可嘗試、而當滋陰潤燥者也、考三陰交為肝脾腎三經之交會、故其補脾之中、同時可補肝陰腎陽、是三陰交獨有氣血兩補之功、不特為女科之主穴、亦且為內傷虛勞雜病門中之要法也、其治腹痛泄痢癥瘕、轉胞、崩帶、經閉、絕孕等病、較之理中建中八宝腎氣等方、實不可同日而語也

有氣血兩補之功不特為女科之主穴亦且為內傷虛勞雜病門中之之要法

(20) 隱白

脾主運化、全賴陽氣為之旋轉、苟脾陽不運、則腹脹泄瀉便血、少氣崩帶等病作矣、東垣立補中調中升陽等方、即本此意;若

此太冬脾之九，脾阳不运，腹胀泄泻，倦怠崩带，内伤虚劳，（用呼）升举下陷之阳

大敦为肝经井穴，取其直接舒筋，调肝祛邪

取隐白亦复如是，缘隐白为太阴之根，补之大益脾气，升举下陷之阳，温散沉痼之寒，直如统驭中州之主帅，内伤虚劳门中之良相，正所谓拥护十方，即可以固四方也。

(21) 大敦

肝主筋，前阴为宗筋所聚，而足厥阴之经又环阴器，抵小腹，故诸症皆属于肝，大敦为肝经井穴，取之解舒筋，调肝祛邪，寒则补之，热则泻之，兼风湿者，如曲池委中，虚为卵缩引小腹痛者，加隐白，有致，故再取三阴交、太冲，俾（气海）阑中封、蠡沟、曲泉诸穴继之，即可痊愈，又若妇女寒疝下坠，痛引（以）小腹，阴挺肿痛等症，再男子诸症亦无异，故此法亦为诸疝，学者其细参可也。

(22) 大椎内关

水饮水邪也，水停于胸胸之间，气道壅塞，则作喘咳，胸满吐逆等症，然水何以能停也，是又当责之于三焦，经云：三焦者，决渎

[illegible]

[illegible]

> 化△

> 通利水道

> 蠲△

之閧水道出焉，蓋三焦即人身之油膜，水之道路全在油膜之中。人飲之水由三焦而下膀胱，則決瀆通暢，水自無停留之患。如三焦之油膜不和，手足水道閉塞，氣秘不行，而飲病作矣。此法大椎為督脈手足三陽之會，取之以調太陽之氣，氣行則水自利也。內閧為手厥陰心主之络，別走少陽三焦，取之宣心陽以退羣陰，利油膜以通其壅塞，則決瀆暢而飲病自蠲矣。是說本自內經，參之唐說，又與仲景青龍、苓桂等方吻合。其亦愚者之千慮一得乎

> 內閧清上，三陰交滋下，一以和陽，一以調陰固陰也

(頌)內閧三陰交

內閧手厥陰心主之络，別走少陽三焦，能清心胸中鬱熱，能使水道下行，配以三陰交滋陰益血（養），妄清飲高而陰虛者損之要法。蓋下焦之陰精一虧，則上焦之陽獨亢，而骨蒸盜汗、咳嗽、失血、夢遺、經閉等病作矣。內閧清上，陰交滋下，一以和陽，一以固陰，陰陽和合，斯可蘇生化育矣。

（24）鱼際　太谿

有清燥救肺之意，清火势以滋金刑，滋阴液以润肺燥，水火相济，子母相生

虚劳之病，现咳嗽吐血，骨蒸潮热者，十居八九，皆缘近世之人，溺于酒色，沉于思欲，耗肾而伤，阴液枯涸，不能上济心肺，以致火炎肺，萎柔金遭尅，遂现损症，施治大法，宜仿喻氏清燥救肺汤之意，清火势以滋金刑，滋阴液以润肺燥，火水相济，子母相生，庶几有一线生机也。是法君太谿以补水中之土，润燥而生金，臣鱼際泻金中之火，逐邪而扶正，理肾者兼理色欲，清肺者亦清酒伤，丝丝入扣，宜其屡奏奇功也。

（25）天柱　大杼

五臟氣乱于頭者取之天柱大杼平補平瀉以導氣而已

东垣曰，五藏气乱于头者，取之天柱、大杼，平补平泻，以导气而已。旨哉斯言。夫膀胱者，州都之官，气化所出，故绕週身之阳气而明太阳经也，且五藏之俞穴皆在于背，是五藏之气又皆通于太阳也，若夫气乱于头者，则头晕目眩者有之，头重者亦有

之头中鳴者亦有之，治者当以導氣下行為之津，令考天柱大杼二穴，皆屬足太陽经，而大杼更为督脈别络手足太陽少陽之會，其能调理氣導可知，至云平補平瀉者，蓋又以氣既逆矣，補之（瀉）則益之，益足以益其亂，故不能操之过急，但須得其头绪，徐導之，使循太陽经而下，則無紊乱之弊矣，再如風（寒）客于太陽之经，头项脊背强痛，用法亦所常用，惟邪之所在，勢不得不行瀉出，以舒经散邪也。

(26) 巨骨

巨骨屬于手陽明太陽，经穴在肩端兩叉骨罅中，刺之層高臨下，宛如左右各樹一鎮壓物然，且其性沉降，大能開胸鎮逆，宣肺利氣，凡胸中痰滞及一切上逆之邪，均能推之使下，故為定喘之無上妙法，他如（咳）逆上氣，肝火上冲，嘔血吐血等症，亦能挫其上逆之勢，急切收斂也。

其性沉降大能開胸鎮逆宣肺利氣為定喘之無上妙法

咳嗽喘息

27. 俞府 云门

咳嗽喘息本是善逆之症，而施治无多不效，何也？一言以蔽之，要皆未彻底认识其标本源因也。夫咳嗽喘息，固是肺病，然原因近也，标病也；其根本源因，固不在肺，而在肾也。以肾司收纳，冲脉又乎变肾经，至胸中而散。若下元空虚，收纳失司，则浊阴之气，从冲脉上逆入胸，鼓动肺叶，故咳嗽喘息也。今人不问其源，只知治肺，一味宣散、清利，轻则或可取效一时，重则不济，阳孰揜囊、毫无所觉，良以肺部未遑顾及，而冲气已上逆，前仆後继，尚梦然咳止、嗽宁、喘定耶？宜取此法：君俞府以降冲气之逆，理肾气之源，佐云门以开胸顺气、导痰理肺，标本兼施，则诸症悉愈矣。亦有阴火随冲脉上逆，以致胸中烧闷，烦热呛咳者，此实滋亦有奇效，果又在学者之遴选乎。

28. 气海 关元 中极 子宫

求嗣

醫書重求嗣之方，不踰杖準，而有應有不應者何也？蓋未得其癥結所在故耳。經云：女子二七天癸至，任脈通，太衝脈盛，月事以時下；男子二八腎氣盛，天癸至，精氣溢瀉。又云：陰陽和，故有子。夫推其陰陽和媾所有子之義，而以女子月事以時下，男子精氣溢瀉，陰陽斯之謂和，否則陰陽既不和，則子嗣又烏從而得哉。是以求嗣之要，男子首在調精，女子首在經行，在男子有淫慾過度，陰精虧竭，稀薄散淡者，亦有先天不足，腎氣不充，精不注射者。至女子月經不調之外，更有子宮寒冷，胞門閉塞者，凡此等等，皆無成孕之可能，求嗣之士，可知着眼所在也。至于男子之陽不和者，取氣海以根陽氣，取關元以添陰精，蓋以氣海為男子生氣之海，關元為三陰任脈之會，藏精之府也；其于女子之陰不和者，則取中極以調經，取子宮以開胞，蓋又以中極亦為三陰任脈之會，胞宮之門戶也，子宮之穴在中極旁三

(29)

凡陽亢陰亏上熱下寒安胎墮胎在乎承鴻

方位居小腹，正當胞宮之處，胞宮今亦名子宮，此穴此名其義可知，補之者正所以暖胞開胞，俾其直接受孕也，育嗣之穴，固不止此，然苟能如此法此理，融會貫通之，則求嗣之道思過半矣。

第二十九節　合谷三陰交

二穴安胎墮胎之理，已詳于針灸大成中，故不再贅，茲所欲言者，不過引伸其義而已。夫三陰交補脾養血，固為妊娠要穴，然其安胎之力，尤賴乎合谷之清熱也。何以言之？觀乎徐靈胎先生之言曰，婦人懷孕中一點真陽，日吸母血以養，故陽日旺而陰日衰，凡半產滑胎，皆火盛陰衰，不能全其形体故也。又讀葉天士先生胎得涼而安一語，益信其真。故昔賢安胎皆主黃芩以清熱也，脾主後天生化，故又佐白朮以補脾而養胎也。再參之是法，合谷亦猶黃芩也，三陰交亦猶白朮也，白朮慮其燥，而黃芩適以平之，三陰交慮其溫，而合谷適以和之，是法與是方吻合者如此、且三陰爲三陰之會、中寓肝陰腎陽、能溫補而又能滋潤者也、昔賢常借用是法、取合谷以清上中之熱、取三陰交以滋中下之陰、故凡陽亢陰虧、上熱下寒者、皆所宜也

喉科小兒發熱、咳嗽喘逆

(30) 第三十節 少商 商陽 合谷（刺出血）

此三穴、醫家多取以爲喉科之主法、以其清肺瀉熱也、茲因推廣其用、以爲兒科之主、以小兒稟質純陽、内熱最盛、肺爲嬌臟、首當其衝、且小兒衛氣未充、感邪尤易、肺合皮毛、故見症輒多咳、嗽喘逆發熱、由是觀之、採用此法、不無相當理由也、惟加減之法、他書未詳、茲特分別述之、夫咽喉見症、固由内熱蟠結、然熱有臟腑之殊、輕重之別、取之必絲絲入扣、方能見效、今是法僅瀉太陰陽明之熱、爲力有限、故必再取關衝、少衝、中衝、少澤等穴配之、以竟全功、至於小兒外感時邪、兼停食積滯以致吐瀉者、加四縫四穴、腹痛者、加隱白、厲兌、大敦、熱甚喘逆煩燥者、

霍亂吐瀉
閉症

肘加少衝、中衝、少澤、熱極生風、驚癇瘈瘲、目直色青、或角弓反張者、必再取手足諸井十宣穴以應之。若邪熾病危、險象叢生而治不效者、則必及水溝、風府、百會、前頂、素髎、顖脈、湧泉、崑崙、身柱、命門等穴、盡取之焉、幾能挽回一二也。尤有進者、此法不但為兒科之主、即成人內熱外感見症、先刺之出血、重者亦可見效、輕者能使立愈、裨益殊多也。

作本色人。說根心話。
幹近情事。

(31.) 第三十一節　曲澤委中尺澤

曲澤委中二穴皆大筋動脈所在、故能出血、為霍亂吐瀉之妙法、其出血之能力、非只放出暑濕風熱毒穢、即已他如暴絕厥逆、陰陽氣不相接續等閉症、亦有起死回生之巧、蓋邪之卒中于人也、內外為之閉絕、有如河道為淤泥阻塞、則水無去路、上下斷隔、苟決以出口、則河流通行、淤塞自去也。且曲澤通心於、有清煩熱、滌邪穢之力、故凡心亂神昏、皆其所宜、委中位於下

[illegible]十一。明理者事是學者要務。

有祛風濕解暑熾清血毒之功。彼善治瀉痢而花柳惡瘡之未潰者，刺之血出即消，尤具特效也。惟金鑑針科以曲澤改用尺澤，亦有意義。因該處有靜脈可出血毒，且尺澤為手太陰合穴，取之以通調肺氣，亦為霍亂暴卒等急症之要穴也。或有誤為曲池者，蓋曲池可以透尺澤也。至於加減之法亦當審慎，如霍亂嘔吐不止者，可加金津、玉液、天突、中脘；心煩亂者再加內關、中衝、少衝、百會；而瀉痢者加委中；如刺之後腹痛吐痢仍不止者，可再取中脘、天樞、三里；腳轉筋者加承山、崑崙以繼之，始克竟其全功也。

「鍼醫箴」
一　使氣最害事（使心最害事），君子臨事平心易氣。

至重惟人命，最難卻是醫。病源須洞察，（鍼灸）藥餌要詳施。當奏萬全效，莫趁十年時。生死關係大，惟有上天知。叮嚀同志者，濟世務加思。

不存心看，不出自家不是，只於動靜語默接應物事時件件想想，使見深處是過，須務合天則。然此為是日用間如何疏忽得呵。學者思之。

针灸讲义
（甲本、乙本）

提　要

一、作者小传

《针灸讲义》现存甲本、乙本和丙本上下配本（甲、乙、丙为方便整理而编号）。甲本绪言落款为“王敬铭文阶述”，丙本上册序言落款为“王嘉猷奉三”，王敬铭、王嘉猷两位作者的相关资料不详，皆不可考。

二、版本说明

《针灸讲义》一书版本众多。因书中对作者没有详细介绍，且书口校名复杂，给整理版本馆藏情况增加了难度。《针灸讲义》现收录甲本、乙本和丙本上下配本共计4册。其中甲本绪言落款“王敬铭文阶述”，书口题“针灸讲义，医学专门学校印”；乙本未见作者信息，书口题“山西医学传习所，针灸讲义，中兴石印馆印”；丙本上册序言落款为“王嘉猷奉三”，书口题“针灸讲义，中医专修科印”，丙本下册书口题“针灸讲义，医专”。山西医学传习所（1919年创办）、医学专门学校（1921年8月，山西医学传习所改名为山西医学专门学校）、中医专修科（1927年4月，山西医学传习所开始招收中医专修科学员）、医专[可能是山西医学专门学校，也可能是山西医学专科学校（1928年）、私立山西川至医学专科学校（1932年），尚不确定]为山西中医改进研究会在山西办学时所用的学校名，故该书所收录甲、乙、丙3本讲义为其不同办学时期的针灸讲义。

三、内容与特色

甲本主要介绍十四经脉循行歌诀及分寸歌，并配穴位图，后附《标幽赋》《金针赋》《兰江赋》《通玄指要赋》《玉龙歌》《胜玉歌》《灵龟取法飞腾针图》《南丰李氏补泻》等。

乙本主要介绍十四经的治病主穴、经外奇穴，详细介绍了所涉及穴位的定位、主治、针与灸的操作方法及操作时的注意事项。

丙本卷上包括第一章各腑脏经络流注及穴之部位和第二章验刺略篇。第二章验刺略篇讲述了十二经治症主客原络歌、八法主客治症歌和子午流注等内容。卷下主要包括第三章行针手法揭要和第四章针灸用法揭要两部分；之后续译针灸萃要部分主要讲述针术定义、刺针法及针术之临床事项等内容。

现将该书特色介绍如下。

（一）验刺歌诀，条清详尽

甲本中的《标幽赋》《金针赋》《兰江赋》《通玄指要赋》《玉龙歌》《胜玉歌》等内容与现代教材所载内容一致。丙本卷上有《十二经表里原络总歌》《八脉交会穴歌》，后者详细论述了冲脉公孙、阴维内关、带脉临泣、阳维外关、督脉后溪、阳跷申脉、任脉列缺及阴跷照海的主治疾病。该书关于徐氏子午流注法的论述与《针灸大成》中的论述相同，该书亦有对于流注开阖和流注时日的论述。

（二）注重针刺补泻手法

甲本中附有南丰李氏补泻法。乙本则摘录数十篇古文讲解针灸补泻，涉及《素问》《难经》《针灸大成》等。丙本对补泻手法的介绍更加全面。其下续译针灸萃要部分又分针术及针、刺针法及针术之临床事项等，其中针术及针部分主要讲述了毫针和圆利针，刺针法部分主要讲述了随针术、圆旋术、雀啄术、内调术等，针术之临床事项部分主要讲述针刺前的准备及操作者和被操作者的体位。

（三）配图生动，特色鲜明

甲本中配有十四经脉穴位图，丙本中亦附有穴位图，清晰明了，重点突出。

该书内容繁杂，应非一人撰写。从总体来看，该书是综合各医家所著而成，有较强的应用价值，适合临床针灸医师学习、参考。

鍼灸緒言

鍼灸之法肇自上古，靈素兩經，爲鍼法言者十之七八，爲方藥言者十之二三。難經、甲乙並有闡明。蓋一鍼中穴，病者應手而起，扁鵲、元化以此稱神。厥後王燾著外臺，取灸而不取鍼，故其學唐以後遂微，迄于今而其傳幾絶，此可爲浩歎者也。鄙人師承鄭仲文夫子口訣指授，考求靈素、難、甲，下及鍼灸大成等書，數十年來稍有心得。茲者應聘來晉，承乏鍼灸一科，與諸生講論一堂，學有傳人，實符素願。大抵靈素二經詳鍼灸之原理，大成一書言鍼灸之用法，欲求體用俱備、本末兼賅，恐非學校數年所能卒業。因思行遠自邇，登高自卑，苟得其從入之門，自易升堂而入室。茲擬擇靈樞最要諸篇與鍼灸大成各歌賦分別講解于經脉穴道行鍼手法熟讀精思庶幾先能應用次則考究靈素奥旨以期精益求精鄙人講學于今日尚望諸生昌明斯道于將來焉

王敬銘文階述

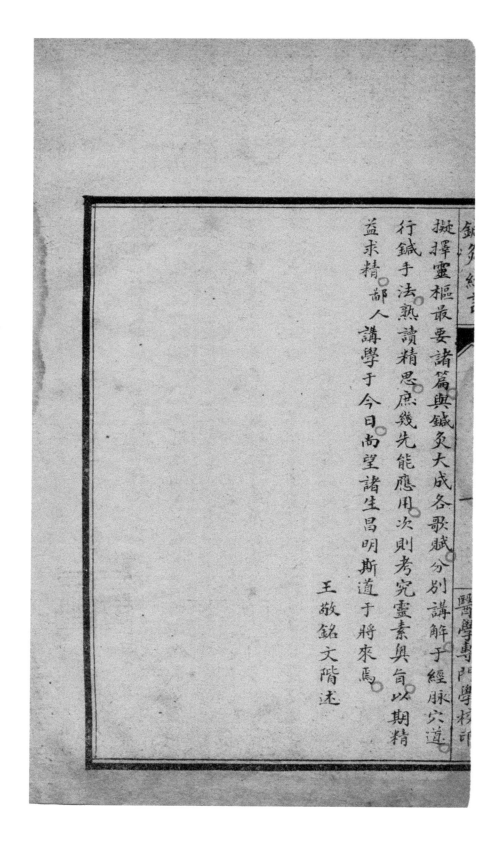

手太陰肺脉

肺手太陰之脉起于中焦、下絡大腸、還循胃口、上膈屬肺從肺系橫出腋下、下循臑內、行少陰心主之前、下肘中循臂內上骨下廉、入寸口上魚循魚際、出大指之端、其支者從腕後直出次指內廉出其端、

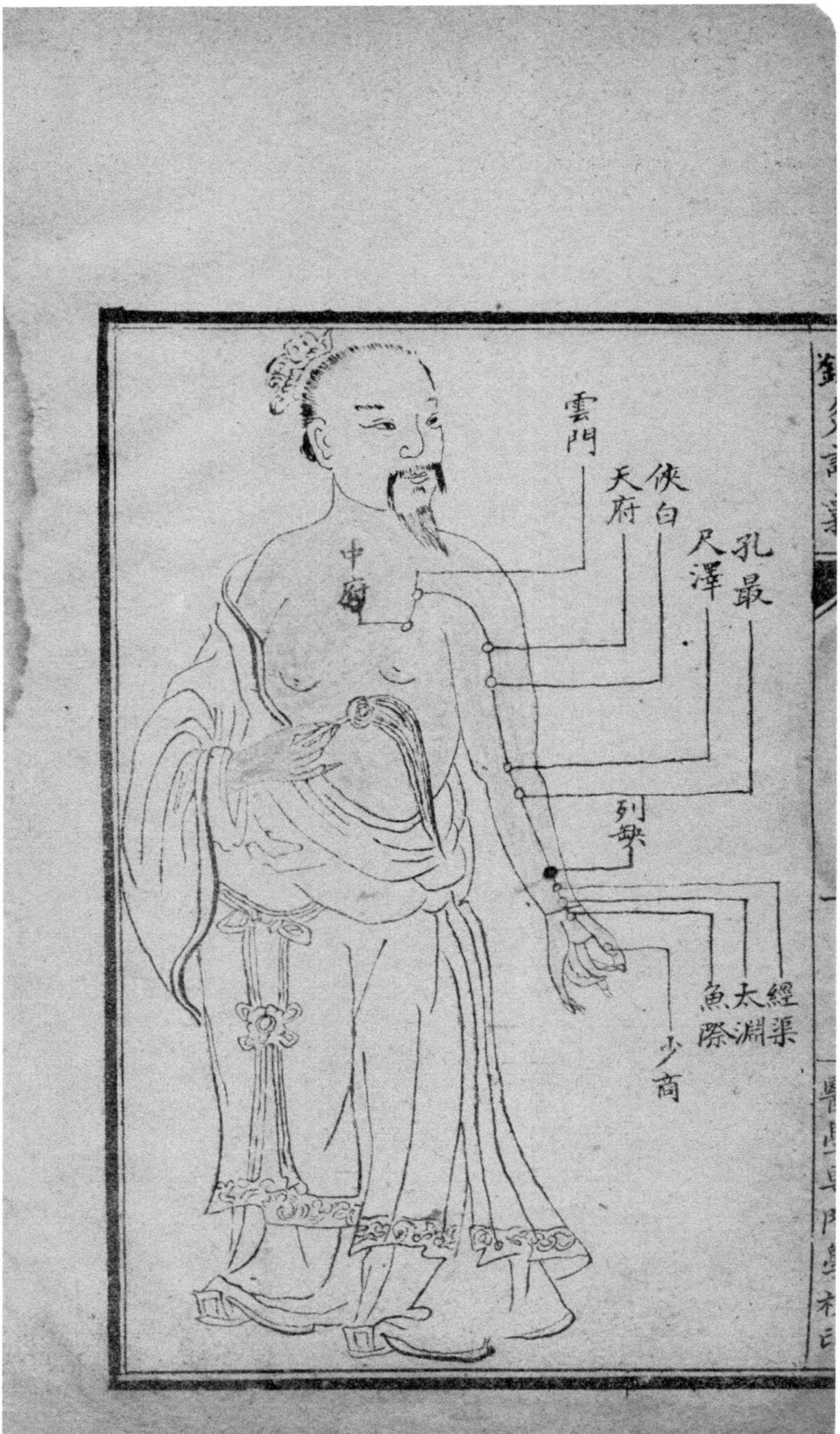
雲門
俠白
天府
中府
孔最
尺澤
列缺
經渠
太淵
魚際
少商

分寸歌

太陰肺兮出中府、雲門之下寸六許、雲門璇璣旁六寸、巨骨之下二骨數、天府腋下三寸求、俠白肘中五寸主、尺澤肘中約横紋、孔最腕上七寸取、列缺腕側一寸半、經渠寸口陷中擬、太淵掌後横紋頭、魚際節後散脉裏、少商大指端内側、相去爪甲韭葉許、

大腸手陽明之脉、起于大指次指之端、循指上廉、出合谷兩骨之間、上入兩筋之間、循臂上廉、入肘外廉、上臑外前廉、上肩、出髃骨之前廉、上出于柱骨之會上、下入缺盆、絡肺、下膈、屬大腸、其支者、從缺盆上頸貫頰、入下齒中、還出挾口、交人中、左之右、右之左、上挾鼻孔、

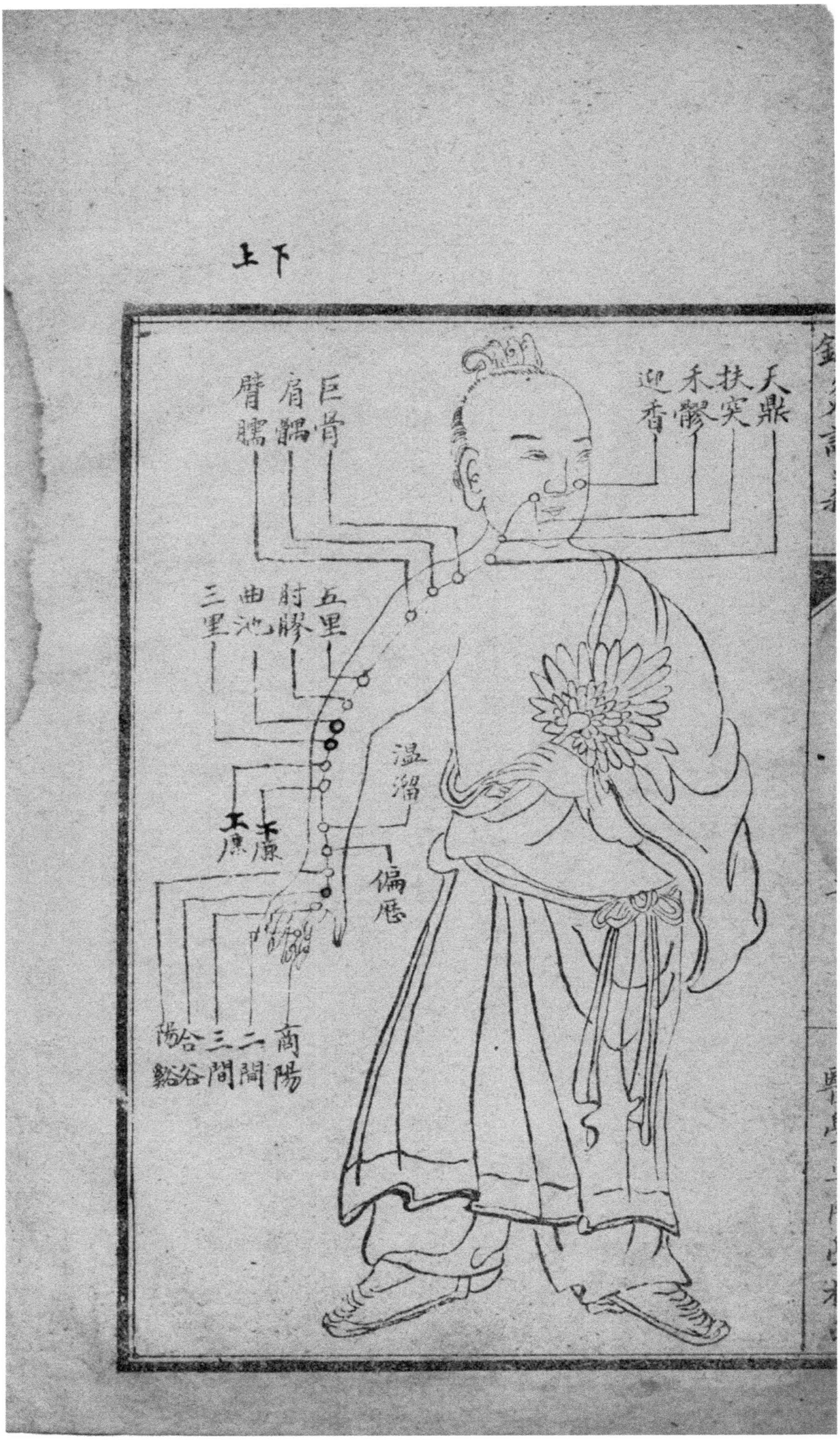
上 下
天鼎
扶突
禾髎
迎香
巨骨
肩髃
臂臑
五里
肘髎
曲池
三里
温溜
上廉
下廉
偏歷
商陽
二間
三間
合谷
陽谿

分寸歌

商、陽食指内側邊、二間來尋本節前、三間節後陷中取、合谷虎口岐骨間、陽谿上側腕中是、徧歷腕後三寸安、溫溜腕後去五寸、池前五寸下廉看、池上三寸上廉中、池前二寸三里逢、曲池屈肘紋頭盡、肘髎大骨外廉近、大筋中央尋五里、肘上三寸行向裏、臂臑肘上七寸量、肩髃肩端舉臂取、巨骨肩尖端上行、天鼎喉旁四寸真、扶突天突旁五寸、禾髎水溝旁五分、迎香禾髎上一寸、大腸經穴是分明、左右共四十穴

胃足陽明之脉、起于鼻之交頞中、旁約太陽之脉、下循鼻外、上入齒中、還出挾口、環唇下、交承漿、卻循頤後下廉、出大迎、循頰車、上

耳前、過客主人、循髮際、至額顱、其支者、從大迎前下人迎、循喉嚨、入缺盆、下膈、屬胃、絡脾、其直者、從缺盆下乳內廉、下挾臍、入氣街中、其支者、起于胃口、下循腹裏、下至氣街中而合、以下髀關、抵伏兔、下膝臏中、下循脛外廉、下足跗、入中指內間、其支者、下廉三寸而別、下入中指外間、其支者、別跗上、入大指間、出其端、

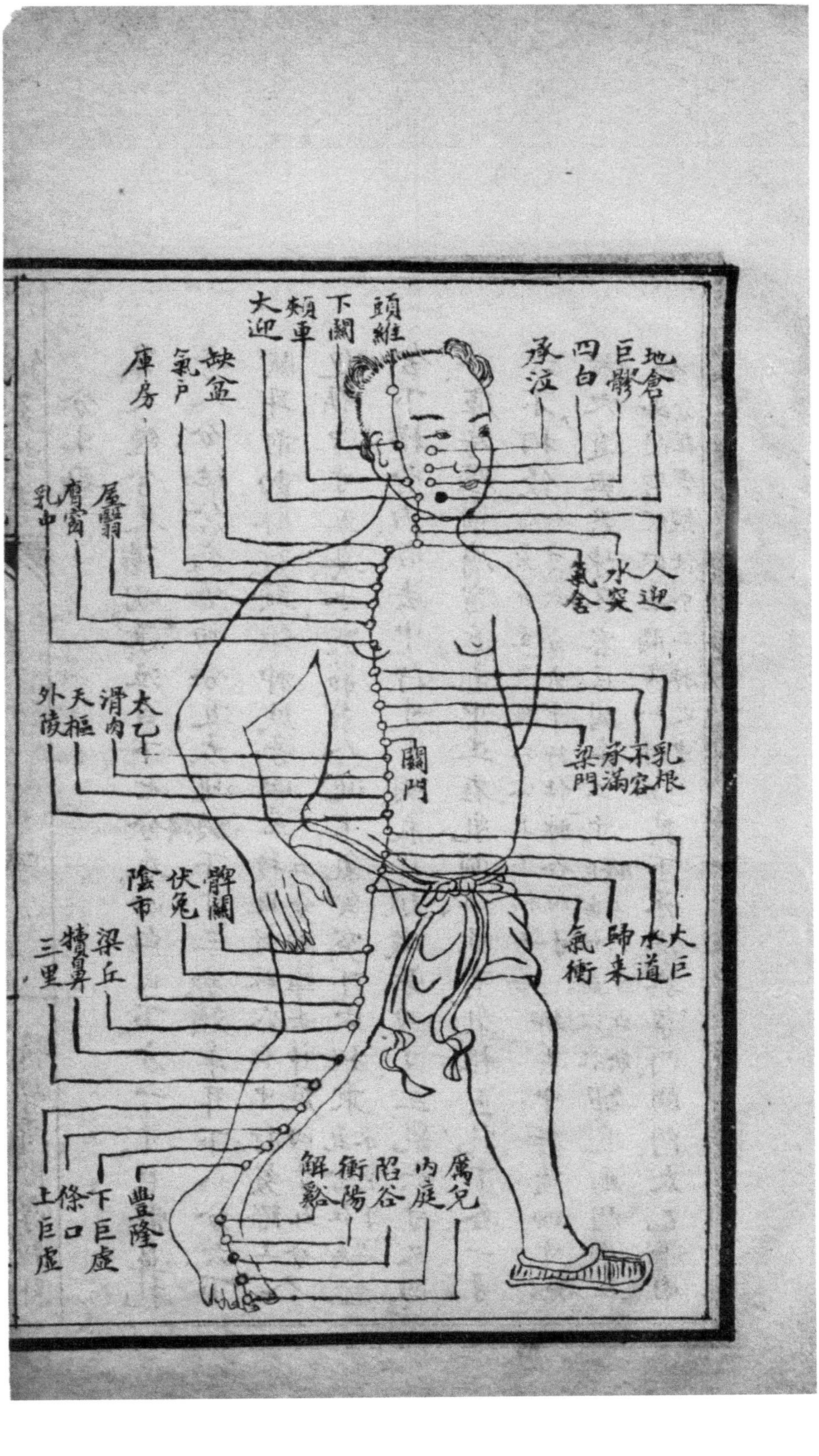
頭維
下關
頰車
大迎
地倉
巨髎
四白
承泣
缺盆
氣户
庫房
屋翳
膺窗
乳中
人迎
水突
氣舍
乳根
不容
承滿
梁門
關門
太乙
滑肉
天樞
外陵
大巨
水道
歸来
氣衝
髀關
伏兔
陰市
梁丘
犢鼻
三里
厲兌
内庭
陷谷
衝陽
解谿
豐隆
下巨虛
條口
上巨虛

分寸歌

胃之經兮足陽明、承泣目下七分尋、四白目下方一寸、巨髎鼻孔旁八分、地倉夾吻四分近、大迎頷下寸三分、頰車耳下八分穴、下關耳前動脈行、頭維神庭旁四五、（神庭督脈穴、在中行髮際上五分、頭維去神庭四寸五分）人迎喉旁寸五真、水突筋前人迎下、氣舍突下穴相乘、（氣舍在缺盆、水突下、）舍下橫骨內、各去中行寸半明、氣戶璇璣旁四寸、至乳六寸又四分、庫房屋翳膺窗近、乳中正在乳頭心、次有乳根出乳下、各一寸六不相侵、（自氣戶至乳根六穴、上下相去各一寸六分、去中行任脈各四寸、）卻去中行須四寸、以前穴道與君陳、不容巨闕旁二寸、（巨闕任脈穴、在臍上六寸五分）卻近幽門寸五分、（幽門腎經穴、巨闕旁一寸五分、在胃經任脈二脈之中）其下承滿與梁門、關門、太乙滑肉門上下一寸無多少共去中行三寸尋天樞臍旁二寸間樞下一寸外陵安、樞下二寸大巨穴、樞下四寸水道全、樞下六寸歸來好、共去中行二寸邊、氣衝鼠鼷上一寸、鼠鼷橫骨盡處又去中行四寸髀關膝上有尺二、伏兔膝上六寸是、陰市膝上方三寸、梁邱膝上二寸記、膝臏陷中犢鼻存、膝下三寸三里至、膝下六寸上廉穴即巨虛膝下七寸條口位、膝下八寸下廉看、膝下九寸豐隆係、卻是踝上八寸量、比那下廉外邊綴、解谿去庭六寸半、庭內庭也衝陽庭後五寸換、陷谷庭後二寸間、內庭次指外間現、足大指次指外間陷中厲兌大指次指端、去爪如韭胃井判、左右各四十五穴共九十穴

脾足太陰之脉、起于大指之端、循指內側白肉際、過核骨後、上內

踝前廉、上踹後、循脛後、交出厥陰之前、上膝股内前廉、入腹屬脾絡胃、上膈挾咽、連舌本散舌下、其支者復從胃別上膈注心中、

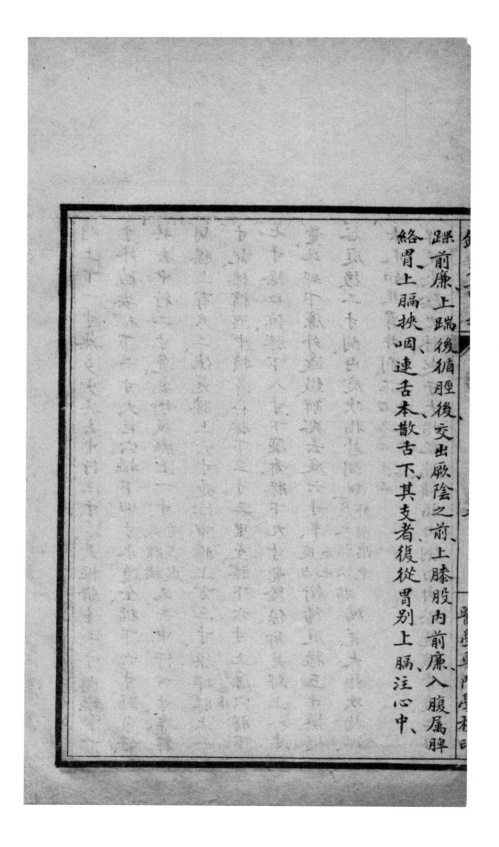

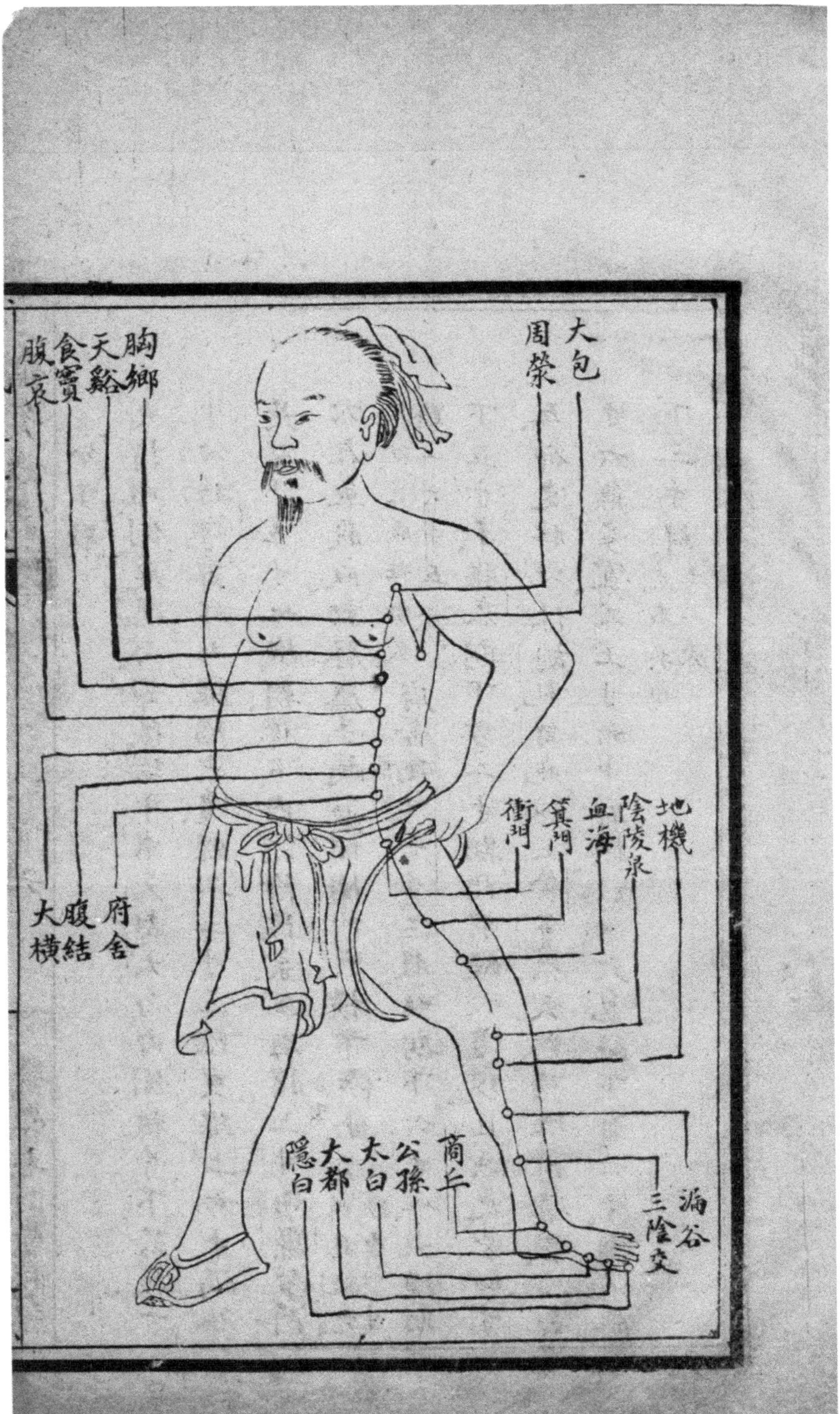

大包
周榮
胸鄉
天谿
食竇
腹哀
地機
陰陵泉
血海
箕門
衝門
府舍
腹結
大橫
漏谷
三陰交
商丘
公孫
太白
大都
隱白

分寸歌

大指内側起隱白、節後陷中求大都、太白内側核骨下、節後一寸公孫呼、商邱内踝陷中遺、踝上三寸三陰交、踝上六寸漏谷是、膝下五寸地機朝、膝下内側陰陵泉、血海膑上寸二半、内廉箕門穴在魚腹取、動脉應手越筋間、衝門大横下五寸、（期門肝經穴、巨厥旁四寸五分、巨厥任脉穴、臍上六寸五分、）府舍衝下二寸三、腹結期下六寸八、大横期下五寸半、腹哀期下方二寸、期門肝經穴道現、巨厥之旁四寸五、御連脾穴休胡亂、自此以上食竇穴、天谿胸鄉周榮貫、相去寸六無多寡、又上寸六中府换、（肺經穴、）大包腋下有六寸、淵液腋下三寸絆、（左右共四十二穴、）

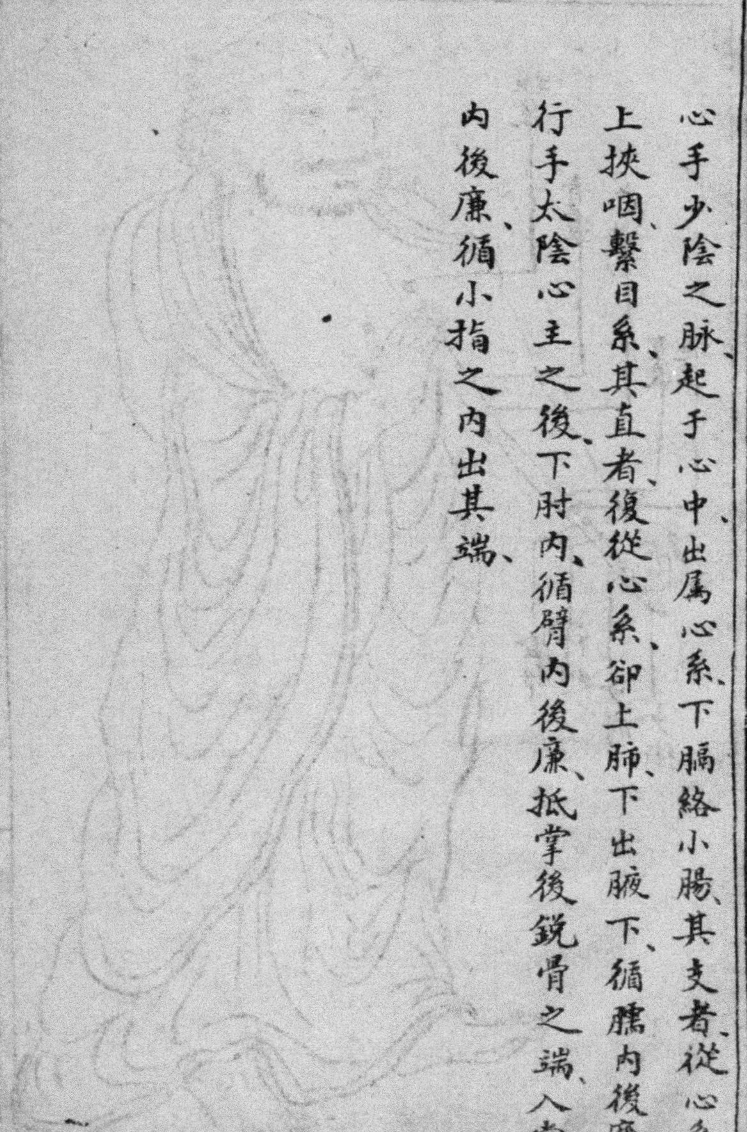

心手少陰之脉、起于心中出屬心系、下膈絡小腸、其支者、從心系上挾咽、繫目系、其直者、復從心系、卻上肺、下出腋下、循臑内後廉、行手太陰心主之後、下肘内、循臂内後廉、抵掌後鋭骨之端、入掌内後廉、循小指之内出其端、

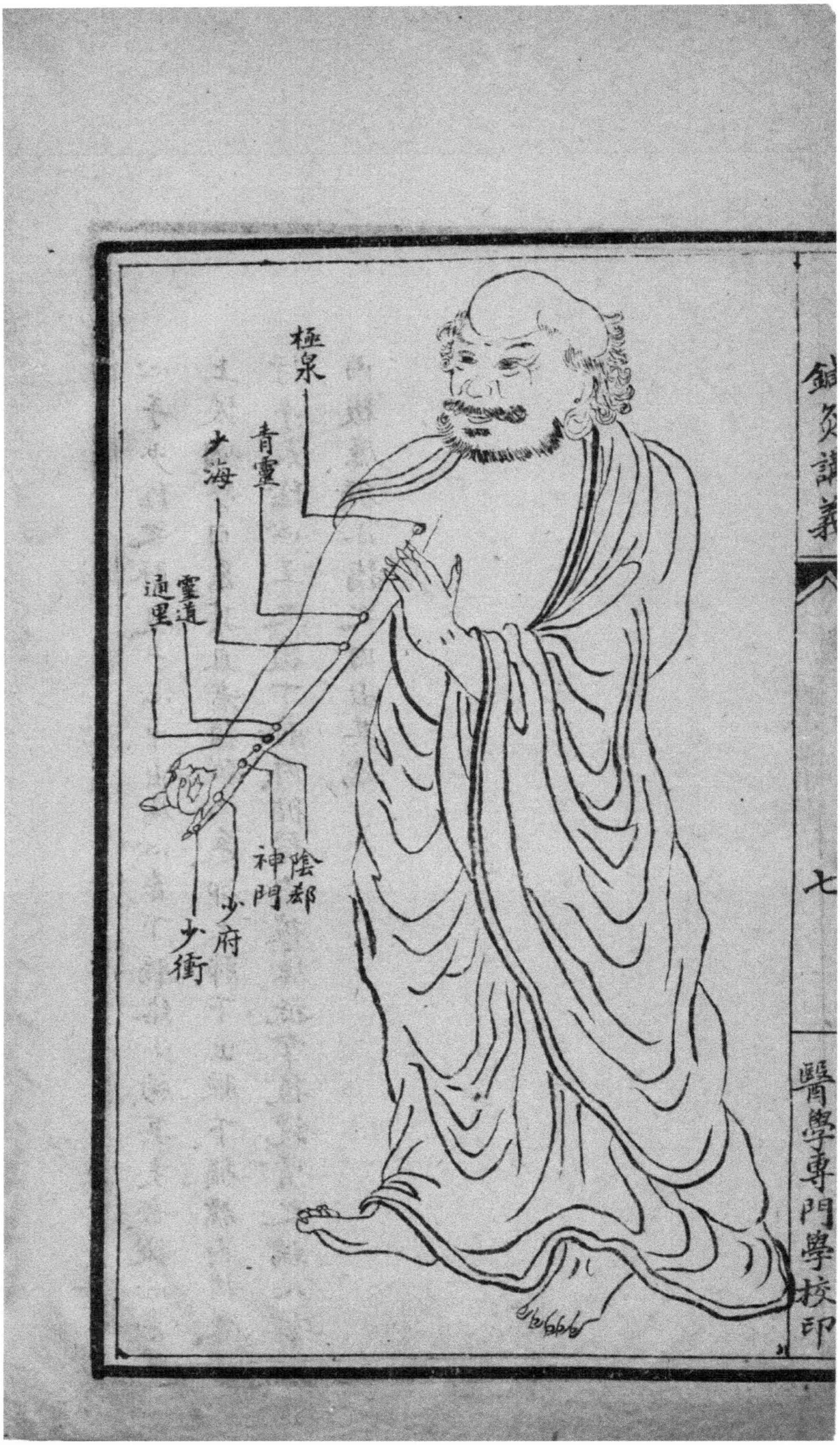
極泉
青靈
少海
靈道
通里
陰郄
神門
少府
少衝
鍼灸講義
七
醫學專門學校印

分寸歌

少陰心起極泉中、腋下筋間脈入胸、（臂内腋下筋間動脈入胸）青靈肘上三寸取、少海肘後五分容、（肘内廉節後大骨外去肘端五分屈節向頭得）靈道掌後一寸半、通里腕後一寸同、陰郄腕後方半寸、神門掌後兑骨隆、少府節後勞宮直、小指内側取少衝、（凡九穴左右共十八穴）

小腸手太陽之脈、起于小指之端、循手外側上腕、出踝内、直上循臂骨下廉、出肘内側兩筋之間、上循臑外後廉、出肩解、繞肩胛、交肩上、入缺盆、絡心、循咽下膈、抵胃屬小腸、其支者、從缺盆循頸上頰、至目鋭眥、卻入耳中、其支者、别頰上䪼、抵鼻至目内眥、斜絡于顴、

肩外俞
肩中俞
天窗
天容
顴髎
聽宫
支正
養老
陽谷
腕骨
臑俞
少海
肩貞
天宗
秉風
曲垣
後谿
前谷
少澤
八
醫學專門學校印

分寸歌

小指端外為少澤、前谷外側節前覓、節後捏拳取後谿、腕骨腕前骨陷側、兌骨下陷陽谷討、腕上一寸名養老、支正腕後量五寸、小海肘端五分好、肩貞胛下兩骨解、曲胛下兩骨解間、肩髃後陷中、臑俞大骨下陷保、大骨下胛上廉、舉臂取之、天宗秉風後骨中、秉風髎外舉有空、天髎外肩上、小髎後舉臂有空、曲垣肩中曲胛陷、外俞胛後一寸從、即外肩俞肩胛上廉去脊三寸陷中、肩中二寸大杼旁、天窗扶突後陷詳、頸大筋間前、曲頰下、扶突後動脈應手陷中、天容耳下曲頰後、顴髎面頄銳端量、聽宮耳端大如菽、耳中珠子大如赤小豆、此為小腸手太陽、左右共三十八穴、

膀胱足太陽之脈、起于目內眥、上額交巔、其支者、從巔至耳上角、

其直者、從巔直絡腦、還出別下項、循肩髆內、挾脊抵腰中、入循膂、絡腎屬膀胱、其支者、從腰中下挾脊貫臀、入膕中、其支者、從髆內左右、別下貫胛、挾脊內過髀樞、循髀外、從後廉下合膕中、以下貫端內、出外踝之後、循京骨至小指外側、

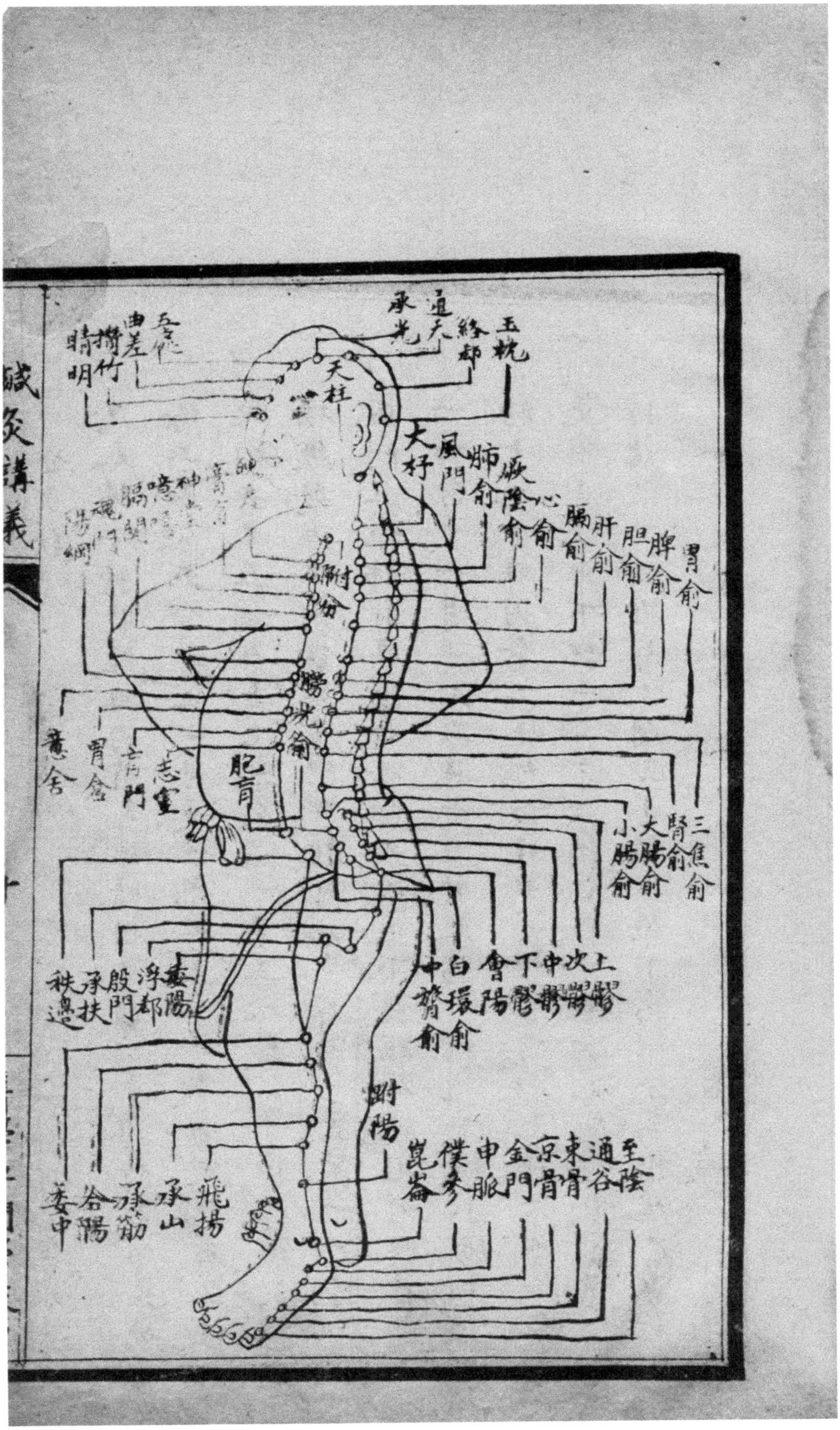
鍼灸講義
承光
通天
絡却
玉枕
五處
曲差
攢竹
睛明
天柱
大杼
風門
肺俞
厥陰俞
心俞
膈俞
肝俞
胆俞
脾俞
胃俞
附分
膀胱俞
意舍
胃倉
肓門
志室
胞肓
三焦俞
腎俞
大腸俞
小腸俞
上髎
次髎
中髎
下髎
會陽
白環俞
中膂俞
委陽
浮郄
殷門
承扶
秩邊
跗陽
至陰
通谷
束骨
京骨
金門
申脈
僕參
崑崙
飛揚
承山
承筋
合陽
委中

分寸歌

足太陽兮膀胱經、目內眥角始睛明、眉頭陷中攢竹取、曲差髮際上五分、五分髮止一寸是、承光髮上二寸半、通天絡郄、玉枕穴相去寸五調勻看、玉枕夾腦一寸三、入髮二寸枕骨現、天柱項後髮際中、大筋外廉陷中獻、自此夾脊開寸五、第一大杼二風門、三椎肺俞厥陰四、心俞五椎之下論、膈七肝九十膽俞十一脾俞十二、胃十三三焦十四腎、大腸十六之下椎、小腸十八膀十九、中膂內俞二十椎、白環廿一椎下當、以上諸穴可排之、更有上次中下髎、一二三四腰空好、會陽陰尾尻骨旁、背部二行諸穴了、又從脊上開三寸、第二椎下為附分、三椎魄戶四膏肓、第五椎下神堂尊、第六譩嘻膈關七、第九䰟門陽綱十、十一意舍之穴存、十二胃倉穴已分、十三肓門端正在、十四志室不須論、十九胞肓廿秩邊、背部三行諸穴匀、又從臀下陰文取、承扶居于陷中主、浮郄扶下方六分、委陽扶下寸六數、殷門扶下六寸長、膕中外廉兩筋鄉、委中膝骨約紋裏、此下三寸尋合陽、承筋腳跟上七寸、穴在腨腸之中央、承山腨下分肉間、外踝七寸上飛揚、輔陽外踝上三寸、崑崙後跟陷中央、僕參亦在踝骨下、申脈踝下五分張、金門申脈下一寸、京骨外側骨際量、束骨本節後陷中、通谷節前陷中強、至陰卻在小指側、太陽之穴始周詳、計六十三穴左右共一百二十六穴、腎足少陰之脈起于小指之下、邪趨足心、出于然谷之下、循內踝之後、別入跟中、以上踹內、出膕外廉、上股內後廉、貫脊屬腎絡膀胱、其直者從腎上貫肝膈、入肺中、循喉嚨、挾舌本、其支者、從肺絡心、注胸中、

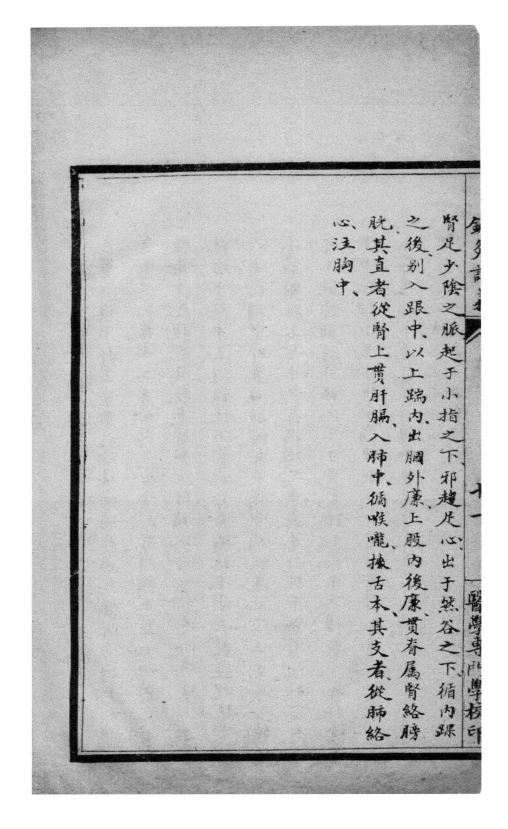

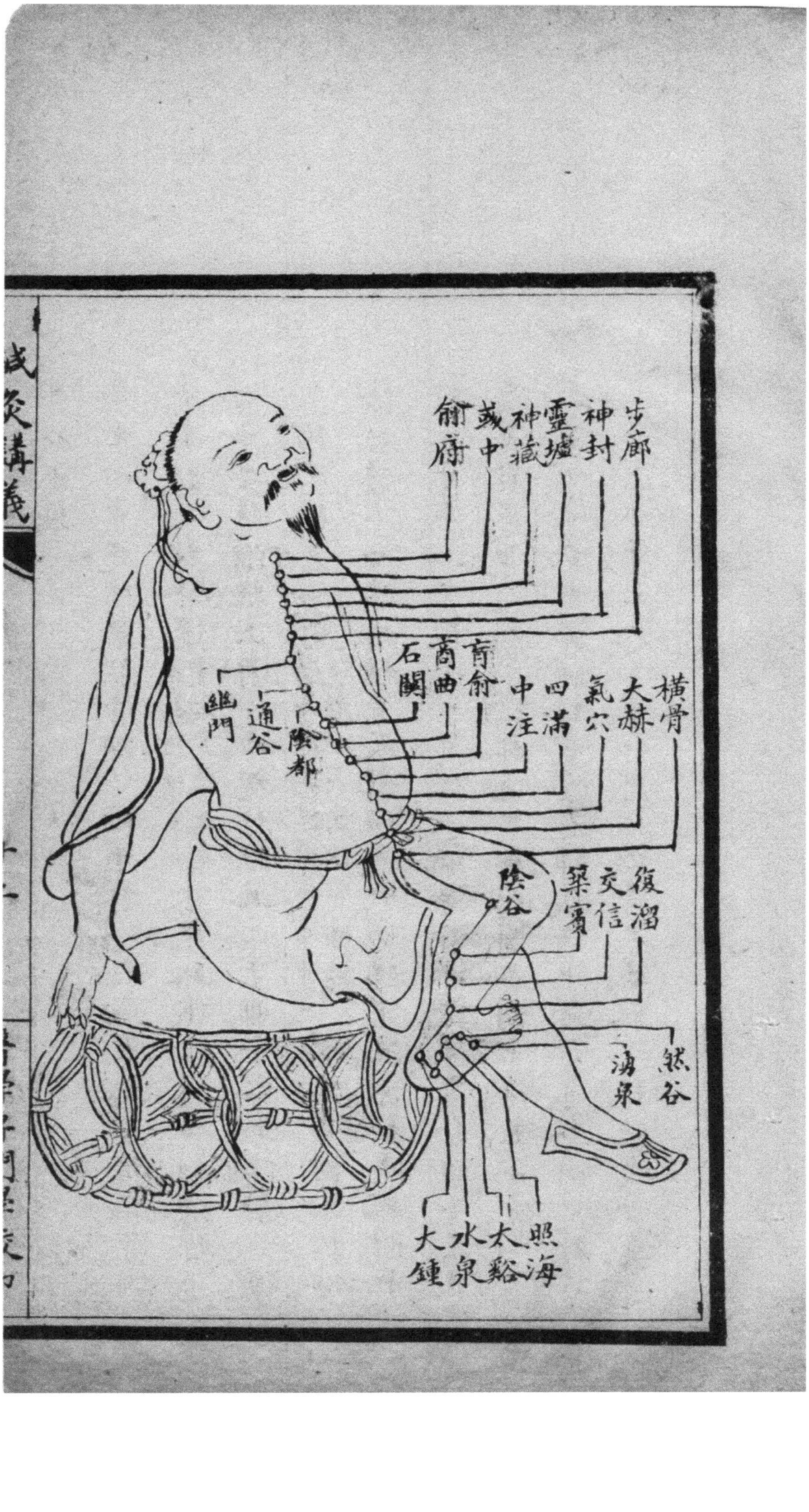
鍼灸講義
步廊
神封
靈墟
神藏
彧中
俞府
肓俞
商曲
石關
橫骨
大赫
氣穴
四滿
中注
幽門
通谷
陰都
復溜
交信
築賓
陰谷
然谷
湧泉
照海
太谿
水泉
大鍾

分寸歌

足掌心中是湧泉、然骨踝下一寸前、內踝前一寸、太谿踝後跟骨上、大鍾跟後踵中邊、足跟後踵中大骨上兩筋間也水泉谿下一寸覓、照海踝下四寸安、復溜踝上前二寸、交信踝上二寸聯、一穴止隔筋前後、太陽之後少陰前、前旁骨是復溜、後旁骨是交信、二穴止隔一條筋築賓內踝上踹分、陰谷膝下曲膝間、橫骨大赫併氣穴、四滿中注亦相連、各開中行止寸半、上下相去一寸便、上膈肓俞亦一寸、肓俞臍旁半寸邊、肓俞商曲石關來、陰都通谷幽門闢、各開中行五分俠、六穴上下一寸裁、步廊神封靈墟存、神藏彧中俞府尊、各開中行計二寸、上下寸六六穴分、俞府璇璣旁二寸、取之得法自然真、心主手厥陰心包絡之脈、起于胸中、出屬心包絡、下膈、歷絡三焦、其支者、循胸中出脇、下腋三寸、上抵腋下、循臑內、行太陰少陰之間、入肘中、下臂行兩筋之間、入掌中、循中指出其端、

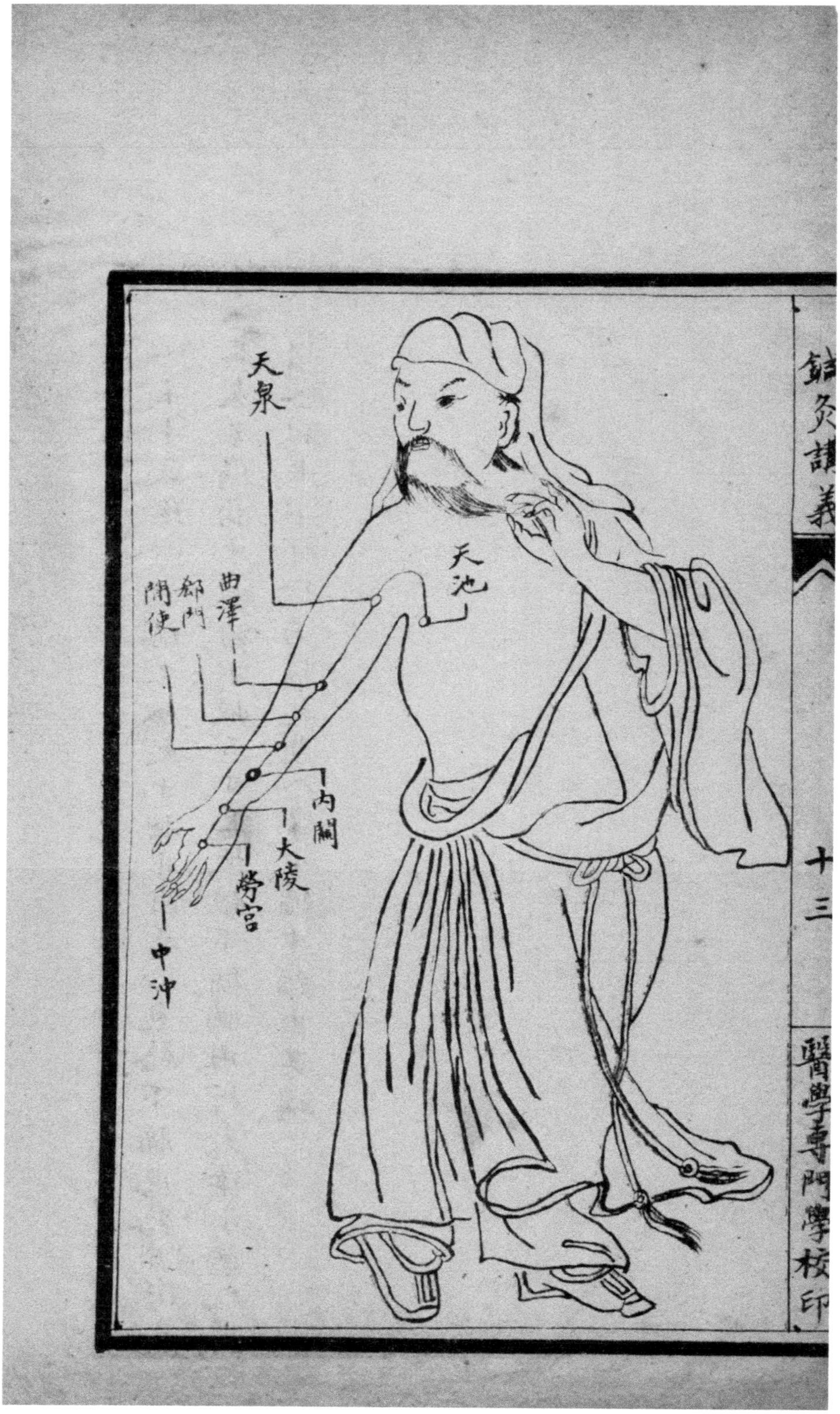
天泉
天池
曲澤
郄門
間使
內關
大陵
勞宮
中沖
鍼灸講義
十三
醫學專門學校印

分寸歌

心包起自天池間。乳後一寸腋下三。（腋下三寸乳後一寸）天泉曲腋下二寸。曲澤屈肘陷中央。郄門去腕方五寸。（掌後去腕五寸）間使腕後三寸量。內關去腕止二寸。大陵掌後兩筋間。勞宮屈中名指取。（屈中指無名指兩者之間取之）中指之末中衝良。

三焦手少陽之脈。起于小指次指之端。上出兩指之間。循手表腕。出臂外兩骨之間。上貫肘。循臑外上肩。而交出足少陽之後。入缺盆。布膻中。散絡心包。下膈循屬三焦。其支者。從膻中上出缺盆上項。繫耳後。直上出耳上角。以屈下頰至䪼。其支者。從耳後入耳中。出走耳前。過客主人。前交頰。至目銳眥。

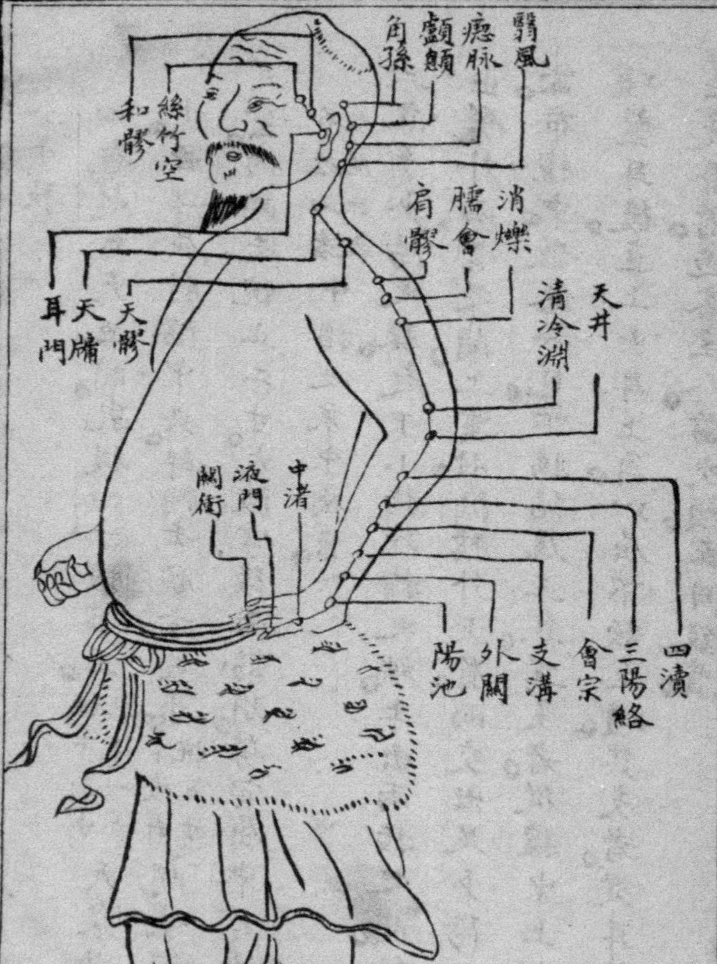

醫學專門學校印

分寸歌

無名之外端關冲。液門小次指陷中。中渚液下去一寸。陽池腕上之陷中。外關腕後方二寸。腕後三寸支溝容。腕後三寸內會宗。空中有穴用心攻。腕後四寸三陽絡。四瀆肘前五寸着。天井肘外大骨後。骨罅中間一寸摸。肘後二寸清冷淵。消鑠對腋臂外落。臑會肩前三寸量。肩髎臑上陷中央。天髎缺盆陷處上。天牖天容之外旁。（天牖頸大筋外缺盆上天容後天柱前完骨下髮際上）翳風耳後尖角陷。（耳後尖角陷中按之引耳中）瘈脈耳後青脈現。（耳本後雞足青絡脈）顱顖亦在青絡脈。角孫耳廓中間上。耳門耳前起肉中。（耳前起肉當耳缺陷中）禾髎耳前動脈張。欲知絲竹空何在。眉後陷中仔細量。（計二十三穴左右共四十六穴）

膽足少陽之脈。起于目銳眥。上抵頭角。下耳後。循頸行手少陽之前。至肩上。却交出手少陽之後。入缺盆。其支者。從耳後入耳中。出走耳前。至目銳眥後。其支者。別銳眥下大迎。合手少陽抵于䪼下。加頰車下頸。合缺盆以下胸中。貫膈絡肝屬膽。循脇裏出氣街。繞毛際。橫入髀厭中。其直者。從缺盆下腋。循胸。過季脇。下合髀厭中。以下循髀陽。出膝外廉。下外輔骨之前。直下抵絕骨之端。下出外踝之前。循足跗上。入小指次指之間。其支者。別跗上。入大指之間。循大指岐骨內出其端。還貫爪甲。出三毛。

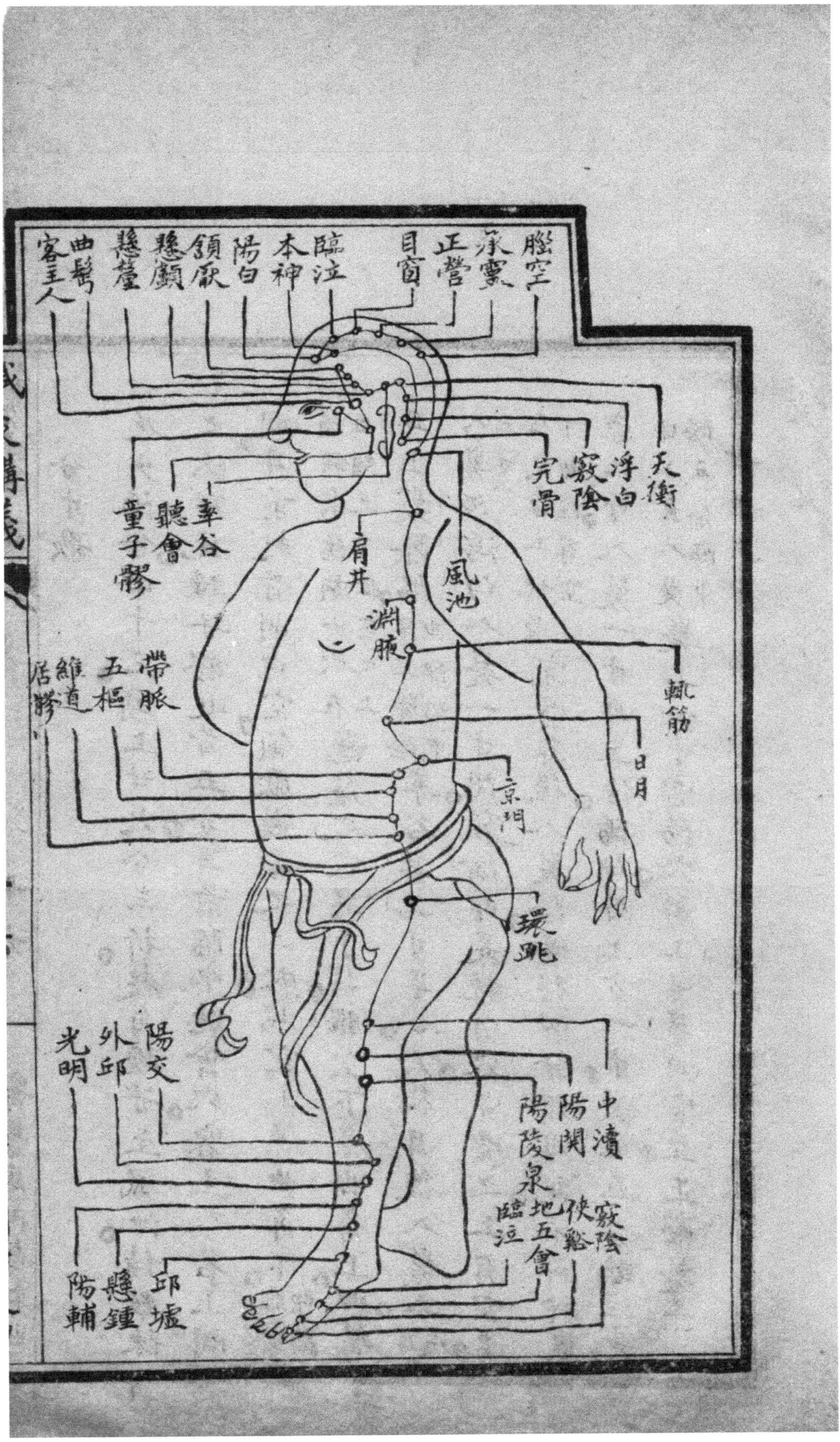
腦空
承靈
正營
目窗
臨泣
本神
陽白
頷厭
懸顱
懸釐
曲鬢
客主人
天衝
浮白
竅陰
完骨
率谷
聽會
童子髎
肩井
風池
淵腋
輒筋
日月
京門
帶脈
五樞
維道
居髎
環跳
中瀆
陽關
陽陵泉
陽交
外邱
光明
竅陰
俠谿
地五會
臨泣
邱墟
懸鍾
陽輔

分寸歌

足少陽分四十三。頭上廿穴分三折。起自瞳子至風池。積數陳之次序說。瞳子髎近眥五分。耳前陷中聽會穴。客主人名上關同。耳前起骨開口空。頷厭懸顱之二穴。腦空上廉曲角下。（腦空即顳顬。頷厭懸顱二穴在曲頰之下腦空之上）懸釐之穴異于茲。腦空下廉曲角上。曲鬢耳上髮際隅。（耳上髮際曲隅陷中）率谷耳上寸半安。天衝耳後入髮二。（耳後入髮際二寸）浮白入髮一寸間。竅陰即是枕骨穴。完骨之上有空連。（在完骨上枕骨下動搖有空）完骨耳後入髮際。量得四分須用記。本神神庭旁二寸。入髮一寸耳上係。陽白眉上方一寸。髮上五分臨泣是。（目上直入髮際五分陷中）髮上一寸當陽穴。髮上寸半目窗至。正營髮上二寸半。承靈髮上四寸誦。腦空髮上五寸半。風池耳後髮陷寄。在耳後顳顬後腦空下髮際陷中、○至此計二十穴分作三折向外而行始自瞳子髎至完骨是一折又自完骨外折上至陽白會精明是一折又自睛明上行循臨泣風池是一折緣其穴曲折多難以分別故此作至二十次第言之○歌曰一瞳子髎二聽會三主人兮頷厭四五懸顱兮六懸釐第七數兮曲鬢隨八率谷兮九天衝兮十浮白兮之穴從十一竅陰來相繼十二完骨一折終又自十三本神始十四陽白十二折隨十五臨泣目下穴十六目窗之穴宜十七正營十八靈十九腦戶廿風池依次細心量取之膽經頭上穴吾知肩井肩上陷中求大骨之前一寸半。肩上陷中缺盆上大骨前一寸半以三指按取當中指陷中淵液腋下方三寸。輒筋期下五分判。期門御是肝經穴。相去巨闕四寸半。日月期門下五分。京骨監骨下腰絆。監骨下腰下季脇本夾脊胷之募帶脈章門下寸八。五樞章下寸八貫。五樞去帶脈三寸季脇下四寸八分維道章下五寸三。居髎章下八寸三。章門緣是肝經穴下脘之旁九寸合○環跳髀樞宛宛中○髀樞中側卧屈上足伸下足以右手摸穴左搖取之撼屈上伸下取穴同○風市垂手中指盡○膝上五寸中瀆逢○陽關陽陵上三寸○陽陵膝下一寸從○陽交外踝上七寸○外邱踝上六寸○容踝上五寸光明穴○踝上四寸陽輔通○踝上三寸懸鍾在○坵墟踝前之陷中○此去俠谿四寸五○卻是膽經原穴○功臨泣俠谿後寸半○五會去谿一寸窮○夾谿在指岐骨內○竅陰四五二指中○右計四十三穴左右共八十六穴

肝足厥陰之脈○起于大指叢毛之際○上循足跗上廉去內踝一寸○上踝八寸○交出太陰之後○上膕內廉○循陰股入毛中○過陰器抵小腹○挾胃屬肝絡膽○上貫膈○布脇肋○循喉嚨之後○上入頏顙○連目系○

上出額與督脈會于巔。其支者。從目系下頰裏環唇內。其支者。復從肝別貫膈上注肺。

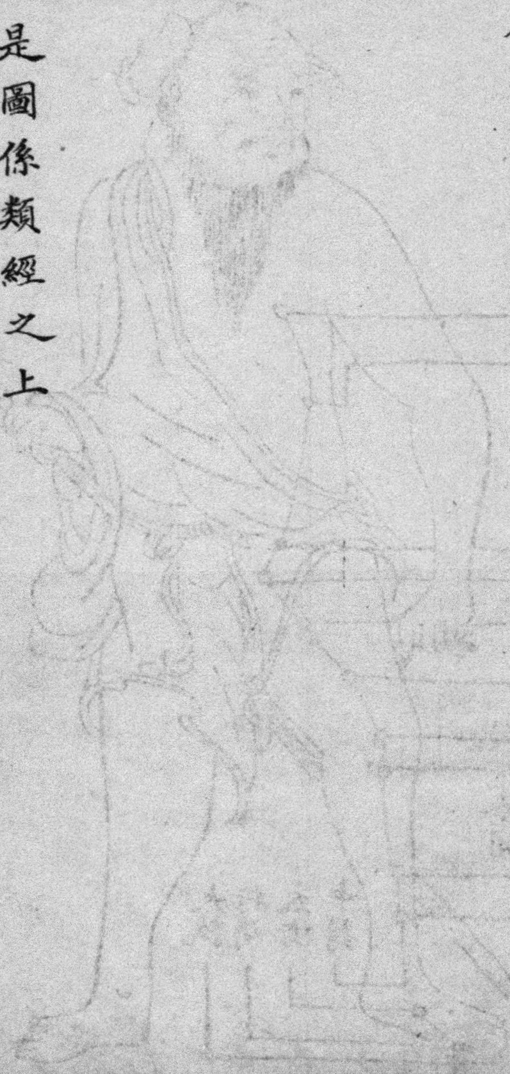

是圖係類經之上
故有急脈無羊矢

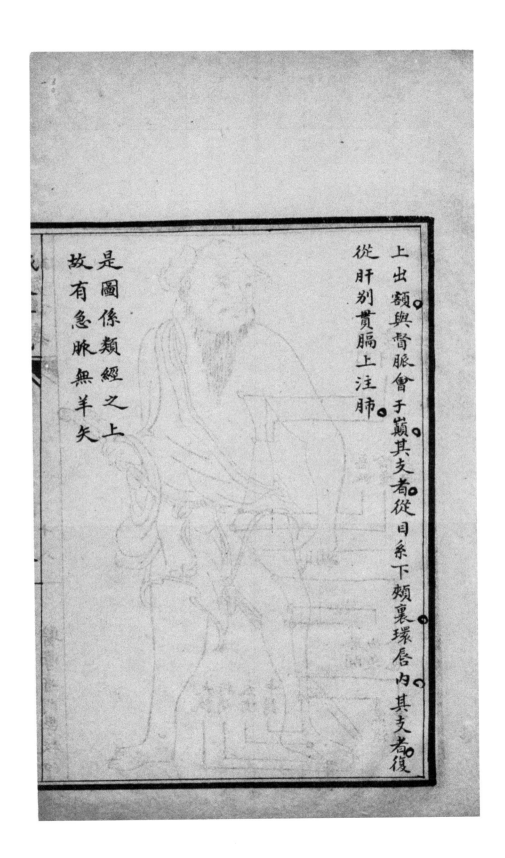

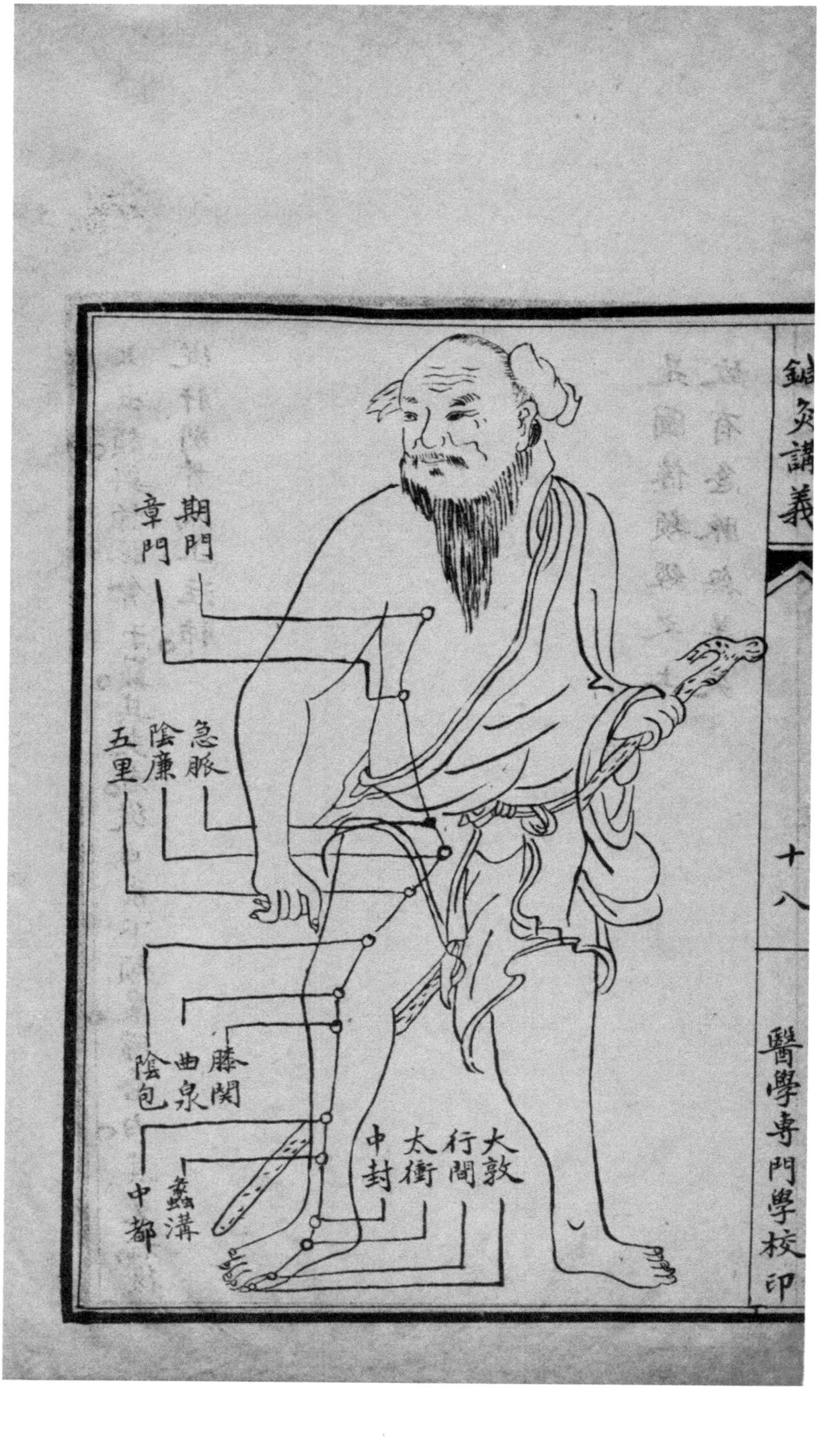
鍼灸講義
十八
醫學專門學校印
期門
章門
急脈
陰廉
五里
膝關
曲泉
陰包
大敦
行間
太衝
中封
蠡溝
中都

分寸歌

足大指端名大敦。（内側為隱白外側為大敦）行間大指縫中存。太衝本節後二寸。跟前一寸號中封。（足内踝骨一寸筋内宛宛中）蠡溝踝上五寸是。（内踝骨前）十上五中都踝後七寸中。（内踝上七寸骱骨中）膝關犢鼻下二寸。曲泉曲膝盡橫紋。陰包膝上方四寸。（股内廉兩筋間踡足取之看膝内側必有槽中）氣衝三寸下五里。（氣衝下三寸陰股中動脈應手）陰廉衝下有二寸。羊矢衝下一寸許。氣衝卻是胃經穴。鼠鼷之上一寸主。鼠鼷橫骨端盡處。相去中行四寸止。章門下脘旁九寸。肘尖盡處側臥取。期門又在巨厥旁四寸五分無差矣。

附督脈歌（經脈之循于身以前身以後者憑任督二脈以分上下左右）

督脈在背之中行。二十七穴始長强。舞腰俞兮歌陽關。入命門兮懸樞當。脊中束筋造至陽。靈臺神道身柱詳。陶道大椎至瘂門。風府腦戶强間分。後項百會兮前項。顖會上星兮神庭素髎至水溝于鼻下。兌端交齦交于內唇。

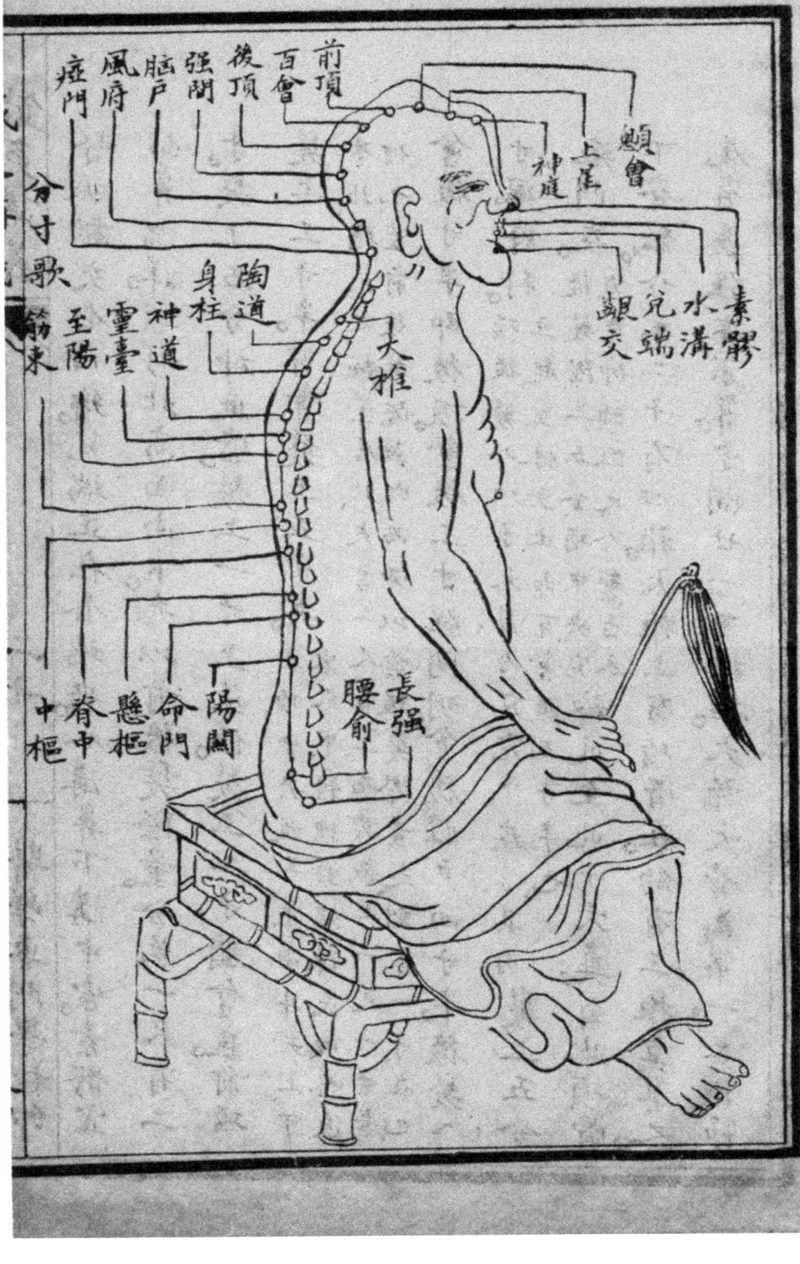

前頂
百會
後頂
强間
脑戶
風府
瘂門
顖會
上星
神庭
素髎
水溝
兌端
齦交
分寸歌
陶道
身柱
神道
靈臺
至陽
筋束
大椎
長强
腰俞
陽關
命門
懸樞
脊中
中樞

督脈齦交唇内鄉。兑端正在唇端央。水溝鼻下溝中索。素髎宜向鼻端詳。頭形北高面南下。先以前後髮際量。分為一尺有二寸。髮上五分神庭當。髮上一寸上星位。髮上二寸顖會良。前項髮上三寸半。百會髮上五寸央。在項中央、旋毛中、兩耳尖上、可容爪甲、性理北溪陳氏曰、略近些北、猶天之極星居北、夫言一尺有二、而其數止一尺一寸者何也、蓋前後髮際無穴、而必以前後髮際量起、則有一寸在也會後寸半即後頂。會後三寸強間明。會後腦户四寸半。後髮入寸風府行。項後髮入一寸大筋内宛、宛中、疾言、其肉立起、立休立止、即百會後五寸半也、髮上五分瘂門在。後髮際上五分、項中央、宛宛中、仰頭取之、入繫舌本、神庭至此十穴真。自此項骨下脊骶。分為二十有四椎。大椎上有項骨在。約有三椎莫算之。尾有長强亦不算。中間廿一可排椎。大椎大骨為第一。二椎節後陶道知。第三椎閭身柱在。第五神道不須疑。第六靈臺至陽七。第九身内筋縮思。十一脊中之穴在。十二懸樞之穴奇。十四命門腎俞並。十六陽關自可知。二十一椎即腰俞。脊尾骨端長短隨。共二十七穴

附任脈歌

任脈二十四穴。行腹與胸。會陰始兮曲骨從。中極關元石門通。氣海陰交會。神闕水分逢。下脘建里兮。中脘上脘。巨闕鳩兮。中庭膻中。玉堂上紫宮華蓋。璇璣上天突之宮。飲彼廉泉。承漿味融。

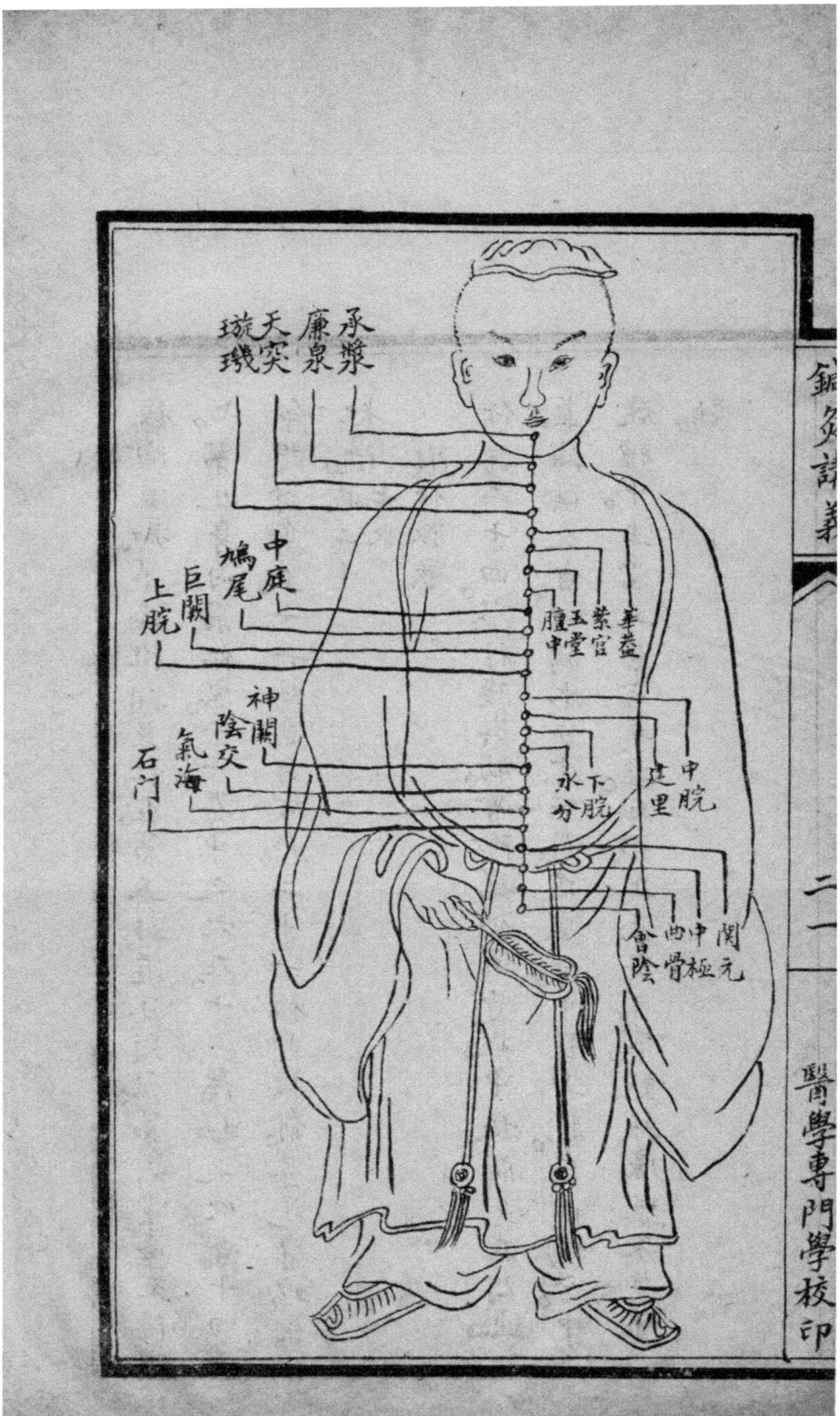
承漿
廉泉
天突
璇璣
華蓋
紫宮
玉堂
膻中
中庭
鳩尾
巨闕
上脘
中脘
建里
下脘
水分
神闕
陰交
氣海
石门
関元
中極
曲骨
會陰
鍼灸講義
二
醫學專門學校印

分寸歌

任脈會陰兩陰間。曲骨毛際陷中安。中極臍下四寸取。關元臍下三寸連。臍下二寸石門穴。臍下寸半氣海全。臍下一寸陰交穴。臍之中央號神闕。臍上一寸為水分。臍上二寸下脘列。臍上三寸名建里。中脘臍上四寸許。臍上五寸上脘在。巨闕臍上六寸五。鳩尾蔽骨下五分。中庭膻中寸六取。膻中卻在兩乳間。膻上寸六玉堂主。膻上紫宮三寸二。膻上華蓋四八舉。四寸八分膻上璇璣五寸八。璣上二寸天突起。天突喉下約四寸。廉泉頷下骨尖已。承漿頤前唇稜下。任脈中央行腹裏。行腹中央共二十七穴

鍼灸講義

二二

醫學專門學校印

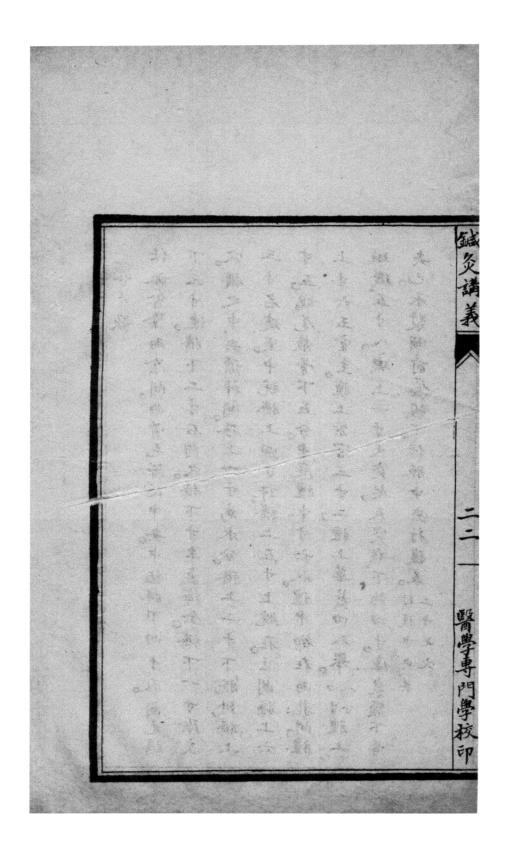

○標幽賦

拯救之法。妙用者鍼。

註劫病之功、莫捷於鍼灸、故素問諸書、爲之首載緩和扁華、俱以此稱神醫、蓋一鍼中穴病者應手而起、誠醫家之所先也、近世此科幾於絕傳、良爲可歎、經云、拘於鬼神者不可與言至德、惡於砭石者不可與言至巧、此之謂也、又語云、一鍼二灸三服藥、則鍼灸爲妙用可知、業醫者奈之何不亟講乎、

察歲時於天道。

夫人身十二經、三百六十節、以應一歲十二月、三百六十日、歲時者、春暖夏熱、秋涼冬寒、此四時之正氣、苟或春應暖而反寒、

夏應熱而反涼、秋應涼而反熱、冬應寒而反暖、是故冬傷於寒、春必温病、春傷於風、夏必飧泄、夏傷於暑、秋必痎瘧、秋傷於濕、上逆而欬、岐伯曰、凡刺之法、必候日月星辰、四時八正之氣、氣定乃刺焉、是故天温日陽、則人血淖液而衛氣浮、故血易瀉氣易行、天寒日陰、則人血凝泣而衛氣沉、月始生、則氣血始清、衛氣始行、月廓滿、則氣血實、肌肉堅、月廓空、則肌肉減、經絡血虛、衛氣去、形獨居、是以因天時而調血氣也、天寒無刺、天温無灸、月生無瀉、月滿無補、月廓空無治、是謂得天時而調之、若月生而瀉、是謂臟虛、月滿而補、血氣洋溢、絡有留血、名曰重實、月廓空而治、是謂亂經、陰陽相錯、真邪不別、沉以留止、外虛內亂、淫

邪乃起、又曰天有五運金木水火土也、地有六氣風寒暑濕燥熱也、

定形氣於予心。

經云、凡用鍼者、必先度其形之肥瘦、以調其氣之虛實、實則瀉之、虛則補之、必先定其血脈、而後調之、形盛脈細、少氣不足以息者危、形瘦脈大、胸中多氣者死、形氣相得者生、不調者病、相失者死、是故色脈不順而莫鍼、戒之戒之、

春夏瘦而刺淺。秋冬肥而刺深。

經云、病有沉浮、刺有淺深、各至其理、無過其道、過之則內傷、不及則外壅、壅則賊邪從之、淺深不得、反為大賊、內傷五臟、後生

大病、故曰春病在毫毛腠理、夏病在皮膚、故春夏之人、陽氣輕浮、肌肉瘦薄、血氣未盛、宜刺之淺、秋病在肉脈、冬病在筋骨、秋冬則陽氣收藏、肌肉肥厚、血氣充滿、刺之宜深、又云春刺十二井、夏刺十二滎、季夏刺十二俞、秋刺十二經、冬刺十二合、以配木火土金水、理見子午流注、

不窮經絡陰陽。多逢刺禁。

經有十二、手太陰肺、少陰心、厥陰心包絡、太陽小腸、少陽三焦、陽明大腸、足太陰脾、少陰腎、厥陰肝、太陽膀胱、少陽膽、陽明胃也、絡有十五、肺絡列缺、心絡通里、心包絡內關、小腸絡支正、三焦絡外關、大腸絡偏歷、脾絡公孫、腎絡大鍾、肝絡蠡溝、膀胱絡

飛揚、膽絡光明、胃絡豐隆、陰蹻絡照海、陽蹻絡申脈、脾之大絡大包、督脈絡長強、任脈絡屏翳也、陰陽者、天之陰陽、平旦至日中、天之陽、陽中之陽也、日中至黃昏、天之陽、陽中之陰也、合夜至雞鳴、天之陰、陰中之陰也、雞鳴至平旦、天之陰、陰中之陽也、故人亦應之、至於人身、外為陽、內為陰、背為陽、腹為陰、手足皆以赤白肉分之、五臟為陰、六腑為陽、春夏之病在陽、秋冬之病在陰、背固為陽、陽中之陽心也、陽中之陰肺也、腹固為陰、陰中之陰腎也、陰中之陽肝也、陰中之至陰脾也、此皆陰陽表裏、內外雌雄、相輸應也、是以應天之陰陽、學者苟不明此經絡、陰陽升降、左右不同之理、如病在陽明、反攻厥陰、病在太陽、反攻太

陰、遂致賊邪未除、本氣受敝、則有勞無功、反犯禁刺、

既論臟腑。虛實須向尋經。

欲知臟腑之虛實、必先診其脈之盛衰、既知脈之盛衰、又必辨其經脈之上下、臟者、心肝脾肺腎也、腑者、胆胃大小腸三焦膀胱也、如脈之衰弱者、其氣多虛、為痒為麻也、脈之盛大者、其血多實、為腫為痛也、然臟腑居位乎內、而經絡播行乎外、虛則補其母也、實則瀉其子也、若心病虛則補肝木也、實則瀉脾土也、至於本經之中、而亦有子母焉、假如心之虛者、取本經少衝以補之、少衝者、井木也、木能生火也、實取神門以瀉之、神門者、俞土也、火能生土也、諸經莫不皆然、要之不離乎五行相生之理、

當細思之

原夫起自中焦。水初下漏。太陰為始。至厥陰而方終。穴出雲門。抵期門而最後。

此言人之氣脈、行於十二經為一周、除任督之外、計三百九十三穴、一日一夜有百刻、分於十二時、每一時有八刻二分、每一刻計六十分、一時共計五百分、每日寅時、手太陰肺經、生自中焦中府穴、出於雲門起、至少商穴止、卯時手陽明大腸經、自商陽起至迎香止、辰時足陽明胃經、自頭維至厲兌、巳時足太陰脾經、自隱白至大包、午時手少陰心經、自極泉至少冲、未時手太陽小腸經、自少澤至聽宮、申時足太陽膀胱經、自睛明至至陰、酉時足少陰腎經自湧泉至俞府、戌時手厥陰心包絡經、自天池至中冲、亥時手少陽三焦經、自關冲至耳門、子時足少陽膽經自童子髎至竅陰、丑時足厥陰肝經、自大敦至期門而終、週而復始、與滴漏無差也、

正經十二○別絡走三百餘支○

十二經者、即手足三陰三陽之正經也、別絡者、除十五絡、又有橫絡孫絡不知其紀、散走於三百餘支脈也、

正側仰伏○氣血有六百餘候○

此言經絡、或正或側或仰或伏、而氣血循行孔穴、一周於身、榮行脈中、三百餘候、衛行脈外、三百餘候、

手足三陽。手走頭而頭走足。手足三陰。足走腹而胸走手。

此言經絡、陰升陽降、氣血出入之機、男女無以異、

要識迎隨。須明逆順。

迎隨者、要知榮衛之流注、經脈之往來也、明其陰陽之經逆順而取之、迎者以鍼頭朝其源而逆之、隨者、以鍼頭從其流而順之、是故逆之者為瀉為迎、順之者為補為隨、若能知迎知隨、令氣必和和氣之方、必在陰陽升降上下、源流往來、逆順之道明矣、

况夫陰陽氣血多少為最。厥陰太陽少氣多血。太陰少陰少血多氣。而又氣多血少者。少陽之分。氣盛血多者。陽明之位。

此言三陰三陽氣血多少之不同、取之必記為最要也、

先詳多少之宜。次察應至之氣。

凡用鍼者、先明上文氣血之多少、次觀鍼氣之來應、

輕滑慢而未來。沉澁緊而已至。

輕浮滑虛慢遲、入鍼之後、值此三者、乃真氣之未到、沉重濇滯緊實、入鍼之後、值此三者、是正氣之已來、

既至也。量寒熱而留疾。

留住也、疾速也、此言正氣既至、必審寒熱而施之、故經云、刺熱須至寒者、必留針、陰氣隆至、乃呼之去徐、其穴不閉、刺寒須至熱者、陽氣隆至、針氣必熱、乃呼之去疾、其穴急捫之、

未至也。據虛實而候氣。

氣之未至、或進或退、或按或提、導之引之、候氣至穴而方行、補瀉經曰虛則推內進搓、以補其氣、實則循捫彈努、以引其氣、

氣之至也。如魚吞鉤餌之沉浮。氣未至也。如閑處幽堂之深邃。

氣既至、則鍼有澁緊、似魚吞鉤、或沉或浮而動、其氣不來、鍼自輕滑、如閑居靜室之中、寂然無所聞也、

氣速至而速效。氣遲至而不治。

言下鍼若得氣來速、則病易痊、而效亦速也、氣若來遲、則病難愈、而有不治之憂、故賦云、氣速效速、氣遲效遲、候之不至、必死無疑矣、

觀夫九鍼之法、毫鍼最微、七星上應、衆穴主持。

言九鍼之妙、毫鍼最精、上應七星、又爲三百六十穴之鍼、

本形金也、有蠲邪扶正之道。

本形言鍼也、鍼本出於金、古人以砭石、今人以鉄代之、蠲除也、邪氣盛、鍼能除之、扶輔也、正氣衰、鍼能輔之、

短長水也、有決凝開滯之機。

此言鍼有長短、猶水之長短、人之氣血凝滯而不通、猶水之凝滯而不通也、水之不通、決之使流於湖海、氣血不通、鍼之使周於經脈、故言鍼應水也、

定刺象木、或斜或正。

此言木有斜正、而用鍼亦有或斜或正之不同、刺陽經者、必斜卧其鍼、無傷其衛、刺陰分者、必正立其鍼、無傷其榮、故言鍼應木也、

口藏比火進陽補羸。

口藏以鍼含於口也、氣之温、如火之温也、羸瘦也、凡下鍼之時必口内温鍼暖、使榮衛相接、進己之陽氣、補彼之瘦弱、故言鍼應火也、

循機捫而可塞以象土。

循者用手上下循之、使氣血往來也、機捫者、鍼畢以手捫閉其穴、如用土填塞之義、故言鍼應土也、

實應五行而可知。

五行者金水木火土也、此結上文鍼能應五行之理也、

然是三寸六分。包含妙理。

言鍼雖但長三寸六分、能巧運神機之妙、中含水火、回倒陰陽、其理最玄妙也、

雖細楨於毫髮。同貫多岐。

楨、鍼之幹也、岐氣血往來之路也、言鍼之幹、雖如毫髮之微小、能貫通諸經血氣之道路也、

可平五臟之寒熱。能調六腑之虛實。

平治也、調理也、言鍼能調治臟腑之疾、有寒則溫之、熱則清之

虛則補之、實則瀉之、

拘攣閉塞。遣八邪而去矣。寒熱痺痛。開四關而已之。

拘攣者筋脉之拘束、閉塞者氣血之不通、八邪者、所以候八風之虛邪、言疾有攣閉必驅散八風之邪也、寒者身作顫而發寒也、熱者身作潮而發熱也、四關者五臟六腑有十二原出於四關、太衝合谷是也、故太乙移宮之日主八風之邪、令人寒熱疼痛、若能開四關者、兩手兩足刺之而已、立春一日起艮名曰天留宮、風從東北來為順令、春分一日起震名曰倉門宮、風從正東來為順令、立夏一日起巽、名曰陰洛宮風從東南來為順令、夏至一日起離、名曰上天宮、風從正南來為順令、立秋一日起坤名曰玄委宮、風從西南來為順令、秋分一日起兌名曰倉果宮、風從正西來為順令、立冬一日起乾、名曰新洛宮、風從西北來為順令、冬至一日起坎名曰叶蟄宮、風從正北來為順令、其風着、人爽神氣、去沉痾、背逆謂之惡風毒氣、吹形骸卽病、名曰時氣、留伏流入肌骨臟腑、雖不卽患、後因風寒暑濕之重感、內緣飢飽勞慾之染着、發患曰內外兩感之痼疾、非刺鍼以調經絡、湯液引其榮衛、不能已也、中宮名曰招搖宮、共九宮焉、此八風之邪、得其正令則人無疾、逆之則有病也、

凡刺者。使本神朝而後入。既刺也。使本神定而氣隨。神不朝而勿刺。神已定而可施。

凡用鍼者、必使患者精神已朝、而後方可入鍼、既刺之、必使患者精神纔定、而後施鍼、行氣、若氣不朝、其鍼為輕滑、不知疼痛、如插豆腐者、莫與進之、必使之候、如神氣既至、鍼自緊澀、可與依法察虛實而施之、

定脚處、取氣血為主意。

言欲下鍼之時、必取陰陽氣血多少為主、詳見上文、

下手處、認水木是根基。

下手、亦言用鍼也、水者、母也、木者、子也、是水能生木也、是故濟母裨其不足、奪子平其有餘、此言用鍼、必先認子母相生之義、舉水木而不及土金火者、省文也、

天地人。三才也。湧泉同璇璣百會。

百會一穴在頭、以應乎天、璇璣一穴在胸、以應乎人、湧泉一穴在足心、以應乎地、是謂三才也、

上中下。三部也。大包與天樞地機。

大包二穴在乳後為上部、天樞二穴在臍旁為中部、地機二穴在足胻、為下部、是謂三部也、

陽蹻陽維并督帶。主肩背腰腿在表之病。

陽蹻脈起於足跟中、循外踝上入風池通足太陽膀胱經、中脈是也、陽維脈者、維持諸陽之會、通手少陽三焦、經外關是也、督脈起於下極之俞、並於脊裏、上行風府、過腦循額至鼻入齗、交

通手太陽小腸經、後谿是也、帶脈起於季脇、回身一周、如繫帶然、通足少陽膽經、臨泣是也、言此奇經四脈屬陽、主治肩背腰腿在表之病、

陰蹻陰維任衝脈。去心腹脇肋在裏之疑。疑者疾也、

陰蹻脈、亦起於足跟中、循內踝上行至咽喉、交貫衝脈、通足少陰腎經、照海是也、陰維脈者、維持諸陰之交、通手厥陰心包絡經、內關是也、任脈起於中極之下、循腹上至咽喉、通手太陰肺經、列缺是也、衝脈起於氣衝、並足少陰之經、俠臍上行至胸中而散、通足太陰脾經、公孫是也。言此奇經四脈屬陰、能治心腹脇肋在裏之疑、

二陵二蹻二交。似續而交五大。

二陵者、陰陵泉陽陵泉也、二蹻者、陰蹻陽蹻也、二交者、陰交陽交也續、接續也、五大者、五體也、言此六穴遞相交接於兩手兩足幷頭也、

兩間兩商兩井。相依而別兩支。

兩間者、二間三間也兩商者、少商商陽也、兩井者、天井肩井也、言六穴相依而分別於手之兩支也、

大抵取穴之法。必有分寸。先審自意。次觀肉分。

此言取量穴法、必以男左女右中指與大指相屈、如環取內側紋兩角為一寸各隨長短大小取之、此乃同身之寸、先審病者

是何病屬何經、用何穴、審於我意、次察病者、瘦肥長短、大小肉分、骨節、髮際之間、量度以取之、

或伸屈而得之。或平直而安定。

伸屈者、如取環跳之穴、必須伸下足、屈上足以取之、乃得其穴、平直者、或平臥而取之、或正坐而取之、或正立而取之、自然安定、如承漿在唇下、宛宛中之類也、

在陽部筋骨之側。陷下為真。在陰分郄膕之間。動脈相應。

陽部者、諸陽之經也、如合谷三里陽陵泉等穴、必取俠骨側指陷中為真也、陰分者、諸陰之經也、如手心脚內肚腹等穴、必以筋骨郄膕動脈應指、乃為真穴也、

取五穴。用一穴而必端。取三經用一經而可正。

此言取穴之法、必須點取五穴之中、而用一穴、則可為端的矣、若用一經、必須取三經而正一經之是非矣、

頭部與肩部詳分。督脈與任脈易定。

頭部與肩部則穴繁多、使醫者以自意詳審大小肥瘦而分之、督任二脈直行背腹中、而有分寸、則易定也、

明標與本。論刺深刺淺之經。

標本者、非止一端也、有六經之標本、有天地陰陽之標本、有傳病之標本、以人身論之、則外為標內為本、陽為標陰為本、腑陽為標、臟陰為本、臟腑在內為本、經絡在外為標也、六經之標本

者足太陽之本在足跟上五寸、標在目、足少陽之本在竅陰、標在耳之類是也、更有人身之臟腑、陽氣陰血、經絡各有標本、以病論之、先受病為本、後傳流為標、凡治病者、先治其本、後治其標、餘症皆除矣、謂如先生輕病、後滋生重病、亦先治其輕病也、若有中滿、無問標本、先治中滿為急、若中滿大小便不利、亦無問標本、先利大小便、較中滿尤急也、除此三者之外、皆治其本、不可不慎也、從前來者實邪、從後來者虛邪、此子能令母實、母能令子虛也、治法虛則補其母、實則瀉其子、假令肝受心之邪、是從前來者為實邪也、當瀉其火、然直瀉火十二經絡中、各有金木水火土也、當木之本分其火也、故標本論云、本而標之、先治其本、後治其標、既肝受火之邪、先於肝經五穴瀉榮火行間也、以藥論、入肝經藥為引、用瀉心藥為君也、是治實邪病矣、又假合肝受腎邪、是為從後來者、為虛邪、當補其母、故標本論云、標而本之、先治其標、後治其本、肝木既受水邪、當先於腎經湧泉穴補木、是先治其標、後於肝經曲泉穴瀉水、是後治其本、此先治其標者、推其至理、亦是先治其本也、以藥論之、入腎經藥為引、用補肝經藥為君是也、以得病之日為本、傳病之日為標、亦是、

住痛移疼。取相交相貫之逕。

此言用鍼之法、有住痛移疼之功者也、先以鍼左行左轉而得

九數、復以鍼右行右轉而得六數、此乃陰陽交貫之道也、經脈亦有交貫、如手太陰肺之列缺、交於陽明之路、足陽明胃之豐隆、走於太陰之逕、此之類也、

豈不聞臟腑病。而求門海俞募之微。

門海者、如章門氣海之類、俞者、五臟六腑之俞也、俱在背部二行、募者、臟腑之募、肺募中府、心募巨闕、肝募期門、脾募章門、腎募京門、胃募中脘、膻募日月、大腸募天樞、小腸募關元、三焦募石門、膀胱募中極、此言五臟六腑之有病、必取此門海俞募之最微妙矣、

經絡滯。而求原別交會之道。

原者、十二經之原也、別陽別也、交陰交也、會八會也、夫十二原者、膽原丘墟、肝原太冲、小腸原腕骨、心原神門、胃原冲陽、脾原太白、大腸原合谷、肺原太淵、膀胱原京骨、腎原太谿、三焦原陽池、包絡原大陵、八會者、血會膈俞、氣會膻中、脈會太淵、筋會陽陵泉、骨會大杼、髓會絕骨、臟會章門、腑會中脘也、此言經絡血氣凝結不通者、必取此原別交會之穴而刺之、

更窮四根三結。依標本而刺無不痊。

根結者、十二經之根結也、靈樞經云、太陰根於隱白、結於大包也、少陰根於湧泉、結於廉泉也、厥陰根於大敦、結於玉堂也、太陽根於至陰、結於目也、陽明根於厲兌、結於鉗耳也、少陽根於

竅陰、結於耳也、手太陰根於少澤、結於天窓支正也、手少陽根於關冲、結於天牖外關也、手陽明根於商陽、結於扶突偏歷也、手三陰之經不載、不敢强註、又云四根者、耳根、鼻根、乳根、脚根也、三結者、胸結、肢結、便結也、此言能究根結之理、依上文標本之法刺之、則疾無不愈也、

但用八法五門。分主客而鍼無不效。

針之八法、一迎隨、二轉針、三手指、四針投、五虛實、六動搖、七提按、八呼吸、身之八法、奇經八脈、公孫衝脈胃心胸八句是也、五門者、天干配合、分於五也、甲與己合、乙與庚合之類是也、主客者、公孫主、內關客之類是也、或以井滎俞經合、為五門、以邪氣

為賓客、正氣為主人、先用八法、必以五門推時取穴、先主後客、而無不效之理。

八脈始終連八會。本是紀綱十二經絡十二原。是為樞要。

八脈者、奇經八脈也、督脈、任脈、衝脈、帶脈、陰維、陽維、陰蹻、陽蹻也、八會者、即上文血會膈俞、等是也、此八穴通八脈起止、連及八會、本是人之綱領也、如網之有綱也、十二經、十五絡、十二原、已註上文、樞要者、門戶之樞紐也、言原出入十二經也、

一日取六十六穴之法。方見幽微。

六十六穴者、即子午流注、井滎俞原經合也、陽干注腑三十六穴、陰干注臟三十穴、共成六十六穴、具載五卷子午流注圖中、

此言經絡、一日一周於身、歷行十二經穴當此之時、酌取流注之中一穴用之、以見幽微之理、

一時取一十二經之原。始知要妙。

十二經原俱註上文、此言一時之中、當審此日是何經所主當此之時、該取本日此經之原穴而刺之、則流注之法、玄妙始可知矣、

原夫補瀉之法。非呼吸而在手指。

此言補瀉之法、非但呼吸、而在乎手之指法也、法分十四者、循捫提按彈撚搓盤推內動搖、爪切進退出攝者、是也、法則如斯、巧拙在人、詳備金針賦內、

速效之功。要交正而識本經。

交正者、如大腸與肺為傳送之府、心與小腸為受盛之宮、脾與胃為消化之宮、肝與胆為清淨之位、膀胱合腎陰陽相通、表裏相應也、本經者受病之經、如心之病、必取小腸之穴兼之、餘倣此、言能識本經之病、又要認交經正經之理、則針之功必速矣、故曰寧失其穴、勿失其經、寧失其時、勿失其氣、

交經繆刺。左有病而右畔取。

繆刺者、刺絡脈也、右痛而刺左、左痛而刺右、此乃交經繆刺之理也、繆同繚

瀉絡遠鍼。頭有病而脚上鍼。

三陽之經、從頭下足、故言頭有病、必取足穴而刺之、

巨刺與繆刺各異。

巨刺者、刺經脈也、痛在於左、而右脈病者、則巨刺之、左痛刺右、右痛刺左、中其經也、繆刺者、刺絡脈也、身形有痛、九候無病、則繆刺之、右痛刺左、左痛刺右、中其絡也、此刺法之相同、但一中經、一中絡之異耳、

微鍼與妙刺相同。

微針者、刺之巧也、妙刺者、針之妙也、言二者之相通也、

觀部分而知經絡之虛實。

言針入肉分、以天人地三部而進、必察其得氣、則內外虛實可

知矣、又云察脈之三部則知何經虛何經實也、

視浮沉而辨臟腑之寒溫。

言下針之後、看針氣緩急、可決臟腑之寒熱也、

且夫先令針耀而慮針損。次藏口內而欲針溫。

言欲下針之時、必先令針光耀、看針莫有損壞、次將針含於口內、令針溫暖、與榮衛相接、無相觸犯也、

目無外視。手如握虎。心無內慕。如待貴人。

此戒用針之士、貴乎專心誠意、而自重也、令目無他視、手如握虎、恐有傷也、心無他想、如待貴人、恐有責也、

左手重而多按。欲令氣散。右手輕而徐入。不痛之因。

下針之時、必先以左手大指爪甲於穴上切之、則令其氣散以右手持針、輕輕徐入、此乃不痛之因也、

空心恐怯。直立側而多暈。

空心者、未食之前、此言無刺飢人、其氣血未定、則令人恐懼、有怕怯之心、或直立或側臥、必有眩暈之咎也、

背目沉掐坐臥平而沒昏。

此言欲下針之時、必令患人莫視所針之處、以手爪甲重切其穴、或臥或坐、而無昏悶之患也、

推於十干十變。知孔穴之開闔。

十干者、甲乙丙丁戊己庚辛壬癸也、十變者、逐日臨時之變也、

備載靈樞八法中、故得時謂之開、失時謂之闔、

論其五行五臟。察日時之旺衰。

五行五臟、俱註上文、此言病於本日時之下、得五行生者旺、受五行尅者衰、知心之病、得甲乙之日時者生旺、遇壬癸之日時者尅衰、餘倣此、

狀如橫弩。應若發機。

此言用針刺穴、如弩之視正而發牙、取其捷效、如射之中的也、

陰交陽別。而定血暈。陰蹻陽維而下胎衣。

陰交穴有二一在臍下一寸、一在足內踝上三寸、名三陰交也、言此二穴、能定婦人之血暈、又言照海外關二穴、能下產婦之

胎衣也、

痺厥偏枯。迎隨俾經絡接續。

痺厥者、四肢厥冷麻痺、偏枯者、中風半身不遂也、言治此症、必須接氣通經、更以迎隨之法、使血氣貫通、經絡接續也、

漏崩帶下。溫補使氣血依歸。

漏崩帶下者、女子之疾也言有此症、必須溫針待暖、以補之、使榮衛調和、而歸依也、

靜以久留。停針待之。

此言下針之後、必須靜而久停之、

必准者。取照海治喉中之閉塞端的處。用大鍾治心內之呆痴。大

抵疼痛實瀉。痒麻虛補。

此言疼痛者、熱宜瀉之以涼、痒麻者、冷宜補之以暖、

體重節痛而俞居。心下痞滿而井主。

俞者、十二經中之俞、井者十二經中之井也、

心脹咽痛。鍼太冲而必除。脾冷胃疼。瀉公孫而立愈。胸滿腹痛刺內關。脇疼肋痛針飛虎。

飛虎穴、即支溝穴、以手於虎口一飛、中指盡處是穴也、

筋攣骨痛而補魂門。體熱勞嗽而瀉魄戶。頭風頭痛、刺申脈與金門。眼痒眼痛、瀉光明於地五。瀉陰郄止盜汗。治小兒骨蒸。刺偏歷利小便。醫大人水蠱。中風環跳而宜刺。虛損天樞而可取。

地五者、即地五會也、
由是午前卯後。大陰生而疾温。離左酉南。月朔死而速冷。此以月生死為期、午前卯後者辰已二時也、當此之時、大陰月之生也、是故月廓空無瀉、宜疾温之、離左酉南者、未申二時也、當此時分、大陰月之死也、是故月廓盈無補、宜速冷之、將一月而比一日也、經云、月生一日一痏、二日二痏、至十五日十五痏、十六日十四痏、十七日十三痏、漸退至三十日二痏、月望已前、謂之生、望已後、謂之死、午前謂之生、午後謂之死也、
循捫彈努。留吸母而堅長。
循者、用針之後、以手上下循之、使血氣往來也、捫者出針之後、

以手捫閉其穴使氣不泄也、彈努者、以手輕彈而補虛也、留吸母者、虛則補其母、須待熱至之後、留吸而堅長也、

爪下伸提。疾呼子而噓短。

爪下者、切而下針也、伸提者、施針輕浮豆許曰提、疾呼子者、實則瀉其子、務待寒至之後、去之速而噓且短矣、

動退空歇。迎奪右而瀉涼。推內進搓。隨濟左而補煖。

動退、以針搖動而退、如氣不行、將針伸提而已、空歇撒手而停針、迎以針逆而迎奪、即瀉其子也、如心之病必瀉脾子、此言欲瀉必施此法也、推內進者、用針推內而入也、搓者、猶如搓線之狀、慢慢轉針、勿令大緊、隨以針順而隨之、濟則濟其母也、如心

之病、必補肝母、此言欲補、必用此法也、此乃遠刺寒熱之法、故凡病熱者、先使氣至病所、次微微提退豆許、以右旋奪之、得針下寒而止、凡病寒者、先使氣至病所、次徐徐進針、以左旋搓撞和之、得針下熱而止、

慎之大患危疾。色脈不順而莫針。

慎之者、戒之也、此言有危篤之疾、必觀其形色、更察其脈、若相反者、莫與用鍼、恐勞而無功、反獲罪也、

寒熱風陰。飢飽醉勞而切忌。

此言無針大寒大熱、大風大陰雨、大飢大飽、大醉大勞、凡此之類決不可用針、實大忌也、

望不補而晦不瀉、弦不奪而朔不濟。

望、每月十五日也、晦每月三十日也、弦有上下弦、上弦或初七、或初八、下弦或廿二廿三也、朔、每月初一日也、凡值此日、不可用針施法也、如暴急之疾、則不拘矣、

精其心而窮其法。無灸艾而壞其皮。

此言灸也、勉醫者、宜專心究其穴法、無誤於著艾之功、庶免干犯於禁忌、而壞人之皮肉矣、

正其理而求其原。免投針而失其位。

此言針也、勉學者、要明針道之理、察病之原、則用針不失其所也、

避灸處而加四肢。四十有九禁刺處而除六腧。二十有二。禁灸之穴、四十五、更加四肢之井、其四十九也、禁針之穴、二十二、外除六腑之腧也、

抑又聞高皇抱疾未瘥。李氏刺巨闕而後甦。太子暴死為厥。越人鍼維會而復醒。肩井曲池。甄權刺臂痛而復射。懸鍾環跳。華佗刺躄足而立行。秋夫鍼要俞而鬼免沉疴。王纂鍼交俞。而妖精立出。取肝俞與命門。使瞽士視秋毫之末。刺少陽與交別。俾聾夫聽夏蚋之聲。

此引先師用鍼、有此立效之功、以勵學者用心之誠、

嗟夫去聖逾遠。此道漸墜。或不得意而散其學。或愆其能而犯禁

忌。愚庸智淺難。契於玄言。至道淵深。得之者有幾。偶述斯言。不敢示諸明達者焉。庶幾乎童蒙之心啟。

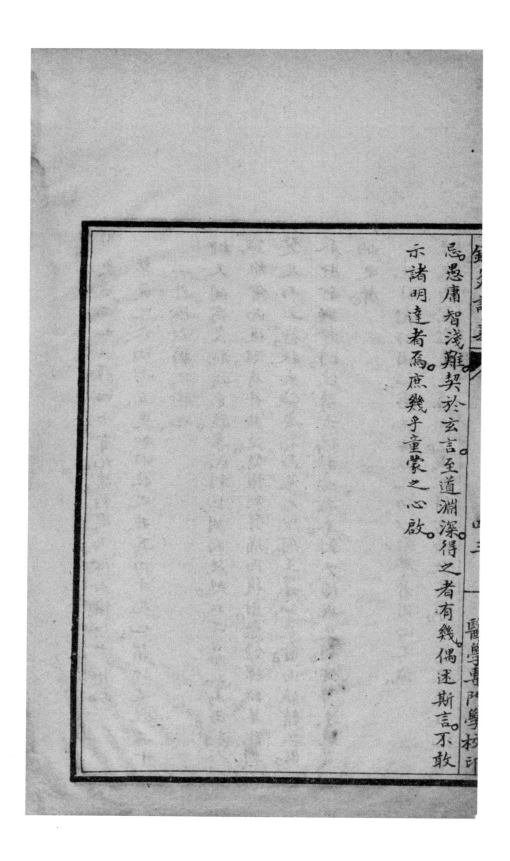

金鍼賦

觀夫鍼道。捷法最奇。須要明於補瀉。方可起於傾危。先分病之上下。次定穴之高低。頭有病而足取之。左有病而右取之。男子之氣。早在上而晚在下。取之必明其理。女子之氣。早在下而晚在上。用之必識其時。午前為早屬陽。午後為晚屬陰。男女上下。憑腰分之。手足三陽。手走頭而頭走足。手足三陰。足走腹而胸走手。陰升陽降。出入之機。逆之者為瀉為迎。順之者為補為隨。春夏刺淺者以瘦。秋冬刺深者以肥。更觀元氣厚薄。淺深之刺猶宜。

經曰榮氣行於脈中。周身五十度。無分晝夜、至平旦與衛氣會於手太陰、衛氣行於脈外、晝行陽二十五度、夜行陰二十五度、一平旦與榮氣會於太陰、是則衛氣之行、但分晝夜、未聞分上下、男女臟腑經絡、氣血往來未嘗不同也、今分早晚何所據依、但此賦今人所尚故錄此以參其見

原夫補瀉之法。妙在呼吸手指。男子者。大指進前。左轉呼之為補。退後右轉。吸之為瀉。提針為熱。插針為寒。女子者。大指退後右轉吸之為補。進前呼之為瀉。插針為熱。提針為寒。左與右各異。胸與背不同。午前者如此。午後者反之。是故爪而切之。下針之法。搖而退之。出針之法。動而進之。催針之法。循而攝之。行氣之法。搓而去病。彈則補虛。肚腹盤旋。捫為穴閉。重沉豆許曰按。輕浮豆許曰提。一十四法針要所備。補者一退三飛。真氣自歸。瀉者一飛三退。邪

氣自避。補則補不足。瀉則瀉其有餘。有餘者為腫為痛曰實。不足者為痒為麻曰虛。氣速效速。氣遲效遲。死生貴賤。針下皆知。賤者硬而貴者脆。生者澁而死者虛。候之不至。必死無疑。

此一段手法、詳註四卷

且夫下針之先。須早按重而切之。次令咳嗽一聲。隨咳下針。凡補者呼氣。初針刺至皮內。乃曰天才。少停進針。刺入肉內。是曰人才。又停進針。刺之筋骨之間。名曰地才。此為極處。就當補之。再停良久。却須退針至人之分。待氣沉緊。倒針朝病。進退往來。飛經走氣。盡在其中矣。凡瀉者吸氣。初針至天。少停進針。直至於地。得氣瀉之。再停良久。即須退針。復至於人。待氣沉緊。倒針朝病。法同前矣。

其或暈針者。神氣虛也。以針補之。口鼻氣回。熱湯與之。畧停少頃。依前再施。

如刺肝經之穴暈、即補肝之合穴、針入即甦、餘倣此、或有投針氣暈者、即補足三里、或補人中、大抵暈從心生、心不懼怕、暈從何生、如關聖刮骨療毒而色不變可知、

及夫調氣之法。下針至地之後。復人之分。欲氣上行。將針右撚。欲氣下行。將針左撚。欲補先呼後吸。欲瀉先吸後呼。氣不至者。以手循攝。以爪切掐。以針搖動。進撚搓彈。直待氣至。以龍虎升騰之法。按之在前。使氣在後。按之在後。使氣在前。運氣走至疼痛之所。以納氣之法。扶針直插。復向下納。使氣不回。若關節阻澁氣不過者。

以龍虎龜鳳。通經接氣。大段之法。驅而運之。仍以循攝爪切。無不應矣。此通仙之妙。

龍虎龜鳳等法亦註四卷

況夫出鍼之法。病勢既退。鍼氣微鬆。病未退者。鍼氣始根。推之不動。轉之不移。此為邪氣。吸拔其鍼。乃至氣真至。不可出。出之者其病即復。再須補瀉。停以待之。直候微鬆。方可出鍼豆許。搖而停之。補者吸之去疾。其穴急捫。瀉者呼之去徐。其穴不閉。欲令湊密。然後吸氣。故曰下鍼貴遲。太急傷血。出鍼貴緩。太急傷氣。已上總要於斯盡矣。

醫經小學云。出鍼不可猛出、必須作三四次、徐轉出之則無血、若猛出、必見血也、素問補遺篇註云、動氣至而即出鍼、此猛出也、然與此不同、大抵經絡有凝血、欲大瀉者、當猛出、若尋常補瀉、當依此可也、亦不可不辨、

考夫治病。其法有八。一曰燒山火。治頑麻冷痺。先淺後深。凡九陽而三進三退。慢提緊按。熱至緊閉。插鍼除寒之有準。二曰透天涼。治肌熱骨蒸。先深後淺。用六陰而三出三入。緊提慢按。徐徐舉鍼。退熱之可憑。皆細細搓之。去病準繩。三曰陽中隱陰。先寒後熱。淺而深。以九六之法。則先補後瀉也。四曰陰中隱陽。先熱後寒。深而淺。以六九之方。則先瀉後補也。補者直須熱至。瀉者務待寒侵。猶如搓線。慢慢轉鍼。法淺則用淺。法深則用深。二者不可兼而紊之

也。五曰子午搗臼。水蠱膈氣。落穴之後。調氣均勻。鍼行上下。九入六出。左右轉之。千遭自平。六曰進氣之訣。腰背肘膝痛。渾身走注疼。刺九分行九補。卧針五七吸。待上行亦可。龍虎交戰左撚九而右撚六。是亦住痛之針。七曰留氣之交。痃癖癥瘕刺七分。用純陽。然後乃直插針。氣來深刺提針再停。八曰抽添之訣。癱瘓瘡癩取其要穴。使九陽得氣。提按搜尋。大要運氣週遍。扶針直插。復向下納。回陽倒陰。指下玄微。胸中活法。一有未應。反復再施。

若夫過關過節。催運氣以飛經走氣。其法有四。一曰青龍擺尾。如扶船舵。不進不退。一左一右。慢慢撥動。二曰白虎搖頭。似手搖鈴。退方進圓。兼之左右搖而振之。三曰蒼龜探穴。如入土之象。一退三進。鑽剔四方。四曰赤鳳迎源。展翅之儀。入針至地。提針至天。候針自搖。復進其元。上下左右。四圍飛旋。病在上。吸而退之。病在下。呼而進之。

已上手法乃大畧也

至夫久患偏枯。通經接氣之法。有定息寸數。手足三陽。上九而下十四。過經四寸。手足三陰。上七而下十二。過經五寸。在乎搖動出納。呼吸同法。驅運氣血。頃刻周流。上下通接。可使寒者煖而熱者涼。痛者止而脹者消。若開渠之決水。立時見功。何傾危之不起哉。雖然病有三因。皆從氣血。針分八法。不離陰陽。蓋經脈晝夜之循環。呼吸往來之不息。和則身体康健。否則疾病競生。譬如天下國家地方。山海田園江河谿谷之值歲將風雨均調。則水道疏利。民物安阜。其或一方一所。風雨不均。遭以旱澇。使水道湧竭不通。災憂遂至。人之氣血受病三因。亦猶方所之於旱澇也。蓋針砭所以通經脈均氣血。蠲邪扶正。故曰捷法最奇者哉。嗟夫軒岐古遠。盧扁久亡。此道幽深。非一言而可盡。斯文細密。在久習而能通。豈世上之常辭。庸流之泛術。得之者若科之及第而悅於心。用之者如射之發中。而應於目。述自先聖傳之後學。用針之士。有志於斯。果能制造玄微。而盡其精妙。則世之伏枕之痾。有緣者遇針。其病皆隨手而愈矣。

◎蘭江賦

擔截之中數幾何。有擔有截起沉疴。我今詠此蘭江賦何用三車五輻歌。先將此法爲定例。流注之中分次第。胸中之病内關擔。臍下公孫用法攔。頭部須還尋列缺。痰涎壅塞及咽乾。噤口咽風針照海。三稜出血刻時安。傷寒在表并頭痛。外關瀉動自然安。眼目之症諸疾苦。更須臨泣用針擔。後谿專治督脈病。癲狂此穴治還輕。中脈能除寒與熱、頭風偏正及心驚。耳鳴鼻衄胸中滿。好把金針此穴尋。但遇痒麻虛即補。如逢疼痛瀉而迎。更有傷寒真妙訣。三陰須要刺陽經。無汗更將合谷補。復留穴瀉好施針。倘若汗多流不絕。合谷收補效如神。四日太陰宜細辨。公孫照海一同行。再用內關施絕法。七日期門妙用針。但治傷寒皆用瀉。要知素問坦然明流注之中分造化。常將水火土金平。水數虧兮宜補肺。水之泛濫土能平。春夏井滎刺宜淺。秋冬經合更宜深。天地四時同此類。三才常用記心胸。天地人部次第入。仍調各部一般勻。夫弱婦強亦有尅。婦弱夫強亦有刑。皆在本經擔與截。瀉南補北亦須明。經絡明時知造化。不得師傳枉費心。不遇至人應莫度。天寶豈可付非人。按定氣血病人呼。撞搓數十把針扶。戰退搖起向上使。氣自流行病自無。

靈龜取法飛騰鍼圖

九宮圖　徐氏

戴九履一。左三右七。二四為肩。八六為足。五十居中。寄於坤局。

八法歌

坎一聯申脈。照海坤二五。震三屬外關。巽四臨泣數。乾六是公孫。兌七後谿府。艮八繫內關。離九列缺主。

按靈龜飛騰圖有二人莫適

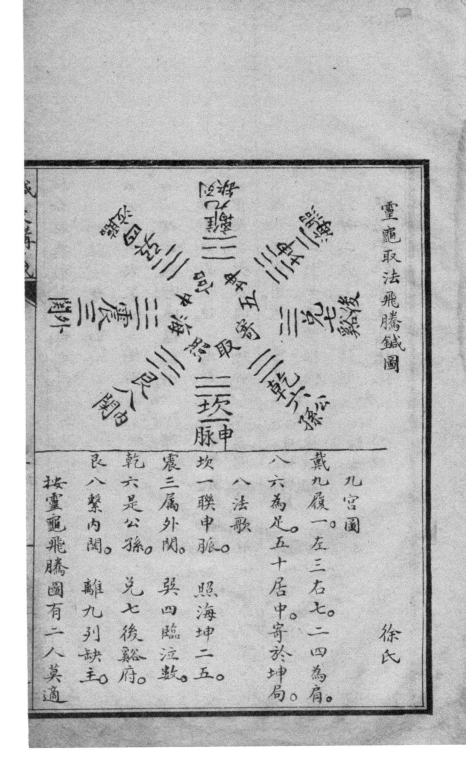

從今取其效驗者。錄之耳。

八法交會八脈

公孫二穴父。通衝脈
內關二穴母。通陰維脈
合於心、胸、胃、

後谿二穴夫。通督脈
申脈二穴妻。通陽蹻脈
合於目內眥、頸項耳、肩膊、小腸、膀胱、

臨泣二穴男。通帶脈
外關二穴女。通陽維脈
合於目銳眥耳、後頰、頸、肩、

列缺二穴主。通任脈
照海二穴客。通陰蹻脈
合於肺系咽喉胸膈、

八法交會歌

内關相應是公孫。外關臨泣總相同。列缺交經通照海。後谿申脈亦相從。

八脈交會八穴歌

公孫衝脈胃心胸。内關陰維下總同。臨泣膽經連帶脈。陽維目銳外關逢。後谿督脈内眥頸。申脈陽蹻絡亦通。列缺任脈行肺系。陰蹻照海膈喉嚨。

八脈配八卦歌

乾屬公孫艮内關。巽臨震位外關還。離居列缺坤照海。後谿兌坎申脈聯。補瀉浮沉分逆順隨時呼吸不為難。仙傳秘訣神針法。萬病如拈立便安。

八穴配合歌

公孫偏與內關合。列缺能消照海疴。臨泣外關分主客。後谿申脈正相和。左針右病知高下。以意通經廣按摩。補瀉迎隨分逆順。五門八法是真科。

刺法啟玄歌

八法神針妙。飛騰法最奇。砭針行內外。水火就中推。上下交經走。疾如應手驅。往來依進退。補瀉逐迎隨。用似船推舵。應如弩發機。氣聚時間散。身疼指下移。這般玄妙訣。料得少人知。

八法五虎建元日時歌

甲己之辰起丙寅。乙庚之日戊寅行。丙辛便起庚寅始。丁壬壬寅亦順尋。戊癸甲寅定時候。五門得合是元因。

八法逐日干支歌

甲己辰戌丑未十。乙庚申酉九為期。丁壬寅卯八成數。戊癸巳午七相宜。丙辛亥子亦七數。逐日支干即得知。

八法臨時干支歌

甲乙子午九宜用。乙庚丑未八無疑。丙辛寅申七作數。丁壬卯酉六順知。戊癸辰戌各有五。巳亥單加四共齊。陽日除九陰除六。不及零餘穴下推。

其法如甲丙戊庚壬、為陽日、乙丁己辛癸、為陰日、以日時干支算計何數、陽日除九數、陰日除六數、陽日多、或一九、二九、三九、四九、陰日多、或二六、三六、四六、五六、剩下若干、同配卦數、日時得何卦、即知何穴開矣、

假如甲子日戊辰時、以日上甲得十數、子得七數、以時上戊得五數、辰得五數、共成二十七數、此是陽日、以九除去二九一十八、餘有九數、合離卦、即列缺穴開也、

假如乙丑日、壬午時、以日上乙為九、丑為十、以時上壬為六、午為九、共成三十四數、此是陰日、以六除去五六三十數、零下四數、合巽四、即臨泣穴開也、餘傚此、

○南豐李氏補瀉

圖註難經云。手三陽。從手至頭。針芒從外。往上為隨。針芒從內。往下為迎。足三陽。從頭至足。針芒從內。往下為隨。針芒從外。往上為迎。足三陰。從足至腹。針芒從外。往上為隨。針芒從內。往下為迎。手三陰。從胸至手。針芒從內。往下為隨。針芒從外。往上為迎。大要以子午為主。左為迎。從子至午左行為補右為陰。從午至子右行為瀉、陽主進、陰主退、手為陽。左手為純陽、足為陰。右足純陰、為左手陽經為陽中之陽。左手陰經為陽中之陰。右手陽經為陰中之陽。右手陰經為陰中之陰。右足陰經為陰中之陰。右足陽經為陰中之陽。左足陰經為陽中之陰。左足陽經為陽中之陽。今細分之。病者左手陽經。以醫者右手大指進前盌指後退、呼之為隨。午後又以大指退後為隨進前退後吸之為迎。病者（即經之從外、退後即經之從內、）左手陰經。以醫者右手大指退後吸之為隨。進前呼之為迎。病者右手陽經。以醫者右手大指退後吸之為隨。進前呼之為迎。病人右手陰經。以醫者右手大指進前呼之為隨。退後吸之為迎。病者右足陽經。以醫者右手大指進前呼之為隨。退後吸之為迎。病者右足陰經。以醫者右手大指退後吸之為隨。進前呼之為迎。病者左足陽經。以醫者右手大指退後吸之為隨。進前呼之為迎。病者左足陰經。以醫者右手大指進前呼之為隨。退後吸之為迎。男子午前皆然。午後與女人反之。

手上陽進陰退。足上陽退陰進。合六經起止故也、凡針起穴、針芒向上氣順行之道凡針止穴、針芒向下氣所止之處、左外右内、令氣上行、右外左内、令氣下行、或問午前補瀉、與午後相反、男子補瀉、與女人相反、蓋以男子之氣、早在上而晚在下、女人早在下、而晚在上、男女上下平腰分之故也、至於呼吸男女人我皆同、何亦有陰陽之分邪、蓋有自然之呼吸、有使然之呼吸、入針出針使然之呼吸也、轉針如待貴人、如握虎尾、候其自然呼吸、若左手足、候其呼而先轉、則右手足、必候其吸而後轉之、若右手足、候其吸而先轉、則左手足、必候其呼而後轉之、真陰陽一升一降之悄息也、故男子陽經、午前以呼為補、吸為瀉、陰經以吸為補、呼為瀉、午後反之、女人陽經、午前以吸為補、呼為瀉、陰經以呼為補、吸為瀉、午後亦反之、或者又曰、補瀉必資呼吸、假令口噤中風、不能使之呼吸者、奈何、曰、候其自然之呼吸、而轉針、若當吸不轉、令人以手掩其口鼻、鼓動其氣可也、噫、補瀉提插、分男女早晚、其理深微、原為奇經不拘十二經常度、故參互錯綜如是、若流注穴、但分左右陰陽可也、嘗覽雪心歌云、如何補瀉有兩般、蓋是經從兩邊發、古人補瀉左右分、今人乃為男女別、男女經脈一般生、晝夜循環無暫歇、此訣出自梓桑君、我今授汝心已雪、此子午兼八法而後全也。然補瀉之法、非必呼吸出內針也。有以淺深言者。經言春夏宜淺。秋冬宜深。有以榮衛言者。經言從衛取氣。從榮置氣。

補則從衛取氣、宜輕淺而針、從其衛氣、隨之於後、而濟益其虛也、瀉則從榮棄置其氣、宜重深而刺、取其榮氣、迎之於前、而瀉奪其實也、然補之不可使太實、瀉之不可使反虛、皆欲平為期耳、又男子輕按其穴、而淺刺之、以候衛氣之分、女子重按其穴、而深刺之、以候榮氣之分、

有以虛實言者。經言虛則補其母。實則瀉其子。此迎隨之概也。凡針逆而迎、奪即瀉其子也、如心之熱病、必瀉於脾胃之分、針順而隨、濟即補其母也、如心之虛病、必補於肝胆之分、

飛經走氣。亦不外於子午迎隨。凡言九者、即子陽也、六者即午陰也、但九六數有多少不同、補

瀉提插皆然、言初九數者、即一九也、少停又行一九、少停又行一九、三次共二十七數、或四九三十六數、言少陽數者、七七四十九數、亦每次七數、畧停、老陽數者、九九八十一數、每次二十七數、少停、共行三次、言初六數者、即一六也、少停、又行一六、少停、又行一六、三次共十八數、言少陰數者、六六三十六數、每次一十八數、畧停、再行一次、言老陰數者、八八六十四數、每次八數、畧停、或云子後宜九數補陽、午後宜六數補陰、陰日刺陽經、多用六數補陰、陽日刺陰經、多用九數補陽、此正理也、但見熱症即瀉、見冷症即補、權也活法也、

經言知為針者信其左。不知為針者信其右。當刺之時。

先將同身寸法比穴、以墨點記後、令患人飲食端坐、或偃臥、緩病必待天氣溫晴、則氣易行、急病如遇大雷雨、亦不敢針、夜晚非急病、亦不敢針、若空心立針必暈、

必先以左手。壓按所針滎俞之處。

陽穴以骨側陷處按之痠麻者為真、陰穴按之有動脈應手者為真、

切而散之。爪而下之。

切者以手爪掐按其所針之穴、上下四旁、令氣血散、爪者、先以左手大指爪重掐穴上、亦令氣血散耳、然後用右手盐指頂住針尾、以中指大指緊以針腰、以無名指畧扶針頭、卻令患人咳

嗽一聲、隨咳下針、刺入皮內、撤手停針十息、號曰天才、少時再進針、刺入肉內、停針十息、號曰人才、少時再進針、至筋骨之間、停針十息、號曰地才、此為極處、再停良久、卻令患人吸氣一口、隨吸退至人部、審其氣至未、如針下沉緊滿者、為氣已至、若患人覺痛則為實、覺痠則為虛、如針下輕浮虛活者、氣猶未至、用後彈努循捫引之、引之氣猶不至、針如插豆腐者死、凡除寒熱病、宜於天部行氣、經絡病宜於人部行氣、痲痺疼痛宜於地部、行氣、

彈而努之。捫而循之。

彈者補也、以大指與次指爪相交而疊、病在上、大指爪輕彈向

上、病在下、次指爪輕彈向下、使氣速行、則氣易至也、○努者、以大指次指撚針連搓三下、如手顫之狀、謂之飛、補者入針飛之、令患人閉氣一口、着力努之、瀉者提針飛之、令患呼之、不必着力、一法二用、氣自至者、不必用此彈努、○捫者、摩也、如痛處未除、即於痛處捫摩、使痛散也、復以飛針引之、除其痛也、又起針之時、以手按其穴、亦曰捫、○循者、用手於所針之部分、隨經絡上下循按之、使氣往來、推之則行、引之則至、是也、

動而伸之○推而按之○

動者、轉動也、推者、推轉也、凡轉針太急則痛、太慢則不去疾、所謂推動、即分陰陽、左轉右轉之法也、伸者、提也、按者、插也、如補

瀉不覺氣行、將針提起空如豆許、或再彈二三下以補之緊戰者、速用飛法三下、如覺針下緊滿其氣易行、即用通法、若邪盛氣滯、卻用提插、先去病邪、而後通其真氣、提者、自地部提至人部天部、插者、自天部插至人部地部、病輕、提插初九數、病重者、或少陽數老陽數、愈多愈好、或問治病全在提插、既云急提慢按如冰冷、慢提急按火燒身、又云男子午前提針為熱、插針為寒、午後提針為寒、插針為熱、女人反之、其故何耶、蓋提插補瀉、無非順陰陽也、午前順陽性、提至天部則熱、午後順陰性、插至地部則熱、奇效良方有詩最明、○補瀉提插活法、凡補針先淺入而後深、瀉針先深入而後淺、凡提插、急提慢按如冰冷、瀉也、慢提急按火燒身補也、或先提插而後補瀉、或先補瀉而後提插、可也、或補瀉提插同用亦可也、○如治久患癱瘓、頑麻冷痺、遍身走痛、及癩風寒瘧、一切冷症、先淺入針而後漸深入針、俱補老陽數、氣行針下緊滿、其身覺熱、帶補慢提急按老陽數、或三九而二十七數、即用通法、扳倒針頭、令患人吸氣五口、使氣上行、陽回陰道、名曰進氣法、又曰燒山火。○風痰壅盛、中風喉風、癲狂瘧疾、單熱一切熱症、先深入針、而後漸淺退針、俱瀉少陰數、得氣覺涼、帶瀉急提慢按、初六數、或三六一十八數、再瀉再提、即用通法、徐徐提之、病除乃止、名曰透天涼。○治瘧疾先寒後熱、一切上盛下虛等症、先淺入針、行四九三十六數、氣行覺熱深入行三六一十八數如瘧疾先熱後寒一切半虛半實等症先深入針行六陰數氣行覺涼漸退針行九陽數此龍虎交戰法俾陽中有陰陰中有陽也葢邪氣常隨正氣而行不交戰則邪不退而正不勝其病復起○治痃癖癥瘕氣塊先針入七分行老陽數氣行便深入一寸微伸提之却退至原處又得氣依前法再施名曰留氣法○治水蠱膈氣脹滿落穴之後補瀉調氣均勻針行上下九入六出左右轉之千遭自平名曰子午搗臼○治損逆赤眼癰腫初起先以大指進前撚入左後以大指退後撚入右一左一右三九二十七數得氣向前推轉內入以大指彈其針尾引其陽氣按而提之其氣自行未應再施此

龍虎交騰法也〇雜病單針一穴即於得氣後行之起針際行之亦可、

通而取之。

通者、迎其氣也、提插之後用之、如病人左手陽經、以醫者右手大指進前九數、却扳倒針頭帶補、以大指努力針嘴朝向病處、或上或下或左或右、執住直待病人覺熱方停、若氣又不通、以龍虎龜鳳飛經接氣之法、驅而運之、如病人左手陰經、以醫者右手大指退後九數、却扳倒針頭帶補、以大指努力、針嘴朝病、執住、直待病人覺熱方停、右手陽經與左手陰經同法、右手陰經與左手陽經同法、左足陽經與右手陽經同法、左足陰經、與右手陰經同法、右足陽經、與左手陽經同法、右足陰經、與左手陰經同法、如退潮、每一次先補六、後瀉九、不拘次數、直待潮退為度、止痛同此法、痒麻虛補、疼痛實瀉、此皆先正推衍內經通氣之法、更有取氣鬪氣接氣之法○取者、左取右、右取左、手取足、足取頭、頭取手足三陽、胸腹取手足三陰、以不病者為主、病者為應、如兩手蹺攣、則以兩足為應、兩足蹺攣、則以兩手為應、先下主針、後下應針、主針氣已行、而後針應針、左邊左手、左足同手法、右邊亦然、先鬪氣接氣、而後取氣、手補足瀉、足補手瀉、如搓索然、久患偏枯、蹺攣甚者、必用此法、於提插之後、徐氏曰、通氣接氣之法、已有定息寸數、手足三陽、上九而下十四、過經四寸、手足三陰上七而下十二過經五寸在手搖動出納呼吸同法、上下通接、立時見功、所謂定息寸數者、手三陰經從胸至手、長三尺五寸、手三陽經、從手走頭、長五尺、足三陽經從頭走足、長八尺、足三陰經從足走腹、長六尺五寸、陰陽兩蹻從足走目、長七尺五寸、督脈長四尺五寸、任脈長四尺五寸、人一呼氣行三寸、一吸氣行三寸、一呼一吸謂之一息、針下隨其經脈長短以息計之、取其氣到病所為度。一曰青龍擺尾、以兩指扳倒針頭朝病、如扶舡舵、執之不轉、一左一右、慢慢撥動九數、或三九二十七數、其氣遍體交流。二曰白虎搖頭、以兩指扶起針尾、以肉內針頭輕轉、如下水船中之艣、振搖六數、或三六一十八數、如欲氣前行、按之在後、欲氣後行、按之在前、二法輕病亦可行之、擺動血氣、蓋龍為氣、虎為血、陽日先行龍而後虎、陰日先行虎而後龍。○三曰蒼龜探穴、以兩指扳倒針頭、一退三進、向上鑽剔一下、向下鑽剔一下、向左鑽剔一下、向右鑽剔一下、先上而下、自左而右、如入土之象、四曰赤鳳迎源、以兩扶起針插入地部、復提至天部、候針自搖、復進至人部、上下左右四圍飛旋、如展翅之狀、病在上吸而退之、病在下呼而進之、又將大指爪從針尾刮至針腰、此刮法也、能移不忍痛、可散積年風、午後又從針腰刮至針尾、又云、病在上刮向上、病在下刮向下、有攣急者頻宜刮切、循攝二法須連行三五次、氣血各循經絡、飛走之妙、全在此處、病邪從此退矣、放針停半時辰久、扶起針頭審看針下、十分沉緊、則瀉九補六、如不甚緊、則瀉六補九、補瀉後針活、即搖而出之。攝者、用大指隨經絡上下切之、其氣自得通行、

搖而出之、外引其門。以閉其神。

搖者、退也、以兩指拏針尾、向上下左右、各搖振五七下、提二七下、能散諸風、出針直待微鬆、方可出針豆許、如病邪吸針、正氣未復、再須補瀉停待、如再難頗加刮切、刮後速瀉三下、次用搜法、不論數、横搜、如龍虎交騰、一左一右、但手更快耳、直搜一上一下、如撚法而不轉、瀉刮同前、次用盤法、左轉九次、右轉六次、

瀉刮同前次用子午搗臼子後慢提午後畧快此緩緩提插搖出應針次出主針補者吸之急出其針便以左手大指按其針穴及穴外之皮令針穴門戶不閉神氣內守亦不致出血也瀉者呼之慢出其針勿令氣泄不用按穴凡針起速及針不停久待暮者其病即復〇一凡針暈者神氣虛也不可起針急以別針補之用袖掩病人口鼻回氣內與熱湯飲之即甦良久再針甚者針手膊上側筋骨陷中即蝦蟇肉上惺惺穴或足三里穴即甦若起針壞人〇二凡針痛者只是手粗宜以左手扶住針腰右手從容補瀉如又痛者不可起針令病人吸氣一口隨吸將針撚活伸起一豆即不痛如伸起又痛再伸起又痛須索入

針便住痛。三凡斷針者、再將原針穴邊、復下一針補之、即出
或用磁石引針、出或用藥塗之、方見前
嗟夫神針肇自上古、往昔岐伯已嘆失其傳矣、況後世乎。尚賴竇
徐二氏能因遺文以究其意、俾來學有所悟。而失其梗概、括為四
段。聊為初學開闢救危之用、尚期四方智者裁之。此補瀉一段、其雜病穴法一段、見二卷、十四經穴歌一段見六七卷、治病要穴一段見七卷、
補瀉一段、乃盧陵歐陽之後所授、與今時師不同、但考素問不
曰針法、而曰針道、言針當順氣血往來之道也、又曰凡刺者必
別陰陽、再考難經圖註、及徐氏云、左與右不同、胸與背有異、然
後知其源流有自、蓋左為陽、為升、為呼、為出、為提、為午前、為男

子之背、右為陰為降、為吸、為入、為插、為午後、為男子之腹、所以、女人反此者、女屬陰、男屬陽、女人背陰腹陽、男子背陽腹陰、天地男女陰陽之妙、自然如此、

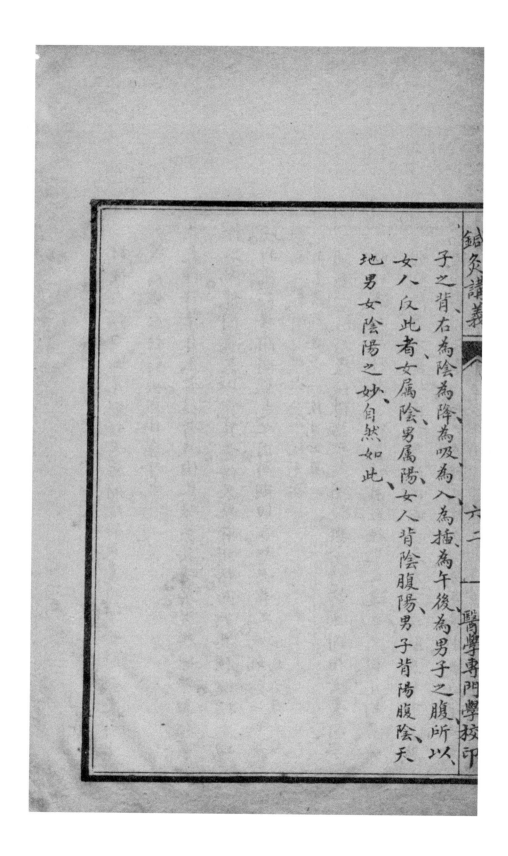

○通玄指要賦

楊繼洲註解

必欲治病。莫如用針。

夫治病之法、有針灸、有藥餌、然藥餌或出於幽遠之方、有時缺少、而又有新陳之不等、眞僞之不同、其何以奏膚功、起沉疴也、惟精於針、可以隨身帶用、以備緩急、

功用神機之妙。

功者、功之善也、運者、變之理也、神者、望而知之、機者、事之微也、妙者、治之應也、

工開聖理之深。

工者、治病之體、聖者、妙用之端、故難經云、問而知之、謂之工、聞

而知之謂之聖、夫醫者意也、默識心通、貫融神會、外感內傷自然覺悟、豈不謂聖理之深也、

外取砭針。能觸邪而扶正。

砭針者、砭石是也、此針出東海中、有一山名曰高峯、其山有石、形如玉簪、生自圖長、磨之有鋒尖、可以為針、治病療邪無不愈、

中含水火。善回陽而倒陰。

水火者、寒熱也、惟針之中、有寒熱補瀉之法、是進退水火之功也、回陽者、謂陽盛則極熱、故瀉其邪氣、其病自得清涼矣、倒陰者、謂陰盛則極寒、故補其虛寒、其病自得溫和矣、此回陽倒陰之理、補瀉盛衰之功、

原夫絡別支殊。

別者辨也、支者絡之分派也、素問云、絡穴有一十五於十二經中、每經各有一絡、外有三絡、陽蹻絡、在足太陽經、陰蹻絡、在足少陰經、脾之大絡、在足太陰經、此是十五絡也、各有支殊之處、有積絡、有浮絡、故言絡別支殊、

經交錯綜。

交經者、十二經也、錯者、交錯也、綜者、總聚也、言足厥陰肝經、交出足太陰脾經之後、足太陰脾經、交出厥陰肝經之前、此是經絡交錯、總聚之理也、

或溝池谿谷以岐異。

岐者、路也其脈穴之中、有呼為溝池谿谷之名者、如岐路之各異也、若水溝風池後谿合谷類之是也、一云、銅人經、乃分四穴、溝者水溝穴、池者、天池穴、谿者、太谿穴、谷者陽谷穴所謂四穴同治而分三路、皆皈於一原、

或山海丘陵而隙共。

隙者、孔穴、或取山海丘陵、而為名者、其孔穴之同共也、如承山照海、商丘陰陵之類是也、一云銅人經、亦分四穴、山者、承山穴、海者、氣海穴、丘者丘墟穴、陵者、陰陵穴、四經相應、包含萬化之衆也、

斯流派以難揆。在條綱而有統。

此言經絡貫通、如水流之分派雖然難以揆度在條目綱領之提挈、亦有綂緒也、故書云若網在綱有條而不紊、一云經言井滎俞原經合、甲日起甲戌時乃膽受病、竅陰所出為井金、俠谿所溜為滎水臨泣所注為俞木、丘墟所過為原陽輔所行為經火陽陵泉所入為合土、凡此流注之道、須看日脚、陰日刺五穴、陽日刺六穴、

理繁而昧。縱補瀉以何功。

蓋聖人立意垂法於後世、使其自曉也、若心無主持、則義理繁亂、而不能明解、縱依補瀉之法亦有何效、或云假如小腸實則瀉小海、虛則補後谿、大腸實則瀉二間、虛則補曲池、膽實則瀉

陽輔虛則補俠谿、此之謂也、中工治病已成之後、惟不知此理、不明虛實、妄投針藥、此乃醫之誤也、

法捷而明。自迎隨而得用。

夫用針之法、要在識其通變、捷而能明、自然於迎隨之間、而得施爲之妙也、

且如行步難移。太衝最奇。人中除脊膂之强痛。神門去心性之呆痴。風傷項急。始求於風府。頭暈目眩。要覓於風池。耳閉須聽會而治也。眼痛則合谷以推之。胸結身黃取湧泉而即可。腦昏目赤。瀉攢竹以偏宜。但見兩肘之拘攣。仗曲池而平掃。四肢之懈惰。憑照海以消除。牙齒痛。呂細堪治。頭項强。承漿可保。太白宣通於氣衝。

太白脾家真土也、能生肺金、陰陵閘通於水道。陰陵泉真水也、滋濟萬物、腹膨而脹。奪內庭兮休遲。筋轉而疼。瀉承山而在早。大抵脚腕痛。崑崙解愈。股膝疼。陰市能醫。癇發癲狂兮。憑後谿而療理。瘧生寒熱兮。仗閘使以扶持。期門罷胸滿血膨而可已。勞宮退胃翻心痛亦何疑。稽夫大敦去七疝之偏墜。王公謂此。三里却五勞之羸瘦。華陀言斯。固知腕骨祛黃。然骨瀉腎。行間治膝腫目疾。尺澤去肘痛筋緊。目昏不見。二間宜取。鼻窒無聞。迎香可引。肩井除兩臂難任。絲竹療頭疼不忍。咳嗽寒痰。列缺堪治。眵𥌊冷淚。臨泣尤準。頭臨泣穴　眵音熾　𥌊音蔑

髖骨將腿痛以祛殘。

髖骨二穴在委中上三寸、髀樞中、垂手取之、治腿足疼痛針三

分一云骻骨在膝髕上一寸兩筋空處是穴刺入五分先補後瀉其病自除此即梁丘穴也更治乳癰按此兩解俱與經外奇穴不同並存以俟知者

腎腧把腰疼而瀉盡。

以見越人治屍厥於維會隨手而甦。

維會二穴在足外踝上三寸內應足少陽膽經屍厥者卒喪之症其病口噤氣絕狀如死不識人昔越人過虢虢太子死未半日越人診太子脈曰太子之病為屍厥也脈亂故形如死太子實未死也乃使弟子子陽礪針砥石以取外三陽五會有閒太子甦二旬而復故天下盡以扁鵲能生死人鵲聞之曰此自當

生者、吾能使之生耳、又云、乃玉泉穴、在臍下四寸、是穴手之三陽脈維於玉泉、是足三陽脈會、治卒中屍厥、恍惚不省人事、血淋、下瘕、小便赤澁、失精夢遺、臍腹疼痛、結如盆杯、男子陽氣虚憊、疝氣水腫、奔豚搶心、氣急而喘、經云、太子屍厥、越人刺維會而復甦、此即玉泉穴、真起死回生奇術、婦人血氣癥瘕堅積臍下冷痛、子宮斷緒、四度刺有孕、使胞和暖、或產後惡露不止、月事不調、血結成塊、盡能治之、針八分、留五呼、得氣即瀉、更宜多灸為妙、

文伯瀉死胎於陰交。應針而隕。

灸三壯、針三分、昔宋太子善醫術、出苑遊、逢一懷娠女人、太子

胗之曰是一女子令徐文伯胗之文伯曰是一男一女太子性暴欲剖腹視之文伯止曰臣請針之於是瀉足三陰交補手陽明合谷其胎應針而落果如文伯之言故今言娠婦不可針此穴昔文伯見一婦人臨產症危視之乃子死在腹中刺足三陰交二穴又瀉足大衝二穴其子隨手而下此說與銅人之文又不相同

聖人於是察麻與痛。分實與虛。

雖云諸疼痛皆以為實諸痒麻皆以為虛此大畧也未盡其善其中有豐肥堅硬而得其疼痛之疾者亦有虛羸氣弱而感其疼痛之病者非執而斷之仍要推其得病之原别其内外之感

然後真知其虛實也、實者瀉之、虛者補之、
實則自外而入也。虛則自內而出歟。
夫冒風寒、中暑濕、此四時者、或因一時所感而受病者謂實邪、此疾蓋是自外而入於內也、多憂慮、少心血、因內傷而致病者、謂虛邪、此疾蓋是自內而出於外也、此分虛實內外之理也、一云夫療病之法、全在識見、痒麻為虛、虛當補其母、疼痛為實、實當瀉其子、且如肝實瀉行間二穴、火乃肝木之子、肝虛補曲泉二穴、水乃肝木之母、胃實瀉厲兑二穴、金乃胃土之子、胃虛補解谿二穴、火乃胃土之母、三焦實瀉天井二穴、三焦虛補中渚二穴、膀胱實瀉束骨二穴、膀胱虛補至陰二穴、故經云、虛羸痒麻氣弱者補之、豐肥堅硬疼痛腫滿者瀉之、凡刺之要、只就本經取井滎俞原經合、行子母補瀉之法、乃為樞要、深知血氣往來多少之道、取穴之法、各明其部分、即依本經而刺、無不效也、

故濟母而裨其不足、奪子而平其有餘。

裨者、補也、濟母者、益補其不足也、奪子者、奪去其有餘也、此補母瀉子之法、按補瀉經云、只非刺一經而已、假令肝木之病實、則瀉心火之子、虛則補腎水之母、其肝經自得安矣、五臟倣此、一云虛當補其母、實當瀉其子、故知肝勝脾、肝有病、必傳與脾、聖人治未病、當先實脾、使不受肝之賊邪、子母不許相傳、大概當實其母、正氣以增、邪氣必去、氣血往來無偏傷、傷則疴疾蜂

起矣

觀二十七之經絡、一一明辨。經者、十二經也、絡者、十五絡也、共計二十七之經絡相隨上下流行、觀之者一一明辨也、

據四百四之疾症。件件皆除。岐伯云、凡人稟乾坤而立身、隨陰陽而造化、按八節而榮、順四時而易、調神養氣、習性咽津、故得安和、四大舒緩、或一脈不調、則衆疾俱動、四大不利、陳痾皆生、凡人之一身、總計四百四病、不能一一具載、然變症雖多、但依經用法、件件皆除也、故得夭枉、都無躋斯民於壽域。

躋者登也、夭者、短也、枉者誤傷其命也、夫醫之道若能明此用針之理、除疼痛迅若手拈、破鬱結渙如冰釋、既得如此之妙、自此之後並無夭枉之病、故斯民皆使登長壽之域矣、

幾微已判。彰往古之玄書。

幾微者、奥妙之理也、判開也、彰明也、玄妙也、今奥妙之理、已渙然明著於前、使後學易曉、

抑又聞心胸病。求掌後之大陵。肩背患。責肘前之三里。冷痺腎敗。取足陽明之土。連臍腹痛。瀉足少陰之水。脊間心後者。針中渚而立痊。脇下肋邊者、刺陽陵而即止。頭項痛、擬後谿以安然。腰脚疼、在委中而已矣。夫用針之士、於此理苟能明焉。收祛邪之功。而在

手撚指。

夫用針之士、先要明其針法、次知形氣所在、經絡左右所起、血氣所行、逆順所會、補虛瀉實之法、祛邪安正之道、方能除疼痛於目前、療疾病於指下也、

◎玉龍歌　　楊繼洲註解

扁鵲授我玉龍歌。玉龍一試絕沉痾。玉龍之歌真罕得。流傳千載無差訛。我今歌此玉龍訣。玉龍一百二十穴。看者行針殊妙絕。但恐時人自差別。補瀉分明指下施。金針一刺顯明醫。傴者立伸僂者起。從此名揚天下知。

凡患傴者補曲池瀉人中。患僂者補風池瀉絕骨。

中風不語最難醫。髮際頂門穴要知。更向百會明補瀉。即時甦醒免災危。

頂門、即顖會也。禁針灸五壯、百會先補後瀉、灸七壯、艾如麥大、

鼻流清涕名鼻淵。先瀉後補疾可痊。若是頭風并眼痛。上星穴內刺無偏。

上星穴、流涕并不聞香臭者瀉。俱得氣補。

頭風嘔吐眼昏花。穴取神庭始不差。孩子慢驚何可治。印堂刺入艾還加。

神庭入三分、先補後瀉、印堂入一分、沿皮透左右攢竹、大哭效、不哭難、急驚瀉、慢驚補、

頭項强痛難回顧。牙疼并作一般看。先向承漿明補瀉。後針風府
即時安。
承漿宜瀉、風府針不可深、
偏正頭風痛難醫。絲竹金針亦可施。沿皮向後透率谷。一針兩穴
世間稀。
偏正頭風有兩般。有無痰飲細推觀。若然痰飲風池刺。倘無痰飲
合谷安。
風池刺一寸半、透風府穴、此必横刺方透也、宜先補後瀉、灸十
一壯、合谷穴針至勞宮、灸二七壯、
口眼喎斜最可嗟。地倉妙穴連頰車。喎左瀉右依師正。喎右瀉左

莫令斜。

灸地倉之艾、如菉豆、針向頰車、頰車之針向透地倉、

不聞香臭從何治。迎香兩穴可堪攻。先補後瀉分明效。一針未出氣先通。

耳聾氣閉痛難言。須刺翳風穴始痊。亦治項上生瘰癧。下針瀉動即安然。

耳聾之症不聞聲。痛痒蟬鳴不快情。紅腫生瘡須用瀉。宜從聽會用針行。

偶爾失音音語難。啞門一穴兩筋間。若知淺針莫深刺。言語音和照舊安。

眉間疼痛苦難當。攢竹沿皮刺不妨。若是眼昏皆可治。更針頭維即安康。

攢竹宜瀉、頭維入一分、沿皮透兩額角、疼瀉眩暈補、

兩睛紅腫痛難熬。怕日羞明心自焦。只刺睛明魚尾穴。太陽出血自然消。

睛明針五分、後畧向鼻中、魚尾針透魚腰、即童子髎、俱禁灸、如虛腫不宜去血、 髎音撩

眼痛忽然血貫睛。羞明更澁最難睜。須得太陽針出血。不用金刀疾自平。

心血炎上兩眼紅。迎香穴內刺為通。若將毒血搐出後。目內清涼

始見功。

內迎香二穴、在鼻孔中用蘆葉或竹葉搐入鼻內、出血為妙、不愈再針合谷、

强痛脊背瀉人中。挫閃腰痠亦可攻。更有委中之一穴。腰間諸疾任君攻。

委中禁灸、四畔紫脈上、皆可出血、弱者慎之、

腎弱腰疼不可當。施為行止甚非常。若知腎俞二穴處。艾火頻加體自康。

環跳能治腿股風。居髎二穴認真攻。委中毒血更出盡。愈見醫科神聖功。

居髎灸则筋缩、
膝腿無力身立難。原因風濕致傷殘。倘知二市穴能灸。步履悠悠
漸自安。
俱先補後瀉、二市者風市陰市也、
髖骨能醫兩腿疼。膝頭紅腫不能行。必針膝眼膝関穴。功效須臾
病不生。
膝関在膝蓋下、犢皮内、横針透膝眼、
寒濕脚氣不可熬。先針三里及陰交。再將絶骨穴兼刺。腫痛登時
立見消。
即三陰交也、

腫紅腿足草鞋風。須把崑崙二穴攻。申脈太谿如再刺。神醫妙訣起疲癃。

外崑針透内呂、

脚背疼起丘墟穴。斜針出血即時輕。解谿再與商丘識。補瀉行針要辨明。

行步艱難疾轉加。太衝二穴效堪誇。更針三里中封穴。去病如同用手抓。

膝蓋紅腫鶴膝風。陽陵二穴亦堪攻。陰陵針透尤收效。紅腫全消見異功。

腕中無力痛艱難。握物難移體不安。腕骨一針雖見效。莫將補瀉等閑看。

急疼兩臂氣攻胸。肩井分明穴可攻。此穴元來真氣聚。補多瀉少應其中。

此二穴針二寸效、乃五臟真氣所聚之處、倘或體弱針暈、補足三里、

肩背風氣連臂疼。背縫二穴用針明。五樞亦治腰間痛。得穴方知病頓輕。

背縫二穴、在背肩端骨下直腋縫尖針二寸、灸七壯、

兩肘拘攣筋骨連。艱難動作欠安然。只將曲池針瀉動。尺澤兼行見聖傳。

尺澤宜瀉不灸

肩端紅腫痛難當。寒濕相爭氣血狂。若向肩顒明補瀉。管君多灸自安康。

筋急不開手難伸。尺澤從來要認真。頭面縱有諸樣症。一針合谷效通神。

腹中氣塊、痛難當。穴法宜向內關防。八法有名陰維穴。腹中之疾永安康。

先補後瀉不灸、如大便不通、瀉之即通、

腹中疼痛亦難當。大陵外關可消詳。若是腸疼并閉結。支溝奇妙效非常。

脾家之症最可憐。有寒有熱兩相煎。間使二穴針瀉動。熱瀉寒補病俱痊。

間使透針支溝、如脾寒可灸、

九種心痛及脾疼。上脘穴内用神針。若還脾敗中脘補。兩針神效免災侵。

痔漏之疾亦可憎。表裏急重最難禁。或痛或痒或下血。二白穴在掌中尋。

二白四穴、在掌後去横紋四寸、兩穴相對、一穴在大筋内、一穴大筋外、針五分、取穴用稲心、從項後圍至結喉、取草指齊、當掌中大指虎口紋雙圍轉、兩筋頭點、到掌後臂、草盡處是、即間使

後一寸郄門穴也灸二七壯、針宜瀉、如不愈灸騎竹馬、

三焦熱氣壅上焦口苦舌乾豈易調。針刺關衝出毒血。口生津液病俱消。

手臂紅腫連腕疼。液門穴内用針明。更將一穴名中渚。多瀉中間疾自輕。

液門沿皮針向後透陽池、

中風之症症非輕。中衝二穴可安寧。先補後瀉如無應。再刺人中立便輕。

中衝禁灸、驚風灸之、

膽寒心虛病如何。少衝二穴最功多。刺入三分不着艾。金針用後

自平和。

時行瘧疾最難禁。穴法由來未審明。若把後谿穴尋得。多加艾火即時輕。

熱、瀉、寒、補、

牙疼陣陣若相煎。穴在二間要得傳。若患翻胃并吐食。中魁奇穴莫教偏。

乳鵞之症少人醫。必用金針疾始除。如若少商出血後。即時安隱免災危。

三稜針刺之、

如今癮疹疾多般。好手醫人治亦難。天井二穴多著艾。縱生瘰癧灸皆安。

宜瀉七壯、

寒痰咳嗽更兼風。列缺二穴最可攻。先把太淵一穴瀉。多加艾火即收功。

列缺刺透太淵、擔穴也、

痴呆之症不堪親。不識尊卑枉罵人。神門獨知痴呆病。轉手骨開得真穴。

宜瀉灸、

連日虛煩面赤壯。心中驚悸亦難當。若須通里穴尋得。一用金針體便康。

驚恐補、虛煩瀉針五分、不灸、
風眩目爛最堪憐。淚出汪汪不可言。大小骨穴皆妙穴。多加艾火疾應痊。
大小骨空不針、俱灸七壯吹之、
婦人吹乳痛難消。吐血風痰稠似膠。少澤穴内明補瀉。應時神效氣能調。
刺沿皮向後三分、
滿身發熱痛爲虛。盜汗淋淋漸損軀。須得百病椎骨穴。金針一刺疾俱除。
忽然咳嗽腰背疼。身柱由來灸便輕。至陽亦治黄疸病。先補後瀉，效分明。

針俱沿皮三分灸二七壯、

腎敗腰虛小便頻。夜間起止若勞神。命門若得金針助。腎俞艾灸起邅迍。

多灸不瀉、

九般痔漏最傷人。必刺承山效若神。更有長强一穴是。呻吟大痛穴為真。

傷風不解嗽頻頻。久不醫時勞便成。咳嗽須針肺俞穴。痰多宜向豐隆尋。

灸方效、

膏肓二穴治病强。此穴原来難度量。斯穴禁針多着艾。二十一壯亦無妨。

腠理不密咳嗽頻。鼻流清涕氣皆沉。須知噴嚏風門穴。咳嗽宜加艾火針。

針沿皮向外、

胆寒由是怕驚心。遺精白濁實难禁。夜夢鬼交心俞治。白環俞治一般針。

更加臍下氣海兩旁效、

肝家血少目昏花。宜補肝俞力便加。更把三里頻瀉動。還光益血自無差。

多補少瀉灸

脾家之症有多般。致成番胃吐食难。黄疸亦須尋腕骨。金針必定奪中脘。

無汗傷寒瀉復溜。汗多宜將合谷收。若然六脈皆微細。金針一補脈還浮。

針復溜八三分、沿皮向骨下一寸．

大便閉結不能通。照海分明在足中。更把支溝來瀉動。方知妙穴有神功。

小腹脹滿氣攻心。内庭二穴要先針。兩足有水臨泣瀉。無水方能病不侵．

針口用油、不閉其孔

七般疝氣取大敦。穴法由來指側間。諸經俱載三毛處。不遇師傳隔萬山。

傳屍勞病最難醫。湧泉出血免災危。痰多須向豐隆瀉。氣喘丹田亦可施。

渾身疼痛疾非常。不定穴中細審詳。有筋有骨須淺刺。灼艾臨時要度量。

不定穴、即痛處、

勞宮穴在掌中尋。滿手生瘡痛不禁。心胸之病大陵瀉。氣攻胸腹一般針。

哮喘之症最难當。夜間不睡氣遑遑。天突妙穴宜尋得。亶中著艾便安康。

鳩尾獨治五般癇。此穴須當仔細觀。若然著艾宜七壯。多則傷人針亦难。

非高手毋輕下針、

氣喘急急不可眠。何當日夜苦憂煎。若得璇璣針瀉動。更取氣海自然安。

氣海先補後瀉。

腎强疝氣發甚頻。氣上攻心似死人。関元兼刺大敦穴。此法親傳始得真。

水病之疾最难熬。腹满虚胀不肯消。先灸水分并水道。後针三里及陰交。
腎氣冲心得幾時。须用金針疾自除。若得關元并帶脈。四海誰不仰明醫。
赤白婦人帶下难。只因虚敗不能安。中極補多宜瀉少。灼艾還须着意看。
赤瀉、白補、
吼喘之症嗽痰多。若用金針疾自和。俞府乳根一様刺。氣喘風痰漸漸磨。
傷寒過經猶未解。须向期門穴上針。忽然氣喘攻胸膈。三里瀉多須用心。

期門先補後瀉、脾泄之症别無他。天樞二穴刺休差。此是五臟脾虚疾。艾火多添病不加。

多灸宜補、口臭之疾最可憎。勞心只爲苦多情。大陵穴内人中瀉。心得清凉氣自平。

穴法深淺在指中。治病須臾顯妙功。勸君要治諸般疾。何不當初記玉龍。

○勝玉歌

楊繼洲著

勝玉歌兮不虛言。此是楊家真秘傳。或針或灸依法語。補瀉迎隨隨手撚。頭痛眩暈百會好。心疼脾痛上脘先。後谿鳩尾及神門。治療五癇立便痊。

鳩尾穴禁灸、針三分、家傳灸七壯、

髀疼要針肩井穴。耳閉聽會莫遲延。

針一寸半、不宜停、經言禁灸、家傳灸七壯。

胃冷下脘却為良。眼痛須覓清冷淵。霍亂心疼吐痰涎。巨闕著艾便安然。脾疼背痛中渚瀉。頭風眼痛上星專。

頭項强急承漿保。牙腮疼緊大迎全。行間可治膝腫病。尺澤能醫筋拘攣。

若人行步苦艱難。中封太衝針便痊。脚背痛時商丘刺。瘰癧少海天井邊。筋疼閉結支溝穴。頷腫喉閉少商前。脾心痛急尋公孫。委中驅療脚風纏。

瀉却人中及頰車。治療中風口吐沫。五瘧寒多熱更多。間使大杼真妙穴。經年或變勞怯者。痞滿臍旁章門決。噎氣吞酸食不投。膻中七壯除膈熱。目內紅痛苦皺眉。絲竹攢竹亦堪醫。若是痰涎并咳嗽。治却須當灸肺俞。更有天突與筋縮。小兒喉閉自然疏。兩手痠痛難執物。曲池合谷共肩顒。臂疼背痛針三里。頭風頭痛灸風

鍼灸講義

秀亭

手太陰經治病各穴 肺屬辛金。少血多氣

中府 一名膺俞。肺之募。募猶結募也，言經氣聚此。手足太陰二脈之會。針三分。留五呼。灸五壯。主腹脹。四肢腫。食不下。喘氣。胸滿。肩背痛。欬逆上氣。肺系急。肺寒熱。胸悚悚。胆熱嘔逆。欬唾濁涕。風汗出。皮痛面腫。少氣不得臥。

雲門。素注針七分。銅人針三分。灸五壯。主傷寒。四肢熱不已。咳逆喘不得息。胸脇短氣。氣上冲心。胸中煩滿。脇徹背痛。喉痺。肩痛臂不舉。癭氣。

天府。禁灸。針四分。留七呼。主暴痺。口鼻衄血。中風邪。泣出。喜忘。喘息。寒熱瘧。目眩。遠視䀮䀮。癭氣。䀮同肮

俠白。針三分。灸五壯。主心痛短氣。乾嘔逆煩滿。

尺澤。手太陰肺脈所入為合水。肺實瀉之。針三分。留三呼。灸五壯。主肩臂痛。汗出中風。小便數。善嚏。悲哭。寒熱。風痺。臑肘攣。手臂不舉。喉痺。上氣。嘔吐。口乾。欬嗽。四肢腹腫。心疼。短氣。肺膨脹。心煩悶。少氣。腰脊強痛。小兒慢驚風。

孔最。灸五壯。針三分。主熱病汗不出。咳逆。肘臂厥痛。屈伸難。手不及頭。指不握。吐血

失音咽腫頭痛

列缺。手太陰絡。別走陽明。針六分。留五呼。瀉五吸。灸七壯。主偏風口面喎斜。手腕無力。半身不遂。掌中熱。口噤不開。寒熱瘧。嘔沫咳嗽。善笑。縱唇口。健忘。溺血。精出。陰莖痛。小便熱。癇驚妄見。面目四肢腫。胸背寒慄。少氣不足以息。尸厥。

經渠。肺脈所行為經金。針入二分。留三呼。禁灸。灸傷神明。主瘧寒熱。胸背俱急。胸滿膨膨。喉痺。掌中熱。欬逆上氣。傷寒。熱病汗不出。暴痺喘促。心痛嘔吐。

太淵。一名太泉。肺脈所注為俞土。肺虛補之。難經曰。脈會太淵。寸口者。脈之大要會。灸三壯。針二分。留三呼。主胸痺逆氣。善噦嘔。飲水咳嗽。煩悶不得眠。肺脹膨。臂内廉痛。目生白翳。眼痛赤。乍寒乍熱。缺盆中引痛。掌中熱。數欠。肩背痛。寒喘不得息。噫氣上逆。心痛脈濇。咳血嘔血。振寒咽乾。狂言口僻。溺色變。遺失無度。

魚際。肺脈所溜為滎火。針二分。留二呼。禁灸。主酒病。惡風寒。虛熱。舌上黃。身熱。頭痛。欬嗽。噦。傷寒汗不出。痺走胸背痛。不得息。目眩。心煩。少氣。腹痛。不下食。肘攣肢滿。喉中乾燥。寒慄鼓頷。欬引尻痛。溺出。嘔血。心痺。悲恐。乳癰。

少商。肺脈所出為井木。宜以三稜針刺之。微出血。泄諸臟熱。不宜灸。主頷腫喉閉。

刺

煩心善噦。心下滿。汗出而寒。欬逆痎瘧。振寒腹滿。唾沫。唇乾。引飲不下。手攣指痛。掌熱。寒慄鼓頷。喉中鳴。小兒乳蛾。唐刺史成君綽。忽頷腫大如斗。喉中閉塞。水粒不下三日。甄權以三稜針刺之。微出血。立愈。瀉臟熱也。素注。留一呼。明堂灸三壯。甲乙灸一壯。

手陽明經台病各穴 大腸屬庚金

商陽 一名絕陽 手陽明大腸脈所出。為井金。銅人灸三壯。針一分。留一呼。主胸中氣滿。喘欬。支腫。目盲。熱病汗不出。耳鳴聾。寒熱痎瘧。口乾。頤頷腫。齒痛。惡寒。肩背急相引缺盆中痛。灸三壯。左取右。右取左。如食頃立已。

二間 一名間谷 手陽明大腸脈所溜。為滎水。大腸實瀉之。銅人針三分。留六呼。灸三壯。主喉痺頷腫。肩背痛。振寒。鼻鼽衄血。多驚。齒痛。目黃。口乾。口喎。飲食不通。傷寒水結。鼽音求

三間 一名少谷 手陽明大腸脈所注。為俞木。銅人針三分。留三呼。灸三壯。主喉痺咽中如梗。下齒齲痛。嗜臥。胸腹滿。腸鳴洞泄。寒熱瘧。唇焦口乾。氣喘。目眥痛。吐舌戾頸。喜驚多唾。

合谷 一名虎口 手陽明大腸脈所過為原。虛實皆拔之。銅人針三分。留六呼。灸三壯。主傷寒大渴。脈浮在表。發熱惡寒。頭痛脊強。無汗。寒熱瘧。鼻衄不止。熱病汗不出。目視不明。生白翳。頭痛。下齒齲。耳聾。喉痺。面腫唇吻不收。瘖不能言。口噤不開。偏風風

疹痂疥。偏正頭痛。腰脊内引痛。小兒單乳鵝。按合谷。婦人妊娠。可瀉不可補。補即墮胎。詳見足太陰脾經三陰交下。

陽谿一名中魁。手陽明大腸脈所行。為經火。銅人針三分。留七呼。灸七壯。主狂言喜笑。見鬼。熱病煩心。目風赤爛有翳。厥逆頭痛胸滿。不得息。寒熱瘧疾。寒嗽嘔沫。喉痺耳鳴耳聾。驚掣肘臂不舉。痂疥。

偏歷。手陽明絡脈。別走太陰。銅人針三分。留七呼。灸三壯。主肩膊肘腕痠痛。眯目䀮䀮。齒痛鼻衄。寒熱瘧癲疾多言。咽喉乾。喉痺耳鳴。風汗不出。利小便。實則齲聾。瀉之。虛則齒寒痺膈。補之。

溫溜一名逆注 一名池頭。銅人針三分。灸三壯。主腸鳴腹痛。傷寒噦逆噫。膈中氣閉。寒熱頭痛。喜笑狂言見鬼。吐涎沫。風逆四肢腫。吐舌口舌痛。喉痺。

下廉。銅人斜針五分。留五呼。灸三壯。主飧泄。勞瘵。小腹滿。小便黃。便血。狂言。偏風熱風冷痺不遂。風濕痺。小腸氣不足。面無顏色。痃癖。腹脇痛滿。食不化。喘息不能行。唇乾涎出。乳癰。

上廉。銅人針五分。灸五壯。主小便難。赤黃。腸鳴。胸痛。偏風半身不遂。骨髓冷。手足不仁。喘息。腦風頭痛。

三里（一名手三里）。銅人灸三壯。針二分。主霍乱。遺矢失音。齒痛。頰頷腫。瘰癧。手臂不仁。肘攣不伸。中風口噼。手足不隨。

曲池。手陽明大腸脈所入為合土。素註針五分。留七呼。銅人刺七分。得氣先瀉後補。灸三壯。明堂日灸七壯。至二百壯。且停十餘日。更灸止二百壯。主繞踝風。手臂紅腫。肘中痛。偏風半身不遂。惡風邪氣。泣出喜忘。風癮疹。喉痺不能言。胸中煩滿。臂膊疼痛。筋緩促物不得。挽弓不開。屈伸難。風痺肘細無力。傷寒餘熱不尽。皮膚乾燥。瘈瘲癲疾。舉體痛痒如蟲齧。皮脫作瘡。皮膚痂疥。婦人經脈不通。

肘髎。灸三壯。針三分。主風癆嗜臥。肘節風痺。臂痛不舉。屈伸攣急。麻木不仁。

五里。銅人灸三壯。素問禁針。主風勞驚恐。吐血欬嗽。肘臂痛。嗜臥。四肢不得動。心下脹滿。上氣身黃。時有微熱。瘰癧。目視䀮䀮。痎瘧。

臂臑。手陽明絡。手足太陽陽維之會。銅人灸三壯。針三分。明堂宜灸。不宜針。日灸七壯至二百壯。若針不得過三五分。主寒熱。臂痛不得舉。瘰癧。頸項拘急。

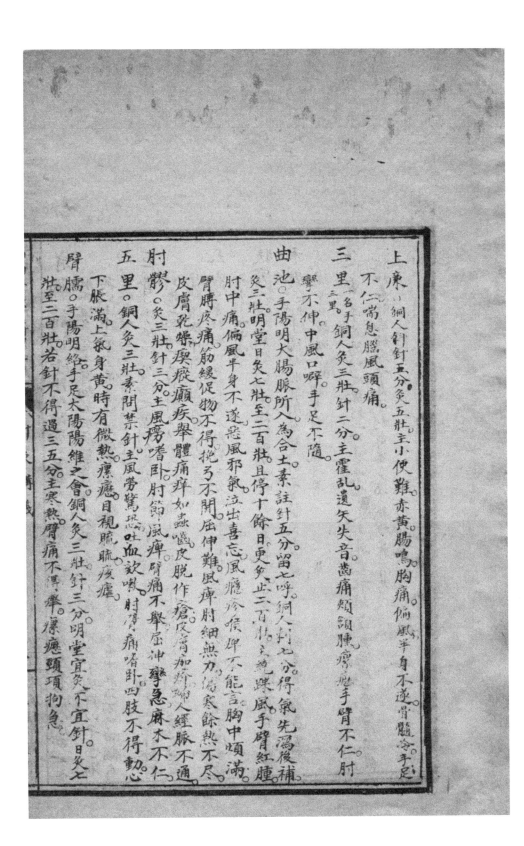

肩髃（一名中肩井 一名偏肩）。手陽明陽蹻之會。銅人灸七壯至二七壯以差為度。若灸偏風灸七七壯。不宜多恐手臂細。若風病。筋骨無力。久不差。灸不畏細。然灸不及針。以平手取其穴。主中風手足不隨。偏風。風痹。風痿。風病。半身不遂。熱風。肩中熱頭不可回顧。肩臂疼痛。臂細無力。髃音魚 痪音滿上声

巨骨。手陽明陽蹻之會。銅人灸五壯。針一寸半。明堂灸三壯至七壯。素註禁針。針則倒懸一食頃乃得下針。針四分。瀉之勿補。針出始得正臥。明堂灸三壯。主驚癇破心吐血。臂膊痛。胸中有瘀血。肩臂不得屈伸。

天鼎。素註針四分。銅人灸三壯。針三分。明堂灸七壯。主暴瘖氣硬。喉痹嗌腫。不得息。飲食不下。喉中鳴。

扶突（一名水穴）。灸三壯。針三分。素註針四分。咳嗽多唾。上氣。喘息。喉中如水雞聲。暴瘖氣硬。

禾髎（一名長顴）。手陽明脈氣所發。銅人針三分。禁灸。主尸厥及口不可開。鼻瘡息肉。鼻塞不聞香臭。鼽衄不止。顴音海 鼽音求

迎香。手足陽明之會。針三分。留三呼。禁灸。主鼻塞不聞香臭。偏風。口喎。面痒浮腫。狀如蟲行。唇腫痛。喘息不利。鼻塞多涕。鼽衄。鼻有息肉。

足陽明經治病主穴 胃屬戊土○是經多氣多血

頭維○足陽明少陽二脈之會○銅人針三分○素註針五分○禁灸○主頭痛如破○目痛如脫○目瞤目風○淚出○偏風視物不明○

下關○足陽明少陽之會○素註針三分○留七呼○灸三壯○銅人針三分○得氣即瀉○禁灸○主耳有濃汁出偏風○口目喎○牙車脫臼○牙齦腫處○張口以三稜針出濃血○多含鹽湯○即不畏風○

頰車 一名机關 一名曲牙 ○銅人針四分○得氣即瀉○日灸七壯○止七七壯○炷如麥大○明堂灸三壯○素註針三分○主中風牙關不開○口噤不語○失音○牙車疼痛○頷頰腫○牙不可嚼物○頸强不得回顧○口眼喎○

承泣○足陽明陽蹻脈任脈之會○銅人灸三壯○禁針○針之令人目烏色○明堂針四分半○不宜灸○灸後令人目下大如拳○息肉日加如桃○至三十日定不見物○資生云○當不鍼不灸○主目

冷淚出。童子痒。遠視䀮䀮。昏夜無見。目瞤動。與項口相引。口眼喎斜。瞤音純

四白〇素註針四分。甲乙銅人針三分。灸七壯。凡用針穩當方可下鍼。刺太深令人目烏色。主頭痛目眩。目赤痛流淚不明。目痒。目生翳。口眼喎僻不能言。

巨髎〇手足陽明陽蹻脈之會。銅人針三分。得氣即瀉。灸七壯。明堂灸七七壯。主瘈瘲。唇腫痛。口喎僻。目障無見。青盲無見。遠視䀮䀮。膜翳覆瞳子。面風鼻䪼腫癰痛。脚氣膝腫。瘈音記 䪼音拙

地倉〇手足陽明陽蹻脈之會。銅人針三分。明堂針三分半。留五呼。得氣即瀉。可灸二七壯。重者七七壯。炷如粗釵股脚大。艾炷若大。口轉喎。却灸承漿七七壯即愈。主偏風口喎。目不得閉。脚腫。失音不語。飲水不收。水漿漏落。眼瞤痛不止。

瞳子窌。遠視䀮䀮。昏夜無見。病左治右。病右治左。宜頻針灸。以取盡風氣。口眼喎斜。以正為度。

大迎。素註針三分。留七呼。灸三壯。主風痓口噤不開。唇吻瞤動。頰腫牙疼。瘰癧。口喎。齒齲痛。數欠氣。惡寒。舌強不能言。風壅面浮腫。目痛不能閉。

人迎一名五會。足陽明少陽之會。滑氏曰。古以俠喉兩旁為氣口人迎。至晉王叔和直以左右手寸口為人迎氣口。銅人禁針。明堂針四分。素註刺過深殺人。主吐逆霍亂。胸中滿。喘呼不得息。咽喉癰腫瘰癧。

水突一名水門。銅人針三分。灸七壯。主欬逆上氣。咽喉癰腫。呼吸短氣。喘息不得臥。

氣舍。銅人灸三壯。針三分。主欬逆上氣。頸項強不得回顧。喉痺哽噎。咽腫不消。癭瘤。

缺盆（一名天蓋）。銅。灸三壯。針三分。素註針三分。留七呼。不宜太深。深則使人逆息。素問刺穴中內陷氣泄。令人喘欬。主息奔胸滿。喘急水腫。瘰癧喉痺。汗出寒熱。缺盆中腫外潰則生。傷寒胸熱不已。

氣戶。銅人針三分。灸五壯。主欬逆上氣。胸背痛欬不得息。不知味。胸脇支滿喘急。

庫房。銅人灸五壯。針三分。主胸脇滿。咳逆上氣呼吸不至息唾膿血濁沫。

屋翳。素註針四分。銅人灸五壯。針三分。主欬逆上氣。憂怒鬱悶。脾氣消沮。肝氣橫逆。遂成結核。如棋子不痛不痒。十數年後為瘡。名曰奶岩。以瘡形如嵌凹。似岩穴也。不可治矣。若於死生之際。能消息病根使心清神安然後醫治。庶有可安之理。

乳根（乳根按乳中。）銅人灸五壯。針三分。素註針四分。灸三壯。主胸下滿悶。胸痛高氣不下食。噎痛。臂痛腫。乳癰。欬逆霍亂轉筋四厥。

不容（不容按乳根。）銅人灸五壯。明堂灸三壯。針五分。素註針八分。主腹滿。痃癖。吐血。肩脇痛。口乾。心痛。肩背相引痛。喘欬不嗜食。腹虛鳴。

承滿（承滿在梁門上。）銅人針三分。灸五壯。明堂三壯。主腸鳴。腹脹。上氣。喘逆食飲不下肩息唾血。

乳中（乳中按屋翳。）禁灸。灸則生蝕瘡。瘡中有濃血清汁可治。瘡中有息肉。若蝕瘡者死。丹溪曰。乳房陽明胃所經。乳頭厥陰肝所屬。乳子之母。不知調養。忿怒所逆。鬱悶所遏。厚味所釀。以致厥陰之氣不行。竅不得通。汁不得出。陽明之血沸騰。熱甚化濃。亦有所乳之子。膈有滯痰。口氣焮熱。含乳而睡。熱氣所吹。遂生結核。初起時便須忍痛。揉令稍軟。吮令汁透自可消散。失此不治。必成癰疖。若加以艾火兩三壯。其效尤捷。

梁門（梁門接承滿）。銅人針三分。灸五壯。主脇下積氣。食飲不思。大腸滑泄。完穀不化。

關門。銅人針八分。灸五壯。主善滿積氣。腸鳴卒痛。泄利不欲食。腹中氣走。使臍急痛。身腫痰瘧。振寒遺溺。

太乙。銅人灸五壯。針八分。主癲疾狂走。心煩吐舌。

滑肉門。銅人灸五壯。針八分。主癲狂嘔逆。吐舌舌强。

天樞（一名長谿 一名穀門）。乃大腸之募。銅人灸百壯。針五分。留十呼。千金云。魂魄之舍不可針。素註針五分留一呼。主奔豚泄瀉。赤白痢。水利不止。食不下。水腫脹。腹腸鳴。上氣沖胸。不能久立。

久積冷氣繞臍切痛。煩滿嘔吐霍亂。傷寒飲水過多。腹脹氣喘。婦人女子癥瘕。血結成塊。漏下赤白。月事不時。

外陵。銅人灸五壯。針三分。主腹痛。心下如懸。下引臍痛。

大巨。銅人針五分。灸五壯。素註針八分。主小腹脹滿。煩渴。小便難。㿗疝偏枯。四肢不收。驚悸不眠。

水道。銅人灸五壯。針三分半。素註針二分半。主腰背強急。膀胱有寒。三焦結熱。婦人小腹脹滿痛。引陰中胞中瘕。子門寒。大小便不通。

歸來。銅人灸五壯。針五分。素註針八分。主小腹奔豚。卵上入腹。引莖中痛。七疝。婦人血臟積冷。

氣衝一名氣衝。衝脈所起。銅人灸七壯。炷如大麥。禁針。明堂針三分。留七呼。氣至即瀉。灸三壯。主腹滿不得正卧。㿗疝。大腸中熱。身熱腹痛。大氣石水。陰莖痿痛。丙丸騫痛。小腹奔豚。腹有逆氣上攻。心腹脹滿。上搶心痛不得息。腰痛不得俛仰。血多不愈以三稜針氣衝血出。立愈。

髀關。銅人針六分。灸三壯。主腰痛。足麻木。膝寒不仁。痿痺。股內筋絡急。不屈伸。小腹引喉痛。

伏兔。脉絡所會也主治膝冷不得溫。風勞痺逆。手攣縮。身癮疹腹痛。少氣。頭重。脚氣。婦人下部諸疾。銅人針五分禁灸。

陰市（一名陰鼎）。銅人針三分。禁灸。主腰脚如冷水。膝寒。痿痺不仁。不屈伸。卒寒疝。力痿。少氣。小腹痛。脹滿。

梁邱。銅人灸三壯。針三分。明堂針五分。主膝脚腰痛。冷痺不仁。難屈伸。足寒。大驚。乳腫痛。

犢鼻。素註針六分。銅人針三分。灸三壯。素問刺犢鼻出液

縱為敗。主膝中痛。不仁。難跪起。脚氣。膝臏腫。潰者不可治。不潰者可治。若犢鼻堅硬。勿便攻。先洗熨。微刺之愈。胻音杭

三里。足陽明胃脈所入為合土。素註刺一寸。灸三壯。銅人灸三壯。針五分。明堂針八分。留十呼。瀉七吸。日灸七壯。止百壯。千金灸五百壯。少亦一二百壯。主胃中寒。心腹脹滿。腸鳴臟氣虛敗。真氣不足。腹痛食不下。大便不通。心悶不已。卒心痛。腹有逆氣上攻。腰痛不得俛仰。小腸氣。四肢滿。膝胻痠痛。目不明。產婦血暈。華佗云。主五勞羸瘦。七傷虛乏。胸中瘀血。乳癰。千金翼云。主腹中寒脹滿。腸中雷鳴。氣上冲胸。又氣逆霍亂者。取三里。氣乃下止。不下復治。

上廉一名上巨虛。銅人灸三壯。針三分。明堂針八分。得氣即瀉。灸七壯。主臟氣不足。偏風脚氣。腰腿手足不仁。脚脛痠痛。屈伸

難。不久立。風水膝腫。骨髓冷疼。大腸冷食不化。飧泄。灸臍腹兩脇痛。腸中切痛雷鳴。氣上冲胸。喘息不能行。

條口。銅人針五分。明堂針八分。灸三壯。主足麻木。風氣足下熱。不能久立。足寒膝痛。脛寒濕痺。脚痛胻腫。轉筋。足緩不收。

下廉一名下巨虛。銅人針八分。灸三壯。素註針三分。明堂針六分。得氣即瀉。甲乙灸七七壯。主小腸氣不足。面無顏色。偏風腿痿。足不履地。熱風冷痺不遂。風濕痺。喉痺。胃中熱不嗜食。泄膿血。胸脇小腹控睾而痛。女子乳癰。足跗不收。跟痛。

豐隆。足陽明絡。別走太陰。銅人針三分。灸三壯。明堂灸七壯。主厥逆。大小便難。怠惰腿膝痠。屈伸難。胸痛如刺。腹若刀切痛。風痰頭痛。四肢腫。足清身寒濕。氣逆則喉痺卒瘖。實則癲狂。瀉之。虛則足不收脛枯。補之。

解谿○足陽明胃脈所行為經火。銅人灸三壯。針五分。留三呼。主風面浮腫。顔黑厥氣上衝。腹脹大便下重。瘈驚。膝股胻腫。轉筋目眩。頭痛癲疾。煩心悲泣。霍亂頭風。面赤目赤。眉攢痛不可忍。

衝陽○足跗上五寸去陷骨二寸骨間動脈。足陽明所過為原。胃虛實皆拔之。素註針三分。留十呼。素問刺足跗上動脈。血出不止死。銅人針三分。灸五壯。主偏風。口眼喎。跗腫。齒齲。發寒熱。腹堅大。不嗜食。傷寒〻病振寒而欠。

陷谷○足陽明胃脈所注為俞木。銅人針三分。素註針五分。留七呼。灸三壯。主面目浮腫。及水病。善噫。腸鳴腹痛。熱病無度。汗不出。振寒瘧疾。

内庭○銅人灸三壯。針三分。留十呼。主四肢厥逆。腹脹滿。數欠。惡聞人聲。振寒。咽中引痛。口喎。上齒齲。瘧不嗜食。鼻衄不止。傷寒手足逆冷。汗不出。赤白痢。

厲兑。足陽明胃脈所出為井金。胃實瀉之。銅人針一分。灸一壯。主尸厥。口噤。氣絶狀如中惡。心腹脹滿。水腫。熱病汗不出。寒瘧不嗜食。面腫。足胻寒。喉痺。上齒齲。多驚好卧。狂欲登高而歌。棄衣而走。

足太陰經治病主穴 脾屬乙土。是經少血多氣

隱白。脾脈所出為井木。素註針三分。留三呼。銅人針三分。灸三壯。主腹脹喘滿不得安卧。嘔吐食不下。胸中熱。暴泄。衄血。尸厥不識人。足寒不能温。婦人月事。過時不止。小兒客忤。慢驚風。

大都。脾脈所溜為滎火。脾虛補之。銅人針三分。灸三壯。主

熱病汗不出。不得卧。身重骨疼。傷寒手足逆冷。腹滿悶乱吐逆。腰痛不可俛仰。胃心痛。心蚘痛。小兒客忤。

大白○脾脈所注為俞土。銅人針三分。灸三壯。主身熱胸滿。腹脹食不化。嘔吐泄瀉膿血。腰痛大便難。氣逆霍亂。腹中切痛。腸鳴膝股胻痠。轉筋身重骨痛。

公孫○足太陰絡脈。別走陽明胃經。銅人針四分。灸三壯。主寒瘧不嗜食。癇氣好太息。多寒熱汗出。病至則喜嘔。嘔已乃衰。寔則腸中切痛。瀉之。虛則鼓脹。補之。

商邱○脾脈所行為經金。脾實瀉之。銅人灸三壯。針三分。主腹脹腸中鳴。不便。脾虛令人不樂。身寒善太息。心悲陰股內痛。狐疝走上下。引小腹痛。不可俛仰。脾積痞氣。黃疸。體重節痛。怠惰嗜卧。婦人絕子。小兒慢風。

三陰交。足太陰厥陰少陰之會。銅人針三分。灸五壯。主脾胃虛弱。心腹脹滿。不思飲食。脾痛身重。四肢不舉。小便不利。陰莖痛。足痿不能行。疝氣。小便遺。呵欠頰車蹉開。張口不合。小兒客忤婦人臨經行房。羸瘦癥瘕。姙娠胎動橫生。產後惡露不行。去血過多。血崩暈不省人事。如經脈塞閉不通。瀉之立通。經脈虛耗不行者補之。按宋太子不苑。逢姙婦。診曰女。徐文伯曰。一男一女。太子性急欲視。文伯瀉三陰交補合谷胎應針而下。果如文伯之診。後世遂以三陰交。合谷為妊婦禁針。然文伯瀉三陰交補合谷而墮胎。今獨不可補三陰交。瀉合谷而安胎乎。蓋三陰交、腎肝脾三脈之交會。主陰血。血當補不當瀉。合谷為大腸之原。大腸為肺之腑。主氣當補。文伯瀉三陰交以補合谷。是血衰氣旺也。

令補三陰交瀉合谷。是血旺氣衰矣。

漏谷（一名太陰絡）。銅人針三分。禁灸。主腸鳴腹脹滿急。痃癖冷氣。飲食不為肌膚。膝痺足不能行。

地機（一名脾舍）。足太陰郄。別走上一寸有空。銅人灸三壯。針三分。主腰痛不可俛仰。溏泄腹脇痛。水腫腹堅。不嗜食。小便不利。精不足。女子癥瘕。按之如湯沃股內至膝。

陰陵泉。足太陰脾脈所入為合水。銅人針五分。主腹中寒。不嗜食。脇下滿。水脹腹堅。喘逆不得臥。腰痛不可俯仰。霍乱疝瘕遺精。尿失禁不自知。小便不利。氣淋寒熱不節。陰痛。胸中熱。暴泄飧泄。

血海。銅人針五分。灸三壯。主氣逆腹脹。女子漏下惡血。月事不調。

箕門。銅人灸三壯。主淋小便不通。遺溺。鼠鼷腫痛。

衝門一名上慈宮。銅人針五分。灸五壯。主風寒氣滿。腹中積聚。陰疝婦人難乳，妊娠子冲心不得息。

府舍。足太陰厥陰陰維之會。三脈上下入腹絡脾肝結。心肺從脇上至肩。此太陰郄。三陰陽明之別。銅人灸五壯。針七分。主疝瘕腹中急痛。循脇上下。搶心。腹滿積聚。厥氣霍亂。

腹結一名腸屈。銅人針七分。灸五壯。主中寒。瀉痢心痛欬逆。

大橫。足太陰陰維之會。銅人針七分。灸五壯。主大風逆氣多寒善悲。四肢不可舉動。多汗洞痢。

腹哀。足太陰陰維之會。銅人針三分。主寒中食不化。大便膿血腹中痛。

食竇。銅人針三分。灸五壯。主胸脇支滿。膈間雷鳴。常有水聲。

天谿。銅人針四分。灸五壯。主胸中滿痛。欬逆上氣。喉中作聲。婦人乳腫潰癰。

胸鄉。銅人針四分。灸五壯。主胸脇支滿。引胸背痛。不得卧。轉側難。

周榮。銅人針四分。主胸脇支滿。不得俛仰。食不下。喜飲。欬唾穢膿。

大包。脾之大絡。總統陰陽諸絡。由脾灌溉五臟。灸三壯。針七分。主胸脇中痛喘氣。實則身盡痛。瀉之。虛則百節皆縱。補之。

手少陰經治病主穴 心屬丁火。是經少血多氣。

極泉。銅人針三分。灸七壯。主臂肘厥寒。四肢不收。心痛乾嘔煩渴。目黃脇滿痛。悲愁不樂。

青靈。銅人灸七壯。明堂灸三壯。主目黃頭痛振寒脇痛。肩臂不舉。不能帶衣。

少海（一名曲節）。○手少陰心脈所入為合水。銅人針三分灸三壯。甄權云。不宜灸。針五分。甲乙針二分。留三呼瀉五吸。不宜灸。素註灸五壯。資生云。數說不同。要之非大急不灸。主寒熱齒齲痛。目眩。發狂。嘔吐。涎沫。項不得回顧。肘攣。腋脇下痛。四肢不得舉。腦風頭痛。氣逆噫噦。瘰癧心疼。手顫。健忘。

靈道○手少陰心脈所行為經金。銅人針三分。灸三壯。主心痛乾嘔。悲恐。瘈瘲。肘攣。暴瘖。不能言。

通里○手少陰心脈之絡。別走太陽小腸經。銅人針三分。灸三壯。明堂灸七壯。主目眩頭痛。熱病先不樂。數日懊憹。數欠。面熱無汗。暴瘖不言。目痛心悸。肘臂腫痛。少氣遺溺。婦人精血過多。實則支滿膈腫。瀉之。虛則不能言補之。

陰郄。銅人針三分。灸七壯。主鼻衄吐血。洒淅畏寒。厥逆氣驚。
心痛霍亂胸中滿。

神門。一名鋭冲 一名中都。手少陰心脈所注為俞土。心實瀉之。銅人針三分。留七呼。灸七壯。主瘧心煩。欲得冷飲。惡寒則欲處溫中。咽乾不嗜食。心痛數噫。恐悸少氣不足。腋痛喘逆。身熱狂悲狂笑。嘔血吐血。振寒上氣。遺溺失音。心性癡呆。健忘。心積伏梁。大小人五癇。

少府。手少陰心脈所溜為滎火。銅人針二分。灸七壯。明堂灸三壯。主煩滿少氣。悲恐畏人。掌中熱。臂痠。肘腋攣急。胸中痛。手倦不伸。痞瘧久不愈振寒。陰挺出。陰癢陰痛。遺尿。偏墜。小便不利。

少衝 一名經始。手少陰心脈所出為井木。心虛補之。銅人針一分。

灸三壯。明堂灸一壯。主熱病煩滿。上氣嗌乾渴目黄。臑臂内後廉痛。心胸痛。瘚氣悲驚。張潔古治前陰臊臭。瀉肝行間。後於此穴以治其標。

手太陽經治病主穴 小腸屬丙火。是經多血少氣

少澤一名小吉。手太陽小腸脈所出為井金。素註灸三壯。銅人灸一壯。針一分。留三呼。主瘧。寒熱汗不出。喉痺舌強。口乾心煩。臂痛。瘛瘲。咳嗽口中涎唾。頸項急不得回顧。目生膚翳覆瞳子頭痛。

前谷。手太陽小腸脈所溜為滎水。銅人針一分。留三呼。灸一壯。明堂灸三壯。主熱病汗不出。痎瘧癲疾。耳鳴頸項腫。喉痺。頰腫引耳後。鼻塞不利。咳嗽吐衄。臂痛不得舉。婦人產後無乳。

後谿。手太陽小腸脈所注為俞木。小腸虛補之。銅人針一分。留二呼。灸一壯。主瘧寒熱。目赤生翳。鼻衂耳聾。胸滿頭項强。不得回顧。癲疾。臂肘急攣。痂疥。

腕骨。手太陽小腸脈所過為原。小腸虛實皆拔之。銅人針三分。留二呼。灸三壯。主熱病汗不出。脇下痛不得息。頸頷腫。寒熱耳鳴。目冷淚生翳。狂惕偏枯。肘不得屈伸。瘖瘧頭痛煩悶。驚風瘈瘲。五指掣頭痛。

陽谷。手太陽小腸脈所行為經火。素註灸三壯。針二分。留三呼。甲乙留二呼。主癲疾狂走。熱病汗不出。脇痛頸頷腫。寒熱耳聾耳鳴。齒齲痛。臂外側痛不舉。妄言左右顧。小兒瘈瘲舌强不吮乳。

養老。手太陽郄。銅人針三分。灸三壯。主肩臂痠疼。肩欲折臂支正○如拔。手不能自上下。目視不明。手太陽絡脈。別走少陰。銅人針三分。灸三壯。明堂灸五壯。主風虛驚恐悲愁。癲狂。五勞四肢虛弱。肘臂攣。難伸屈。手不握。十指盡痛。實則節弛肘廢。瀉之。虛則生疣。小如指痂疥。補之。

小海○手太陽小腸脈所入為合土。小腸實瀉之。素註針二分。留七呼。灸三壯。主頸頷肩臑肘臂外後廉痛。寒熱齒齦腫。風眩。頸項痛。瘍腫。振寒肘腋痛腫。小腹痛。癎發羊鳴。戾頸。瘈瘲狂走。頷腫不可回顧。肩似拔。臑似折。耳聾目黃頰腫。

肩貞○銅人針五分。素註針八分。灸三壯。主傷寒。寒熱。耳聾耳鳴。缺盆肩中熱痛。風痺手足麻木不舉。

臑俞○手太陽陽維陽蹻三脈之會。銅人針八分。灸三壯。主天宗。銅人灸三壯。針五分。留六呼。主肩臂痠疼。肘外後廉痛。
頰頷腫。
秉風。手太陽陽明。手足少陽四脈之會。銅人針灸五壯。針五
分。主肩痛不能舉。
曲垣。銅人灸三壯。針五分。明堂針九分。主肩胛熱痛。氣注。
肩外俞。銅人針六分。灸三壯。明堂灸一壯。主肩胛痛。周痺寒
至肘。
肩中俞。素註針六分。灸三壯。銅人針三分。留七呼。灸十壯。主咳嗽
上氣唾血。寒熱。目視不明。
天窻（一名窻籠）。銅人灸三壯。針三分。素註針六分。主痔瘻頸痛。肩
痛引項不可回顧。耳聾頰腫。喉中痛。暴瘖不能言。齒
噤中風。

天容。針一寸。灸三壯。主喉痺。寒熱咽中如梗。癭氣頸癰。不可回顧。不能言。胸痛胸滿。不得息。嘔逆吐沫。齒噤。耳聾耳鳴。

顴髎。手少陽太陽之會。素註針三分。銅人針二分。主口喎面赤目黃。眼瞤動不止。頔腫齒痛。

聽宮一名多所聞。手足少陽手太陽三脈之會。銅人針三分。灸三壯。明堂針一分。甲乙針三分。主失音癲疾。心腹滿。耳聾如物填塞無聞。耳中慒慒憹憹蟬鳴。

足太陽治病主穴 膀胱屬壬水是經多血少氣

睛明 一名淚孔 手足太陽足陽明陽蹻陰蹻五脈之會。針一分半。留三呼。雀目者可久留針。然後速出針。禁灸。主目遠視不明惡風淚出。憎寒頭痛。目眩內眥赤痛。䀮䀮無見。眥癢白翳。胬肉侵睛。瞳子生癢。小兒疳眼。大人冷淚。

攢竹 一名始光一名員柱一名光明 素註針二分。留六呼。灸三壯。銅人禁灸。針一分。留三呼。瀉三吸。徐徐出針。宜以細三稜針刺之。宣泄熱氣。三度刺目大明。主目䀮䀮視物不明淚出目眩。瞳子癢。眼中赤痛。及瞼瞤動不得臥。

眉冲。針三分。禁灸。主五癇頭痛鼻塞。

曲差。銅人針二分。灸三壯。主目不明。鼽衄。鼻塞。鼻瘡。心煩滿。汗不出。頭頂痛。項腫。身體煩熱。

五處○銅人針三分。留七呼。灸三壯。明堂灸五壯。主脊强反折。瘛瘲癲疾。頭風熱。目眩目不明。目上戴不識人。

承光○銅人針三分。禁灸。主風眩頭痛。嘔吐心煩。鼻塞不聞香臭。口喎。鼻多清涕。目生白翳。

通天　銅人針三分。留七呼。灸三壯。主頭項轉側難。癭氣。鼻衄鼻窒鼻瘡。鼻多清涕。頭旋。尸厥。口喎。喘息。頭重。暫起僵仆。癭瘤。

絡却 一名强陽。一名腦蓋。素註針三分。留五呼。銅人灸三壯。主頭眩耳鳴。狂走。瘈瘲。恍惚不樂。腹脹青盲内障。目無所見。

玉枕○銅人灸三壯。針三分。留三呼。主目痛如脱。不能遠視。内連系急。頭風痛不可忍。鼻窒不聞。

天柱○銅人針五分。得氣即瀉。明堂二分留三呼。瀉五吸。灸不及針。日七壯。至百壯。下經灸三壯。素註針二分。留六呼主足不

佚身體。肩背痛欲折。目眩視。頭風。鼻衄不閑。項强不可回顧

大杼○督脈別絡。手足太陰少陽之會，難經曰、骨會大杼。疏曰、骨病治此。袁氏曰。肩能負重，以骨會大杼也。銅人針五分。灸七壯。明堂禁灸。下經。素註。針三分。留七呼。灸三壯。資生云。非大急不灸。主膝痛不可屈伸。傷寒汗不出。腰脊痛。胸中鬱鬱熱。甚不已。頭風振寒。項强不可俛仰。痎瘧頭旋。咳嗽勞風。身熱目眩。腹痛僵仆。不能久立。煩滿裏急身不安。筋攣癲疾。

風門（一名熱府）。針五分。素註針三分。留七呼明堂灸五壯若頻刺泄諸陽熱氣。背永不發癰疽。灸五壯。主發背癰疽。身熱氣喘欬逆。胸背痛。風勞嘔吐。多嚏鼻鼽。傷寒頭項强。目眩胸中熱。卧不安。

肺俞○甲乙針三分。留七呼。得氣即泄。甄權灸百壯。明堂灸三壯。

素問刺中肺三日死。其動為咳。主癭氣黃疸勞瘵。腰背強痛。寒熱喘滿。傳尸骨蒸。肺痿咳嗽。嘔吐支滿不嗜食。背僂中肺風。

厥陰俞。銅人針三分。灸七壯。主咳逆牙痛心痛。胸滿嘔吐留結煩悶。或曰臟腑皆有俞在背。獨心包絡無俞。何也。曰厥陰俞。即心包絡俞也。

心俞。銅人針三分。留七呼。得氣即瀉。不可灸。明堂灸三壯。資生云。刺中心一日死。其動為噫。豈可妄針。千金言中風心急。灸心俞百壯。當權其緩急可也。主偏風半身不遂。心氣亂恍惚心中風。偃臥不得傾側。汗出唇赤。狂走發癇語悲泣。心胸悶亂。欬吐血。黃疸鼻衂。小兒心氣不足。數歲不語。

膈俞。難經曰。血會膈俞。疏曰血病治此。蓋上則心俞。心生血。下

石印館印

則肝俞。肝藏血。故膈俞為血會。又足太陽多血。血乃水之象也。銅人針三分。留七呼。灸三壯。素問刺中膈。皆為傷中。其病難愈。不過一歲必死。主心痛周痺。吐食翻胃骨蒸。四肢怠惰。嗜臥。痃癖。欬逆嘔吐。膈胃寒痰。食飲不下。熱病汗不出。身重常溫不能食。食則心痛。身痛。䐜脹脇腹滿。自汗盜汗。

肝俞。經曰東風傷於春。病在肝。銅人針三分。留六呼。灸三壯。明堂灸七壯。素問刺中肝。五日死。其動為欠。主多怒黃疸鼻痠。熱病後目暗淚出。千金云咳引兩脇急痛。不得息。轉側難。撅脇下與脊相引而反折。目戴上。驚狂衄血。欬引胸中痛。寒疝小腹痛。唾血短氣。

膽俞。銅人針五分。留七呼。灸三壯。明堂針三分。下經灸五壯。素問刺中膽。一日半死。其動為嘔。主頭痛。振寒汗不出腋下腫脹。口苦舌乾咽痛。嘔吐。骨蒸勞熱。食不下。目黄。

脾俞○銅人針三分。留七呼。灸三壯。明堂灸五壯。素問刺中脾。十日死。其動為呑。主腹脹引胸背痛。多食身瘦。痃癖積聚。脇下滿。泄利。痰瘧寒熱。水腫氣脹。黄疸善欠。不嗜食。

胃俞○銅人針三分。留七呼。灸隨年為壯。明堂灸三壯。下經灸七壯。主霍亂胃寒。腹脹而鳴。翻胃嘔吐不嗜食。多食羸瘦。目不明。腹痛胸脇支滿。脊痛筋攣。小兒羸瘦。不生肌膚。

三焦俞。○銅人針五分。留七呼。灸三壯。明堂針三分。灸五壯。主臟腑積聚脹滿。羸瘦不能飲食。傷寒頭痛。飲食吐逆。肩背急。腰脊強不得俛仰。水穀不化。腹脹腸鳴。目眩頭痛。

腎俞○銅人針三分。留七呼。灸以年為壯。明堂灸三壯。素問刺中腎。六日死。其動為嚏。主虛勞羸瘦。腎虛水臟久冷。心腹

䀮䀮

俞 俞

填滿脹急。引小腹急痛。小便淋。目視䀮䀮。少氣。溺血。小便濁。
出精夢泄。脊中風。踞坐而腰痛。消渴五勞七傷虛憊脚膝拘
急。腰寒如冰。女人積冷氣成劳。乘經交接。羸瘦寒熱往來。

氣海俞。主腰痛痔漏。針三分。灸五壯。

大腸俞。銅人針三分。留六呼。灸五壯。主脊强不得俛仰。腰痛腹
腹中氣脹。繞臍切痛。多食身瘦。腸鳴大小便不利。洞泄食
不化。小腹絞痛。

關元脊。主風勞腰痛泄痢。虛脹小便難。婦人瘕聚諸疾。

小腸脊。銅人針三分。留六呼。灸三壯。主膀胱三焦津液少。小便
赤。不利。小腹脹滿疞痛。泄利膿血。脚腫五痔。頭痛虛乏。消渴
口乾不可忍。婦人帶下。疞音絞

膀胱俞。銅人針三分。留六呼。灸三壯。明堂灸七壯。主風勞。脊急

强。小便赤黄遺溺。陰生瘡。脛寒拘急不得屈伸。腹滿大便難。泄利腹痛。脚膝無力。女子瘕聚。

中膂俞一名脊內俞。銅人針三分。留十呼。灸三壯。明堂云腰痛。俠脊裏痛。上下按之。從項至此穴痛。皆宜灸。主腎虛消渴。腰脊不得俛仰。腸痛赤白痢疝痛。汗不出。腹脹脇痛。

白環俞。素註針五分。得氣即先瀉。瀉訖多補之。不宜灸。明堂云灸三壯。主手足不仁。腰脊痛。疝痛。大小便不利。腰脊冷疼。不得久卧。勞損虛風。腰背不便。筋攣臂縮。虛熱閉塞。

上髎。足太陰少陽之絡。銅人針三分。灸七壯。主大小便不利。嘔逆膝冷痛。鼻衄。寒熱瘧。陰挺出。婦人白瀝絕嗣。大理趙卿患偏風。不能起跪。甄權針上髎、環跳、陽陵泉、巨虛下廉。即能起跪。八髎總治腰痛。

次髎○銅人針三分。灸七壯。主小便赤淋。腰痛不得轉摇急引陰氣痛不可忍。腰以下至足不仁。心下堅脹。疝氣下墜。腸鳴注瀉。偏風。婦人赤白帶下。

中髎○足厥陰少陽之會。銅人針二分。留十呼。灸三壯。主大小便不利。腹脹下利。五勞七傷六極。大便難。小便淋瀝。飧泄。婦人絕子。帶下。月事不調。

下髎○銅人針二分。留十呼。灸三壯。主大小便不利。腸鳴注瀉。寒濕內傷。大便下血。女子淋濁不禁。腰痛引小腹急痛。

會陽（一名利機。）銅人針八分。灸五壯。主腹中冷氣泄瀉。腸澼下血。陰汗濕。陽氣虛乏。久痔。

附分○手足太陽之會。銅人針三分。素註刺八分。灸五壯。主肘不仁。肩背拘急風冷客於腠理。頸痛不得回顧。

魄戶○銅人針五分。得氣即瀉。又宜久留針。日灸七壯至百壯。素註五壯。主背膊痛。虛勞肺痿。項强急不得回顧。喘息欬逆。嘔吐煩滿。

膏肓俞○銅人灸百壯。至多五百壯。當覺礱礱然似水流之狀。亦當有所下若無停痰宿飲。則無所下也。如病人已困。不能正坐。當令側臥。挽上臂。令取穴灸之。又當灸臍下氣海丹田關元中極四穴中取一穴。又灸足三里。以引火氣直下。主無所不療。羸瘦虛損。傳尸骨蒸。夢中失精。上氣咳逆。發狂健忘痰病。

神堂○銅人針三分。灸五壯。明堂灸三壯。素註針五分。主腰背脊强急不可俛仰。洒淅寒熱。胸滿氣逆上攻時噎。

譩譆○素註針七分。銅人針六分。留三呼。瀉五吸。灸二七壯。止百壯。明堂灸五壯。主大風熱汗不出勞損不得臥。溫瘧寒瘧。背悶氣滿腹脹。胸中痛引腰背脇痛。目眩目痛。鼻衄喘逆。臂膊內廉痛。不得俛仰。小兒食時頭痛。五心熱。

鬲關○銅人針五分。灸三壯。主背痛惡寒。脊強俛仰難。食飲不下。腹中雷鳴。大便不利。小便黃。嘔噦多涎唾。胸中噎悶。

陽綱○銅人針五分。灸三壯。下經灸七壯。主腸鳴腹痛。飲食不下。小便赤澀。腹脹身熱。大便不節。泄痢赤黃。不嗜食怠惰。

意舍○銅人針五分。灸五十壯。至百壯。明堂灸五十壯。下經灸七壯。素註灸二壯。甲乙灸三壯。針五分主腹滿虛脹。大便滑泄。小便赤黃。背痛惡風寒。食飲不下。嘔吐消渴。身熱目黃。

胃倉○銅人針五分。灸五十壯。甲乙灸三壯。主腹滿虛脹。水腫。食飲不下。惡寒背脊痛。不得俛仰。

肓門○銅人灸三十壯。針五分。主心下痛。大便堅。婦人乳疾。

志室。銅人針九分。灸三壯。明堂灸七壯。主陰腫陰痛。背痛腰脊强直。俛仰不得。飲食不消。夢遺失精淋瀝。吐逆兩脇急痛霍亂。

胞肓。銅人針五分。灸五七壯。明堂灸三七壯。甲乙灸三壯。主腰脊急痛。食不消。腹堅結腸鳴。大小便癃閉。下腫。

秩邊。銅人針五分。明堂灸三壯。針三分。主五痔發腫。小便赤。腰痛。

承扶 一名肉郄一名陰關一名皮部 銅人針七分。灸三壯。主腰脊相引如解。久痔尻臀腫。大便難。胞寒。小便不利。

殷門。銅人針七分。主腰脊不可俛仰。惡血泄注。外股腫。

浮郄。銅人針五分。灸三壯。主霍亂轉筋。小腸熱。大腸結。脛外筋急。髀樞不仁。小便熱。大便堅。

委陽○穴在足太陽之前。少陽之後。出於膕中外廉兩筋間。三焦下輔俞。足太陽之別絡。素註針七分留五呼灸三壯。主腋下腫痛胸滿膨膨。筋急身熱。痿厥不仁。小便淋瀝。

委中一名血郄。足太陽膀胱脈所入為合土。素註針五分。留七呼。銅人針八分。留三呼。瀉七吸。甲乙針五分。禁灸。素問刺委中大脈。令人仆脫色。主膝痛。及拇指腰。俠脊沉沉然。遺溺。腰重不能舉小腹堅滿。髀樞痛可出血。痼疹皆愈。傷寒四肢熱。熱病汗不出。取其經血立愈。委中者血郄也大風髮眉墮落。刺之出血。

合陽○銅人針六分。灸三壯。主腰脊強。引腹痛。陰股熱。胻痠腫。步履難。寒疝陰偏痛。女子崩中帶下。

承筋一名腨腸。一名直腸。銅人灸三壯禁灸。主腰背拘急。大便秘。腋腫。痔瘡

痺不仁。腨痠。脚急跟痛。腰痛。鼻衄衂。霍乱轉筋。腨音善

承山（一名魚腹。一名肉柱。）銅人灸五壯。針七分。明堂針八分。得氣即瀉。速出針。灸不及針。止六七壯。下經灸五壯。主大便不通。轉筋痔腫。戰慄不能立。脚氣。脚跟痛。霍亂。傷寒。水結。

飛揚（一名厥陽。）足太陽脈絡。別走少陰。銅人針三分。灸三壯。明堂灸五壯。主痔腫痛。起坐不能。脚腨痠腫。戰慄不能久立久坐。足指不能屈伸。目眩痛。歷節風。癲疾寒瘧。實則腰背痛。瀉之。虛則鼽衂補之。

附陽（）陽蹻脈郄。銅人針五分。灸三壯。留七呼。素註針六分。留七呼。灸三壯。明堂灸五壯。主霍亂轉筋。腰痛不能久坐。坐不能起。髀樞股胻痛。痿厥風痺不仁。頭重頔痛。時有寒熱。四肢不舉。

崑崙。足太陽膀胱所行爲經火。素註針五分。留十呼。銅人針三分。灸三壯。妊婦刺之落胎。主腰尻脚氣。足腨腫不能履地。鼽衄。膕如結。踝如裂。頭痛。肩背拘急。欬喘滿。腰脊内引痛。陰腫痛。目痓痛如脫。瘧汗多。心痛與背相接。婦人胞衣不出。小兒發癇瘈瘲。

僕參一名安邪。陽蹻之本。銅人針三分。灸七壯。明堂灸三壯。主足痿失履不收。足跟痛不得履地。霍亂轉筋。吐逆尸厥。癲癇狂言見鬼。脚氣膝腫。

申脈即陽蹻。陽蹻脈所生。銅人針三分。留七呼。灸三壯。主風痓腰脚痛。胻痠不能久立。腰髖冷痺。脚膝屈伸難。婦人血氣痛。潔古曰癇病晝發。灸陽蹻。

金門一名梁關。足太陽郄。陽維别屬。銅人針一分。灸三壯。主霍亂轉筋。

尸厥。癲癇。暴瘂。膝胻痠。身戰不能久立。小兒張口搖頭。身反折。炷如小麥大。

京骨。足太陽脉所過為原。膀胱虛實皆刺之。銅人針三分。留七呼。灸七壯。明堂五壯。素註三壯。主頭痛如破。腰痛不可屈伸。身後側痛。目內眥赤爛。目眩。發瘧寒熱。喜驚不飲食。肋攣足胻。髀樞痛。頸項強。腰背不可俯仰。鼻衄不止。心痛目眩。

束骨。足太陽脉所註為俞木。膀胱實瀉之。銅人灸三壯針三分留三呼。主腰脊痛如折。髀不可曲。膕如結。腨如裂。耳聾惡風寒頭顖項痛。目眩身熱。目黃淚出。肌肉動。項強不可回顧。目內眥赤爛。腸澼泄痔。瘧癲狂。發背癰疽背生疔瘡。

通谷。足太陽脉所溜為滎水。銅人針二分。留三呼。灸三壯。主頭重目眩。善驚引。鼽衄。項痛。目䀮䀮。留飲胸滿。食不化。失矢。東垣曰胃氣下溜。五臟氣亂。在於頭取天柱大杼。不足深取通谷束骨。

至陰。足太陽脈所出為井金。膀胱虛補之。銅人針二分。灸三壯。素註針一分。留五呼。主目生翳。鼻塞頭重。風寒從足小指起。脈痺上下。胸脇痛。無常處。轉筋。寒瘧汗不出煩心足下熱。小便不利。失精。目痛。大眥痛。根結篇云。太陽根於至陰。結於命門。命門者。目也。

足少陰經治病主穴 腎屬癸水是經少血多氣。

湧泉 一名地衝。足少陰腎脈所出為井木。寔則瀉之。銅人針五分。無令出血。灸三壯。明堂灸不及針。素註針三分。留三呼。主尸厥面黑如炭色。欬吐有血。渴而喘。坐欲起目䀮䀮無所見。善恐惕惕。如人將捕之。舌乾咽腫。上氣嗌乾煩心。心痛黃疸腸𨂊股内後廉痛。痿厥。嗜卧善悲欠。小腹急痛。泄而下重。足脛寒而逆。腰痛大便難。心中結熱。風痱風癎。肌不嗜食。咳嗽身熱。喉痺胸脇滿悶。頭痛目眩。五指端盡痛。足不踐地。男子如蠱。女子如娠。婦人無子。轉胞不得尿。漢濟北王阿母。病患熱厥。足熱。渴于意刺足心立愈。

然谷 一名龍淵。足少陰腎脈所溜為滎火。銅人灸三壯。針三分。留五呼。不宜見血。令人立飢欲食。刺足下布絡中脉。血不出為腫。主咽内腫。不能出唾。心恐懼。如人將捕。涎出喘呼少氣。足跗腫不得履地。寒疝。小腹脹。上搶胸脇。欬唾血。喉痺。淋瀝白濁。胻痠不能久立。足一寒一熱。舌縱煩滿。消渴。自汗盗汗出。痿厥洞泄心痛如錐刺。男子精泄。婦人無子。陰挺出。月事不調。陰癢。初生小兒臍風口噤。

太谿（一名呂細）足少陰腎脉所注為俞土。素註針三分。留七呼。灸三壯。主久瘧欬逆。心痛如錐刺。心脉沈。手足寒至節。喘息者死。善噫寒疝熱病汗不出。默默嗜卧。溺黃。大便難。咽腫唾血。痃癖寒熱。腹膝痛。傷寒手足厥冷。東垣曰成痿者。以導濕熱引胃氣出行陽道。不令濕土剋腎水。其穴在太谿。

大鍾○足少陰絡。別走太陽。銅人灸三壯。針二分。留七呼。素註留三呼。主嘔吐胸脹。喘息。腹滿便難。腰脊痛。腹脊强。嗜卧。口中熱欲閉戶而處。少氣不足。舌乾咽中食噎不得下。善驚恐不樂。喉中鳴。欬唾氣逆。煩悶。實則閉癃瀉之。虛則腰痛補之。

水泉○少陰郄。銅人灸五壯。針四分。主目䀮䀮不能遠視。女子月事不來。來即心下多悶痛。陰挺出。小便淋瀝。腹中痛。

照海○陰蹻脈所生。素註針四分。留六呼。灸三壯。銅人針三分。灸七壯。明堂灸三壯。主咽乾。心悲不樂。四肢懈惰。久瘧卒疝。嘔吐。嗜臥。大風默默不知所痛。小腹痛。婦女經逆。陰暴跳起。或癢。漉清汁。小腹偏痛淋。陰挺出。月水不調。潔古曰。癇病夜發。灸陰蹻照海穴也。

復溜一名昌陽 一名伏白○足少陰腎脈所行為經金。腎虛補之。素註針三分。留七呼。留七呼。灸五壯。明堂灸七壯。主腸澼。腰脊內引痛。不得俛仰起坐。目視䀮䀮。善怒多言。舌乾胃熱。虫動涎出。足痿不收。腹脹如鼓。四肢動五種水病。血痔。血淋。骨寒熱。盜汗汗注不止。齒齲。脉微細不見。或時無脉。

交信○陰蹻脈之郄。銅人針四分。留七呼。灸三壯。素註留五呼。主氣淋㿗疝。陰急陰汗。瀉痢。股樞內痛。大小便難。女子漏血不止。陰挺出。月水不來。小腹偏痛。四肢淫濼。盜汗出。

築賓○陰維之郄。銅人針三分。留五呼。灸五壯。素註針三分。灸五壯。主小兒胎疝痛。不得乳。癲疾狂易。妄言怒罵。吐舌嘔吐涎沫。足腨痛。

陰谷○足少陰腎脉所入為合水。銅人針四分。留七呼。灸三壯。主。膝疼如錐。不得屈伸。舌縱涎下。煩逆。溺難。小便急引陰痛。陰痿。股內廉痛。婦人漏下不止。腹脹滿。不得息。小便黃。男子如蠱。女子如娠。

橫骨○足少陰衝脉之會。銅人灸三壯。禁針。主五淋。小便不通。陰氣下縱。引痛。小腹滿。目赤痛。從內眥始。五臟虛竭。失精。

大赫 一名陰維。一名陰關。足少陰衝脉之會。銅人灸五壯。針三分。素註針一寸。灸三壯。主虛勞失精。男子陰器縮結。莖中痛。目赤痛。從內眥始。婦人赤帶。

氣穴 一名胞門。一名子戶。足少陰衝脈之會。銅人灸五壯。針三分。素註針一寸。灸五壯。主賁豚氣上下引腰脊痛。泄利不止。目赤痛。從內眥始。婦人月事不調。

四滿 一名髓府。足少陰衝脈之會。銅人針三分。灸五壯。主積聚疝瘕。腸澼。大腸有水。臍下切痛。振寒。目內眥赤痛。婦人月水不調。惡血疞痛。奔豚上下。無子。疞音絞

中注。足少陰衝脈之會。銅人針一寸。灸五壯。主小腹有熱。大便堅燥不利。目內眥赤痛。女子月事不調。

肓俞。足少陰衝脈之會。銅人針一寸。灸五壯。主腹切痛。寒疝。大便燥。腹滿響。響然不便。心下有寒。目赤痛。從內眥始。

商曲○足少陰衝脉之會。銅人針一寸。灸五壯。主腹痛。腹中積聚。時切痛。腸中痛。不嗜食。目赤痛。從内眥始。

石關○足少陰衝脉之會。銅人針一分。灸三壯。主噦噫嘔逆。腹痛氣淋。小便黄。大便不通。心下堅滿。脊強不利。多唾。目赤痛。從内眥始。婦人無子。臟有惡血。血上衝腹。痛不可忍。

陰都（一名食宫）○足少陰衝脉之會。銅人針三分。灸三壯。主身寒熱。瘧病。心下煩滿。逆氣腸鳴。肺脹。氣搶脇下。熱痛。目赤痛。從内眥始。

通谷○足少陰衝脉之會。銅人針五分。灸五壯。明堂灸三壯。主治口喎。暴瘖。積聚痃癖。胃滿食不化。膈結嘔吐。目赤痛不明。清涕。項似拔。不可回顧。

幽門（一名上門）。衝脉足少陰之會。主治胸中引痛。心下煩悶。逆氣裏急。支滿不嗜食。數欬。乾噦。嘔吐涎沫。健忘。洩痢膿血。少腹脹滿。女子心痛逆氣。善吐食不下。

步廊。主治胸脇滿痛。鼻塞少氣。欬逆不得息。嘔吐不食臂不得舉。

神封。主治胸脇滿痛。欬逆不得息。嘔吐不食。乳癰。洒淅惡寒。

靈墟。主治同封神。

神藏。主治同上。

彧中。主治欬逆不喘息。胸脇支滿。多唾。嘔吐不食。神農經云。治氣喘痰壅。可灸十四壯。

俞府。主治欬逆上氣。嘔吐不食中痛。

中興石印館印

892

一云熱嗽寫之。冷嗽補之。

手厥陰經治病主穴心包絡同腎屬癸水是經多血少氣

天池一名天會。手足厥陰少陽之會。銅人灸三壯。針二分。甲乙針七分。主胸中有聲。胸膈煩滿。熱病汗不出。頭痛。四肢不舉。腋下腫。上氣。寒熱痎瘧。臂痛。目䀮䀮不明。

天泉一名天濕。銅人針六分。灸三壯。主目䀮䀮不明。惡風寒。心病。胸脇支滿。欬逆。膺背胛間臂內廉痛。

曲澤。心包絡脈所入為合水。銅人灸三壯。針三分。留七呼。主心痛。善驚。身熱煩渴。逆氣嘔涎血。心下澹澹。身熱風疹。臂肘手腕。不時動搖。頭清汗出不過肩。傷寒逆氣嘔吐。

郄門。手厥陰心包絡脈郄。銅人針三分。灸五壯。主嘔血衄血。心痛。嘔噦。驚恐畏人。神氣不足。

間使。心包絡脈所行為經金。素註針六分留七分。銅人針三分。灸五壯。明堂灸七壯。甲乙灸三壯。主傷寒結胸。心懸如飢。卒狂。胸中澹澹。惡風寒。嘔沫。怵惕。寒中。少氣。掌中熱。腋腫肘攣。卒心痛多驚。中風。氣塞涎上昏危。瘖不得語。咽中如梗。鬼邪。霍亂。乾嘔。婦人月水不調。血結成塊。小兒客忤。

内關。手心主之絡。別走少陽。銅人針五分。灸三壯。主手中風熱。失志心痛。目赤。支滿。肘攣。寔則心暴痛瀉之。虛則頭強補之。

大陵。手厥陰心包絡脉所注為俞土。心包絡寔瀉之。銅人針五分。素註針六分。留七呼。灸三壯。主熱病汗不出。手心熱肘臂攣痛。腋腫。善笑不休。煩心。心懸若飢。心痛掌熱。喜悲泣驚恐。目赤目黃。小便如血。嘔逆無度。狂言不樂。喉痺口乾。身熱

頭痛。氣短。胸脇痛。瘑瘡疥癬。瘑音戈

勞宮一名五里。一名掌中。心包絡脉所溜為榮火。素註針三分。留六呼。銅人灸三壯。明堂針二分。得氣即瀉。只一度。針過兩度。令人虛。禁灸。灸令人息肉日加。主中風。善怒悲笑不休。手痺。熱病數日汗不出。怵惕脇痛。不可轉側。大小便血。衄血不止。氣逆嘔噦煩渴。飲食不下。大小人口中腥臭。口瘡。胸脇支滿。黄疸目黄。小兒齦爛。

中衝。心包絡脈所出為井木。心包絡虛補之。銅人針一分。留三呼。明堂灸一壯。主熱病煩悶汗不出。掌中熱。身如火。心痛煩滿。舌强。

手少陽經治病主穴 三焦同膀胱屬壬水是經少血多氣

關衝。手少陽三焦脈所出為井金。銅人針一分。留三呼。灸一壯。素註灸三壯。主喉痺。舌捲口乾。頭痛霍亂。胸中氣噎。不嗜食。臂肘痛不可舉。目生翳膜。視物不明。

液門。手少陽三焦脈所溜為榮水。素註銅人針二分。留二呼。灸三壯。主驚悸妄言。咽外腫。寒厥。手臂痛不能自上下。痎瘧寒熱。目赤澀。頭痛。暴得耳聾。齒齦痛。

中渚。手少陽三焦脈所注為俞木。三焦虛補之。素註針二分。留三呼。銅人灸三壯。針三分。明堂灸二壯。主熱病汗不出。目眩。頭痛。頭痛。耳聾。目生翳膜。久瘧。咽腫。肘臂痛。手五指不得屈伸。

陽池。一名別陽。手少陽三焦脈所過為原。三焦虛實皆刺之。素註針二分。留六呼。灸三壯。銅人禁灸。指微賦云。針透抵大陵穴。不可破皮。不可搖手。恐傷針轉曲。主消渴煩悶。寒熱瘧。或因折傷手腕捉物不得。肩臂痛不得舉。

外關。手少陽絡。別走手心主。銅人針三分。留七呼。灸二壯。明堂灸三壯。主耳聾渾渾焞焞無聞。五指盡痛。不能握物。實則肘攣。瀉之。虛則不收。補之。又治手臂不得屈伸。

支溝一名飛虎。手少陽脈所行為經火。銅人針二分。灸二七壯。明堂灸五壯。素註針三分。留七呼。灸三壯。主熱病汗不出。肩臂痠腫。脇腋痛。四肢不舉。霍亂嘔吐。口禁不開。暴瘖不能言。心悶不已。卒心痛。鬼擊。傷寒結胸。瘑瘡疥癬。婦人妊脈不通。產後血暈。不省人事。

會宗。銅人灸七壯。明堂灸五壯。禁針。主五癇。肌膚痛耳聾。

三陽絡一名通門。銅人灸七壯。明堂灸五壯。禁針。主暴瘖瘂耳聾。嗜卧。四肢不欲搖動。

四瀆。銅人灸三壯。針六分。留七呼。主暴氣耳聾。下齒齲痛。

天井。手少陽三焦脈所入為合土。三焦寔瀉之。素註針一寸。留七呼。銅人灸三壯。明堂灸五壯。針三分。主心胸痛。欬嗽上氣。短氣不得語。唾膿。不嗜食。寒熱悽悽不得卧。驚悸。瘈瘲。癲疾。五癇。風痺。耳聾。嗌腫。喉痺。汗出。目鋭眥痛。頰腫痛。耳後臑臂肘痛。捉物不得。嗜卧。撲傷腰髖疼。振寒。頸項痛。大風。默默。不知所痛。悲傷不樂。脚氣上攻。

清冷淵。銅人針二分。灸三壯。主肩痺痛。臂臑不能舉。不能帶衣。

消濼。銅人針一分。灸三壯明堂針六分。素註針五分。主風痺。頸項强急腫疼。寒熱頭痛。癲疾。

臑會一名臑交。手少陽陽維之會。素註針五分。灸五壯。銅人針七分。留十呼。得氣即瀉。灸七壯。主臂痛痠無力。痛不能舉。寒熱肩腫。引胛中痛。項癭氣瘤。

肩髎。銅人針七分。灸三壯。明堂灸五壯。主臂痛。肩重不能舉。

天髎。手足少陽陽維之會。銅人針八分。灸三壯。當缺盆陷上突起肉上針之。若誤針陷處。傷人五臟氣。令人卒死。主胸中煩悶。肩臂痠痛。缺盆中痛。汗不出。胸中煩滿。頸項急寒熱。

天牖。銅人針一寸。留七呼。不宜補。不宜灸。灸即令人面腫眼合。先取譩譆。後取天容天池即差。若不針譩譆即難療。明堂針五分。得氣即瀉。瀉盡更留三呼。瀉三吸。不宜補。素註下經灸三壯。資生云宜灸一壯三壯。主暴目不明。耳不聰。夜夢顛倒。面青黃無顏色。頭風面腫。項強不得回顧。目中痛。

翳風○手足少陽之會。素註針三分。銅人針七分。灸七壯。明堂灸三壯。針灸俱令人咬錢。令口開。主耳鳴耳聾。口眼斜喎。脫頷頰腫。口噤不開。口吃。牙車急。小兒喜欠。

瘈脈一名資脈。銅人刺出血。如豆汁。不宜多出。針一分。灸三壯。主頭風耳鳴。小兒驚癇。瘈瘲。嘔吐。泄利無時。驚恐。目睛不明。

顱息銅人灸七壯。禁針。明堂灸三壯。針一分。不得多出血。多出血殺人。主耳鳴痛。喘息。小兒嘔吐涎沫。瘈瘲發癇。胸脇相引。身熱頭痛不得卧。耳腫及膿汁。

角孫○手太陽手足少陽之會。銅人灸三壯。明堂針八分。主目生翳。齒齦腫。唇吻强。牙齒不能嚼物。齲齒頭項强。

竹絲空一名目髎。手足少陽脈氣所發。素註針三分。留六呼。銅人禁灸。灸之不幸。使人目小及盲。針三分。留三呼。宜瀉不宜補。主目

中興石印館印

肚頭痛。目赤。視物䀮䀮不明。惡風寒。風癇。目戴上。不識人。眼

睫毛倒。發狂。吐涎沫。偏正頭痛。

和髎○手足手陽手太陽三脈之會。銅人針七分。灸三壯。主頭重痛。牙車引急。頭頷腫。耳中憢憢。鼻涕面風寒鼻準上腫癰痛。招搖視瞻。瘈瘲口噼。

耳門○銅人針三分。留三呼。灸三壯。下經禁灸。病宜灸者。不過三壯。主耳鳴如蟬聲。聤耳膿汁出。耳生瘡。重聽無所聞。齒齲。唇吻強。

足少陽經治病主穴 膽屬甲木是經少血多氣

瞳子髎 一名太陽。一名前關。手太陽手足少陽三脈之會。素註灸三壯。針三分。

主目痒。翳膜白。青盲無見。遠視䀮䀮。赤痛淚出。多眵䁾。內眥痒。頭痛喉閉。䁾音滅

聽會。銅人針三分。留三呼。得氣即瀉。不須補。十灸五壯。止三七壯。十日後依前數灸。明堂針三分。灸三壯。主耳鳴耳聾。牙車脫臼。牙車急不得嚼物。齒痛惡寒物。狂走。瘈瘲。恍惚不樂。中風口喎斜。手足不隨。

客主人一名上關 手足少陽陽明之會。銅人灸七壯。禁針。明堂針一分。得氣即瀉。日灸七壯。至二百壯。下經灸十壯。素註針三分。留七呼。灸三壯。素問禁深刺。深則交脈破。為内漏耳聾。久而不得呿。主唇吻强。口眼偏邪。青盲眯目䀮䀮。惡風寒。牙齒齲。口噤嚼物鳴痛。耳鳴耳聾。瘈瘲。沫出。寒熱痙引骨痛。

頷厭。銅人灸三壯。針七分。留七呼。深刺令人耳聾。主偏頭痛、頭風目眩。驚癇。手蹻。手腕痛。耳鳴。目無見。外眥急。好嚔。頸痛。歷節風汗出。

懸顱。手足少陽陽明之會。銅人灸三壯。針三分。留三呼。明堂針二分。素註針七分。留七呼。刺深令人耳無所聞。主頭痛。牙齒痛。面膚赤腫。熱病煩滿。汗不出。偏頭痛引目外眥。

懸釐。手足少陽陽明之會。銅人針三分。灸三壯。素註針三分。留七呼。主面皮赤腫。偏頭痛。煩心不欲食。中焦客熱。熱病汗不出。目銳眥赤痛。

曲鬢一名曲髮。足少陽太陽之會。銅人針三分。留七呼。明堂灸三壯。主頷頰腫。引牙車不得開急痛。口噤不能言。頸項不得回顧。腦兩角痛。為巔風。引目眇。

率谷。足少陽太陽之會。銅人針三分。灸三壯。主痰氣鬲痛。腦兩角強痛。頭重。醉後酒風。皮膚腫。胃寒。飲食煩滿。嘔吐不止。

天衝。足少陽太陽之會。銅人灸七壯。素註針三分。灸三壯。主癲疾風痓。牙齦腫。善驚恐。頭痛。

浮白○銅人針三分。灸七壯。明堂灸三壯。主足不能行。耳聾耳鳴。齒痛。胸滿不得息。胸痛。項癭。肩臂不舉。發寒熱。喉痺。欬逆痰沫。耳鳴嘈嘈無所聞。

竅陰一名枕骨○足太陽手足少陽之會。銅人針三分。灸七壯。甲乙針四分。灸五壯。素註針三分。灸三壯。主四肢轉筋。目痛。頭頸頷痛。引耳嘈嘈。耳鳴無所聞。舌本出血。癰疽發厲。手足煩熱汗不出。舌強脇痛。欬逆喉痺。口苦。

完骨○足少陽太陽之會。銅人針三分。灸七壯。素註留七呼。灸三壯。明堂針二分。灸以年為壯。主足痿失履不收。牙車急。頰腫。頭面腫。頸項痛。頭風。耳後痛。煩心。小便赤黃。喉痺齒齲。口眼喎斜。癲疾。

本神。足少陽陽維之會。銅人針三分。灸七壯。主驚癇。吐涎沫。

頸項強急痛。胸相引不得轉側。癲疾嘔吐涎沫。偏風。

陽白。手足陽明少陽陽維五脈之會。素註針三分。銅人針二分。

灸三壯。主瞳子癢痛。目上視。遠視䀮䀮。昏夜無見。目痛目眵。背寒慄。重衣不得溫。

臨泣。足少陽太陽陽維之會。銅人針三分。留七呼。主目眩。目生白翳。目淚。枕骨合顱痛。惡寒。鼻塞。驚癇反視。卒中風不識人。

目窗。足少陽陽維之會。銅人針三分。灸五壯。三度刺令人目大明。

主目赤痛。忽頭旋。目䀮䀮。頭痛寒熱。無汗惡寒。

正營。足少陽陽維之會。銅人針三分。灸五壯。主目眩瞑。頭項偏痛。牙齒痛。唇吻急強。

承靈。足少陽陽維之會。主腦風頭痛。惡風寒。鼽衄。鼻窒。喘息不利。灸三壯。禁針。

腦空 一名顳顬。足少陽陽維之會。素註針四分。銅人針五分。得氣即瀉。灸三壯。主勞疾羸瘦體熱。頸項强不得回顧。頭重痛。不可忍。目瞑。心悸。發即為癲。風引目眇。鼻痛。魏武帝患頭風。發即心亂目眩。華陀針腦空立愈。

風池。手足少陽陽維之會。素註針四分。明堂針三分。銅人針七分。留七呼。灸七壯。甲乙針一寸二分。患大風者先補後瀉。少可患者以經取之。留五呼。瀉七吸。灸不及針。日七壯至百壯。主洒淅寒熱。傷寒溫病汗不出。目眩苦偏正頭痛。痎瘧。頸項如拔。痛不得回顧。目淚出欠氣。鼻鼽衄。目外眥赤痛。氣發耳塞目不明。腰背俱痛。腰傴僂。引筋無力不收。中風氣塞涎上不語。

肩井一名膊井。手足少陽足陽明陽維之會。連入五臟。針五分。灸五壯。先補後瀉。主中風氣塞涎上不語。婦人難産。墮胎後手足厥逆。針肩井立愈。頭項痛。五勞七傷。臂痛兩手不得向頭。若針深悶倒。急補足三里。

淵液一名泉液。銅人禁灸。明堂針三分。主胸滿無力。臂不舉。不宜灸。灸之令人生腫蝕馬刀瘍。內潰者死。寒熱者生。

輒筋一名神光。一名膽募。膽之募。足太陽少陽之會。銅人灸三壯。針六分。素註針七分。主胸中暴滿不得卧。太息善悲。小腹熱。欲走多唾。言語不正。四肢不收。嘔吐宿汁吞酸。

日月 足太陰少陽陽維之會。針七分。灸五壯。主太息善悲。小腹熱欲走。多唾。言語不正。四肢不收。

京門一名氣俞。一名氣府。腎之募。銅人灸三壯。針七分。留七呼。主腸鳴。小腹痛。

肩胛内廉痛。腰痛。不得俯仰久立。寒熱腹脹。水道不利。溺黄。
小腸痺樞引痛。
帶脈。足少陽帶脈二脈之會。銅人針六分。灸五壯。明堂灸七壯。主腰腹縱溶溶如囊水之狀。婦人小腹痛。裏急後重。瘈瘲。月事不調。赤白帶下。
五樞。足少陽帶脈之會。銅人針一寸。灸五壯。明堂三壯。主痃癖。男子寒疝。陰卵上入小腹痛。婦人赤白帶下。裏急瘈瘲。
維道。足少陽帶脈之會。銅人針八分。留六呼。灸三壯。主嘔逆不止。水腫三焦不調。不嗜食。
居髎。足少陽陽蹻之會。銅人針八分。留六呼。灸三壯。主腰引小腹痛。肩引胸臂攣急。手臂不得舉以至肩。
環跳。足少陽太陽之會。銅人針五寸壯。素註針一寸。留二呼。

三十五

灸三壯。指微云，已刺不可搖。恐傷針。主冷風濕痛不仁，風痹遍身。半身不遂。腰胯痛，膝不得轉側伸縮。仁壽宮患腳氣偏風，甄權奉勅針環跳陽陵泉陽輔巨虛下廉而能起行。環跳穴痛，恐生附骨疽。

風市。針五分。灸五壯。主中風腿膝無力。腳氣。渾身搔痒麻痹。厲風症。

中瀆。足少陽絡別走二陰。銅人灸五壯。針五分。留七呼。主寒氣客於分肉間。攻痛上下。筋痹不仁。

陽關一名陽陵。銅人針五分。禁灸。主風痹不仁。膝痛不可屈伸。

陽陵泉。足少陽所入為合土。難經曰。筋會陽陵泉。疏曰。筋病治此。銅人針六分。留十呼。得氣即瀉。又宜久留針。日灸七壯。至七七壯。素註灸三壯。明堂灸一壯。主膝伸不得屈。髀樞膝骨冷痹腳氣。偏風半身不遂。腳冷無血色。苦嗌中介然。頭面腫。足筋攣。

陽交一名別陽。一名足窌。陽維之郄。銅人針六分。留七呼。灸三壯。主胸滿。膝痛足不收。寒厥。驚狂喉痺面腫。

外邱。少陽所生。銅人針三分。灸三壯。主胸脹滿。膚痛痿痺。頸項痛。惡風寒。猘犬傷。毒不出。小兒龜胸。

光明。足少陽之絡。別走厥陰。銅人針六分。留七呼。灸五壯。明堂灸七壯。主淫濼脛痠胻疼。不能久立。熱病汗不出。卒狂。與陽輔療法同。虛則痿躄。坐不能起。補之。寔則足胻熱膝痛。身體不仁。瀉之。

陽輔一名分肉。足少陽所行為經火。膽寔瀉之。素註針三分。又曰針七分。留十呼。銅人灸三壯。針五分。留七呼。主腰溶溶如生水中。膝下浮腫。筋攣。諸節盡痛。痛無常處。腋下腫。喉痺。口苦太息。心脇痛。面塵頭角頷痛。目銳眥痛。缺盆中腫痛。汗出振寒。

懸鍾一名絕骨。足三陽之大絡。按之陽明脈絕乃取之。難經曰。髓會絕骨。疏曰。髓病治此。袁氏曰。足能提步。以髓會絕骨也。銅人針六分。留七呼。灸五壯。指微云。針入針二寸許。灸七壯。或五壯。主心腹脹滿。胃中熱。不嗜食。脚氣膝胻痛。筋骨攣痛。足不收。逆氣虛勞。憂恚。心中欬痛。喉痺。頸項強。腸痔淤血。鼻衄腦疽。大小便澀。鼻中乾。煩滿狂易。

邱墟。足少陽所過為原。膽虛實皆刺之。銅人灸三壯。素註針五分。留七呼。主胸脇滿痛不得息。久瘧振寒。腋下腫。痿厥坐不能起。髀樞中痛。目生翳膜。腿胻痠轉筋。卒疝。小腹堅。寒熱。頸腫。腰胯痛。太息。

臨泣。足少陽所注為俞木。甲乙針二分。留五呼。灸三壯。主胸中滿。
缺盆中及腋下馬刀瘍瘻。善嚙頰。胻痠目眩。枕骨合顱
痛。洒淅振寒。心痛。周痺痛無常處。厥逆氣喘不能行。痎瘧
日發。婦人月事不利。季脅支滿。乳癰。

地五會。銅人針一分。禁灸。主腋痛。內損唾血。足外無膏澤。乳癰。

俠谿。足少陽所溜為滎木。胆寔則瀉之。素註針三分。留三
呼。灸三壯。主胸脅支滿。傷寒熱病汗不出。目外眥赤。目
眩。頰頷腫。耳聾。胸中痛不可轉側。痛無常處。

竅陰。足少陽所出為井金。素註針一分。留一呼。甲乙留三呼。灸
三壯。主脅痛。欬逆不得息。手足煩熱。汗不出。轉筋。癰疽。頭
痛心煩。喉痺。舌强口乾。肘不可舉。卒聾。魘夢目痛小
眥痛。

足厥陰經治病主穴　肝屬乙木是經多血少氣

大敦。足厥陰肝脈所出為井木。銅人針三分。留十呼。灸三壯。主五淋。七疝。小便數遺不禁。陰中頭痛。陰偏大腹臍中痛。悒悒不樂。病左取右。病右取左。腹脹腫中熱喜寐尸厥狀如死人。婦人血崩不止。陰挺出。陰中痛。

行間。足厥陰肝脈所溜為滎火。肝実則瀉之。素註針三分。銅人灸三壯。針六分。留十呼。主嘔逆洞泄。遺溺癃閉。消渴。善怒。轉筋。胸脇痛。小腹腫。欬逆嘔血。腰痛疼不可俯仰。小腸氣痛。嗌乾煩渴。瞑不欲視。目中淚出。肝積肥氣。發痎瘧。婦人小腹腫。面塵脫色。經血過多不止。崩中小兒急驚風。

太衝足厥陰肝脈所注為俞土。素問女子二七太衝脈盛。月事以時下。故能有子。又診病人太衝脉有無。可以决死生。銅人針三分。留十呼。灸三壯。主肩腫吻傷。虛勞浮腫。腰引小腹痛。兩丸騫縮。溏泄遺溺。胸脇支滿。肝心痛。蒼然如死狀。終日不休息。大便難。便血。小便淋。小腸疝氣痛。小便不利。嘔血。嘔逆發寒。嗌乾善渴。肘腫內踝前痛。腋下馬刀瘍瘻。女子漏下不止。小兒卒疝。

中封 一名懸泉。足厥陰肝脉所行為經金。銅人針四分。留七呼。灸三壯。主痎瘧色蒼蒼。發振寒。小腹腫痛。食怏怏繞臍痛。五淋。身黃有微熱。不嗜食。身體不仁。寒疝。腰中痛。痿厥失精。筋攣陰縮入腹相引痛。

蠡溝 一名交儀。足厥陰絡。別走少陽。銅人針二分。留三呼。灸三壯。下經灸七壯。主疝痛。小腹滿痛。如癃閉。數噫恐悸。少氣不足。悒悒不樂。咽中悶如有息肉。背拘急不可俯仰。臍下積氣如石。足脛寒痠。屈伸難。女子赤白帶下。月水不調。

中都 一名中郄。銅人針三分。灸五壯。主腸澼。㿗疝。小腹痛。不能行立。脛寒。婦人崩中。產後惡露不絕

膝關。銅人針四分。灸五壯。主風痺。膝內廉痛引臏不可屈伸咽喉中痛。

曲泉。足厥陰肝脈所入為合水。肝虛則補之。銅人針六分。留十呼。灸三壯。主㿗疝。陰股痛。小便難。腹脇肢滿。泄利。四肢不舉。目䀮䀮。膝關痛。筋攣不可屈伸。發狂。衄血。下血。房勞失精。身體極痛。下痢膿血。陰腫。陰莖痛。胻腫膝脛冷疼。女子血瘕。小腹腫。陰挺出。陰癢。

陰包。銅人針六分。灸三壯。下經針七分。主腰尻引小腹痛。小便

難。遺溺。婦人月水不調。

五里。○銅人針六分。灸五壯。主腸中風熱悶不得溺。風勞嗜卧。

陰廉。○銅人針八分。留七呼。灸三壯。主婦人絕產。若未經生產者。灸三壯。即有子。

章門（一名長平 一名脇髎）。脾之募。足少陽厥陰之會。難經曰。藏會章門。疏曰。臟病治此。銅人針六分。灸百壯。明堂日七壯。止五百壯。素註針八分。留六呼。灸三壯。主腸鳴食不化。煩熱口乾不嗜食。胸脇痛。支滿喘息。心痛而嘔逆。飲食却出。腰痛不得轉側。腰脊冷疼。溺白。多濁。傷飽身黃瘦。賁豚積聚。腹腫如鼓。脊強。四肢懈情。善恐少氣厥逆。肩臂不舉。東垣曰。氣在於腸胃者。取之太陰陽明。不下。取三里章門中脘。魏士珪妻徐病疝。至臍下上至於心皆脹滿。嘔逆煩悶。不進飲食。滑伯仁曰。

此寒在下焦。為灸章門氣海。

期門○肝之募。足厥陰太陰陰維之會。銅人針四分。灸五壯。主胸中煩熱。賁豚上下。目青而嘔。霍亂泄利。腹堅硬。大喘不得坐臥。傷寒心切痛。喜嘔酸。飲食不下。食後吐水。胸脇痛支滿。男子婦人血結胸滿。赤面火燥。口乾消渴。胸中痛不可忍。傷寒過經不解。熱入血海。男子則由陽明而傷。下血譫語。婦人月水適來。邪乘虛而入。及産後餘疾。一婦人患熱入血室。許學士云。小柴胡已遲。當刺期門。針之如言而愈。太陽與少陽併病。頭項強痛。或眩。如結胸。心下痞硬者。當刺大椎第二行肝俞肺俞。慎不可發汗。發汗則譫語。五六日譫語不止。當刺期門。

任脈治病主穴

會陰一名屏翳。銅人灸三壯。指微禁針。主陰汗。陰頭痛。陰中諸病。前後相引痛。不得大小便。男子陰寒衝心。穀道搔癢。久痔相通。女子經水不通。陰門腫痛。卒死者針一寸補之。溺死者令人倒拖出水。針補屎尿出則活。餘不可針。

曲骨。足厥陰任脈之會。銅人灸七壯。至七七壯。針二寸。素註針六分。留七呼。又云針一寸。主失精。虛冷。小腹腫滿。小便淋澁不通。㿗疝。小腹痛。婦人赤白帶下。

中極一名玉泉 一名氣原 膀光之募。足三陰任脈之會。銅人針八分。留十呼。得氣即瀉灸百壯。至三百壯止。明堂灸不及針。日三七壯。下經灸五壯。主冷氣積聚。時上衝心。腹中熱。臍下結塊。賁豚搶心。陰汗水腫。陽氣虛憊。小便頻數。失精絕子。疝瘕。婦人產後惡露不行。胎衣不下。月事不調。血結成塊。

子門腫痛。小腹苦寒恍惚尸厥。飢不能食。臨經行房。羸瘦寒熱。㬋脖不得尿。婦人斷緒。四度針即有子。（脖音拁）

關元。小腸之募。足三陰任脈之會。下紀者。關元也。素註針一寸二分。留七呼。灸七壯。又云針二寸。銅人針八分。留三呼。瀉五吸。灸百壯。止三百壯。明堂娠婦禁針。若針而落胎。胎多不出。針崑崙立出。主積冷虛乏。臍下絞痛。流入陰中。發作無時。冷氣結塊痛。寒氣入腹痛。失精白濁溺血七疝風眩頭痛。轉脬閉塞。小便不通。黃赤。五淋泄利。奔豚搶心。臍下結血。狀如覆杯。婦人帶下。月經不通。絕嗣不生。産後惡露不止。

石門（一名利机一名精露一名丹田一名命門）。銅人灸二七壯。止一百壯。甲乙針八分。留三呼。得氣即瀉。千金針五分。下經灸七壯。素註針六分。留七呼。婦人禁針禁灸。犯之絕子。主傷寒小便不利。泄利。小腹絞痛。賁豚搶心。卒疝繞臍。氣淋血淋。嘔吐血。食穀不化。水腫。婦人因產惡露不止。結成塊。崩中漏下。

氣海一名脖胦。一名下肓。男子生氣之海。銅人針八分。得氣即瀉。瀉後宜補之。可灸百壯。明堂灸七壯。主傷寒飲水過多。腹脹腫。氣喘心下痛。冷病面赤。臟虛氣憊。真氣不足。肌體羸瘦。四肢力弱。賁豚七疝小腸膀胱。癥瘕結塊。狀如覆杯。腹暴脹按之不下。臍下冷氣痛。中惡脫陽欲死。陰症卵縮。四肢厥冷。大便不通。小便赤。卒心痛。婦人臨經行房。羸瘦。崩中赤白帶下。月事不調。產後惡露不止。繞臍疞痛。閃着腰疼。小兒遺尿。

陰交一名橫戶。三焦之募。任脈少陰衝脈之會。銅人針八分。得氣即瀉。瀉後宜補。灸百壯。明堂灸不及針。日三七壯。止百壯。主氣痛。如刀攪。腹堅痛下引陰中。不得小便。兩丸騫疝痛。陰汗濕癢。

腰膝拘攣。臍下熱。鬼擊。鼻出血。婦人血崩。月事不絕。帶下。產後惡露不止。繞臍冷痛。小兒陷顖。

神闕 一名氣舍。素註禁針。針之使人臍中惡瘍潰屎出者死。灸三壯。銅人灸百壯。

主中風不省人事。腹中虛冷。臟腑泄利不止。水腫鼓脹。腸鳴狀如流水聲。腹痛繞臍。小兒乃利不絕。脫肛。風癇。角弓反張。徐平仲中風不甦。桃源簿為灸臍中百壯始甦。不起再灸百壯。

水分 一名分水。穴當小腸下口。至是而泌別清濁。水液入膀胱。渣滓入入大腸。故曰水分。素註針一寸。銅人針八分。留三呼。瀉五吸。水病灸大良。又云禁針。針之水盡即死。明堂水病灸七七壯。止四百壯。針五分。留三呼。資生云。不針為是。

主水病腹堅腫如鼓。轉筋。不嗜食。腸胃虛脹。繞臍痛。

冲心。腰脊急强。腸鳴狀如雷聲。鬼擊。鼻出血。小兒陷顖。

下脘。穴當胃下口。小腸上口。水穀於是入焉。足太陰任脈之會。銅人針八分。留三呼。瀉五吸。灸二七壯。止二百壯。主臍下厥氣動。堅硬。胃脹。羸瘦。腹痛。六腑氣寒。穀不轉化。大小便赤。痞塊連臍上。厥氣動。日漸瘦。飜胃。

建里。銅人針五分。留十呼。灸五壯。明堂針一寸二分。主腹脹身腫。心痛上氣。腸中疼。嘔逆不嗜食。

中脘一名太倉。手太陽少陽足陽明任脈之會。上紀者。中脘也。胃之募也。難經曰。腑會中脘。疏曰。腑病治此。銅人針八分。留七呼。瀉五吸。疾出針。灸二七壯。止二百壯。明堂日灸二七壯。止四百壯。素註針一寸二分。灸七壯。主五膈。喘息不止。腹暴脹。中惡。脾疼。飲食不進。飜胃。赤白痢。伏梁。

心下如覆杯。心膨脹。面色痿黃。傷寒熱不已。温瘧。霍乱。飲食不化。心痛身寒不可俯仰。東垣曰。氣在於腸胃者。取之足太陰陽明。不下。取三里章門中脘。又曰胃虛而致太陰無所禀者。於足陽明募穴中引導之。

上脘 一名胃脘。上脘中脘。屬胃絡脾。足陽明手太陽任脈之會。素註銅人針八分。先補後瀉。風癇熱病。先瀉後補立愈。日灸二七壯。至百壯。未愈倍之。明堂灸三壯。主腹中雷鳴。食不化。腹疞刺痛。霍乱吐利。腹痛身熱汗不出。翻胃嘔吐。食不下。腹脹氣滿。心忪驚悸。時嘔血痰。奔豚。伏梁。黃疸。積聚堅大如盤。虛勞吐血。

巨闕 心之募。銅人針六分。留七呼。得氣即瀉。灸七壯。止七七壯。主上氣欬逆。胸滿短氣。背痛胸痛痞塞。數種心痛。胸中痰飲。霍亂。腹脹暴痛。傷寒煩心喜嘔。發狂。少氣腹痛。黃疸。咳嗽。振疝。小腹脹。鬲中不利。五臟氣相干。卒心痛。尸厥。妊娠子上衝心。昏悶。刺巨闕。下針令人立甦不悶。次補合谷。瀉三陰交。胎應針而落。如子手掬心。生下手有針痕。頂母心向前。人中有針痕。向後枕骨有針痕。是驗。

按十四經發揮云。凡人心下有膈膜。前齊鳩尾。後齊十一椎。周圍着脊。所以遮膈濁氣。不使上薰心肺。是心在膈上也。難產之婦。若子上衝至膈則止。況兒腹中。又有衣胞裹之。豈能破膈掬心哉。心為一身之主。神明出焉。不容小有所犯。豈有被衝掬而不死哉。蓋以其上衝近心。故云爾。如胃脘痛曰心痛之類是也。學者不可以辭害意。

鳩尾一名尾翳一名𩩲骬曰鳩尾者。言其骨垂下如鳩尾形。銅人禁灸。灸之令人少心力。大妙手方針。不然。針取氣多。令人夭。針三分。留三呼。瀉五吸。肥人倍之。明堂灸三壯。素註不可刺灸。主息賁。熱病。偏頭痛。引目外眥。噫喘喉鳴。胸滿欬嘔。喉痺咽腫。水漿不下。癲癇狂走。不擇言語。心中氣悶。不喜聞人語。欬吐血。心驚悸。精神耗散。少年房勞。短氣少氣。靈樞經云。膏之原出於鳩尾。

中庭。銅人灸五壯。針三分。明堂灸三壯。主胸脅支滿。噎塞。飲食不下。嘔吐食出。小兒吐奶。

膻中一名元兒。足太陰少陰手太陽少陽之會。難經曰。氣會膻中。疏曰。氣病治此。灸五壯。明堂灸七壯。止二七壯。禁針。主上氣短氣欬逆噎氣。鬲氣喉鳴喘嗽。不下食。胸中如塞。心胸痛。咳嗽肺癰唾膿。嘔吐涎沫。婦人乳汁少。

玉堂一名玉英。銅人灸五壯。針三分。主心膺疼痛。心煩欬氣上氣。胸滿不得息。喘急。

紫宮。銅人灸五壯。針三分。明堂灸七壯。主胸脇支滿。胸膺骨痛。飲食不下。嘔逆上氣。煩心。欬逆吐血。唾如白膠。

華蓋。銅人針三分。灸五壯。明堂灸三壯。主喘急上氣。欬逆哮嗽。喉痺咽腫。水漿不下。胸脇支滿痛。

璇璣。銅人灸五壯。針三分。主胸脇支滿痛。欬逆上氣。喉鳴。喘不能言。喉痺咽腫。水漿不下。胃中有積。

天突一名天瞿。陰維任脈之會。銅人針五分。留三呼。得氣即瀉。灸亦得。不及針若下針。當直下。不得低手。明堂灸五壯。針一分。素註針一寸。留七呼。灸三壯。主面皮熱。上氣欬逆。氣暴喘。咽腫咽冷。

聲破。喉中生瘡。咯膿血。瘖不能言。身寒熱。頸腫哮喘。喉中翁翁如水雞聲。胸中氣梗。心與背相控而痛。五噎。黄疸。癭瘤。許氏曰。此穴一針四效。凡下針後良久。先脾磨食。覺針動為一效。次針破病根。腹中作聲為二效。次覺流入膀胱為三效。然後覺氣流行入腰背為四效矣。

廉泉 一名舌本。陰維任脈之會。素註低針取之。針一寸。留七呼。銅人灸三壯。針三分。得氣即瀉。明堂針二分。主咳嗽上氣。喘急吐沫。舌下腫難言。舌根縮急不食。舌縱涎出。口瘡。

承漿 一名懸漿。大腸脈胃脈督脈任脈之會。素註針二分。留五呼。灸三壯。銅人灸七壯。止七七壯。明堂針三分。得氣即瀉。留三呼。徐徐引氣而出。日灸七壯。過七七停四日五日後。若一向不灸。恐足陽明脈斷其病不愈。停息復炙。令血脈通宣。其病立愈。主偏風半身不遂。口眼喎斜。面腫。

消渴。口齒疳蝕生瘡。暴瘖不能言。

長强 一名氣之陰郄。一名厥骨。

督脈治病主穴 足少陰少陽之會。督脈絡別走任脈。銅人針三分。轉針以大痛為度。炙不及針。日炙三十壯。止二百壯。此痔根本。甲乙針二分。留七呼。明堂炙五壯。主腸風下血。久痔漏腰脊痛。狂病。大小便難。頭重。洞泄。五淋。疳蝕下部。小兒顖陷。驚癇。瘈瘲。嘔血。驚恐失精。瞻視不正。慎冷食房勞。

腰俞 一名背解。一名髓孔。一名腰柱。一名腰戶 以挺身伏地。舒身兩手相重支額。縱四體。後乃取其穴。銅人針八分。留三呼。瀉五吸。炙七壯。至七七壯。慎房勞舉重强力。明堂炙三壯。主腰髖腰脊痛。不得

泄瀉。溫瘧汗不出。足痹不仁。傷寒四肢熱不已。婦人月水閉
溺赤。

陽關。銅人針五分。灸三壯。主膝外不可屈伸。風痹不仁。筋
攣不行。

命門（一名屬累）。銅人針五分。灸三壯。主頭痛如破。身熱如火。汗不出。
寒熱痎瘧。腰腹相引。骨蒸。五臟熱。小兒發癇。張口搖頭。身
反折角弓。

懸樞。銅人針三分。灸三壯。主腰脊強。不得屈伸。積氣上下行。水
穀不化。下利。腹中留疾。

脊中（一名神宗。一名脊俞）。銅人針五分。得氣即瀉。禁灸。灸之令人腰傴僂。主
風癇癲邪。黃疸。腹滿。不嗜食。五痔便血。溫病積聚下利。小
兒脫肛。

中樞此穴諸書皆失之惟氣府論督脈下王氏註中有此穴。及考之氣穴論曰背與心相控而痛。所治天突與十椎者。其穴即此。刺五分。禁灸。灸之令人腰背傴僂。一傳云。此穴能退熱進飲食。可灸三壯。常用常效。未見傴僂。

筋縮。銅人針五分。灸三壯。明堂灸七壯。主癲疾狂走。脊急强。目轉反戴上視。癇病多言。心痛。

至陽。銅人針五分。灸三壯。明堂灸七壯。主腰脊痛。胃中寒氣不能食。胸脇支滿。身羸瘦。背中氣上下行。腹中鳴。寒熱解㑊淫濼脛痠。四肢重痛。少氣難言。卒疰忤。攻心胸。㑊音亦

靈臺。銅人缺此穴。治病見素問。今俗灸之。以治氣喘不能卧。

火到便愈。禁針。

神道。銅人灸七七壯。禁針。明堂灸三壯。針五分。千金灸五壯。主傷寒發熱頭痛。進退往來。痎瘧。悲愁健忘驚悸失欠。牙車蹉張口不合。小兒風癇瘈瘲。可灸七壯。

身柱。銅人針五分。灸七七壯。止百壯。明堂灸五壯。下經灸三壯。主腰脊痛。癲病狂走。欲殺人。身熱妄言見鬼。小兒驚癇。難經曰。治洪長伏三脈。風癇發狂。惡人與火。灸三椎九椎。

陶道。足太陽督脈之會。銅人灸五壯。針五分。主痎瘧寒熱洒淅。脊强煩滿汗不出。頭重目瞑瘈瘲。恍惚不樂。

大椎。手足三陽督脈之會。銅人針五分。留三呼。瀉五吸。灸以年為壯。主肺脹脇滿。嘔逆上氣。五勞七傷乏力。温瘧痎瘧。氣注。背膊拘急。頸項不得回顧。風勞食氣。骨熱前板齒燥。仲景曰。

太陽與少陽併病。頭項強痛。或眩冒。時如結胸。心下痞硬者。

當刺大椎第一間。

瘂門 一名舌厭。一名舌横。一名瘖門。督脈陽維之會。入係舌本。素註針四分。銅人針二分。留三呼。瀉五吸。瀉盡更留針取之。禁灸。灸之令人瘂。

主舌急不語。重舌。諸陽熱氣盛。衄血不止。寒熱風瘖。脊強反折瘛瘲癲疾。頭重風汗不出。

風府 一名舌本。足太陽督脈陽維之會。銅人針三分。禁灸。灸之使人失音。明堂針四分。留三呼。素註針四分。主中風舌緩不語。振寒汗出身重。惡寒頭痛。項急不得回顧。偏風半身不遂。鼻衄咽喉腫痛。傷寒狂走欲自殺。目妄視。頭中百病。黄疸。瘧論曰。邪客于風府。循膂而下。衛氣一日夜。大會于風府。明日日下一節。故其作晏。每至於風府。則腠理開。腠理開則邪氣入。邪氣入則病作。以此日作稍益晏也。其出於風府日下一節。二十五日下至骶骨。二十六日入於脊內。故日作益晏也。昔魏武帝患風傷項急。華佗治此穴得效。

腦户 一名合顱。足太陽督脉之會。銅人禁灸。灸之令人瘂。明堂針三分。素註針四分。素問刺腦户入腦立死。主面赤目黃。面痛頭重腫痛癭瘤。此穴針灸俱不宜。

强間 一名大羽。銅人針二分。灸七壯。明堂灸五壯。主頭痛、目瞑、腦旋、煩心嘔吐涎沫。項强左右不得回顧。狂走不休。

後頂 一名交衝。銅人灸五壯。針二分。明堂針四分。素註針三分。主頭項强急。惡風寒。目眩。額顱上痛。狂走癲疾不卧。癇發瘈瘲。頭偏痛。

百會 一名三陽一名五會。一名巔上一名天滿。手足三陽督脉之會。素註針二分。銅人灸七壯。上七七壯。凡灸頭項。不得過七壯。緣頭項皮薄。灸不宜多。針二分。得氣即瀉。又素註針四分。主頭風中風。言語蹇澁。口禁不開。半身不遂。心煩悶。驚悸健忘。心神恍惚。無心力。痎瘧。脫肛。風癇。角弓反張。羊鳴多哭。語言不擇。發時即死。吐沫汗出而嘔。飲酒面赤。腦重鼻塞。頭痛目眩。食無味。百病皆治。虢太子尸厥。扁鵲取三陽五會。有間太子甦。唐高宗頭痛。秦鳴鶴曰。宜刺百會出血。武后曰。豈有至尊頭上出血之理。已而刺之。微出血立愈。

前頂。銅人針一分。灸三壯。止七七壯。素註針四分。主頭風目眩。面赤腫。水腫。小兒驚癇。瘈瘲。鼻多清涕。頂腫痛。

顖會。銅人灸二七壯。至七七壯。初灸不痛。病去即痛。痛止灸。若是鼻塞。灸至四日漸退。七日頓愈。針二分。留三呼。得氣即瀉。

八歲以下不可針。緣顖門未合。刺之恐傷其骨。令人夭。素註針四分。主腦虛冷。或飲酒過多。腦痛如破。衄血。面赤暴腫。頭皮腫。生白屑風。頭眩顏青目眩。鼻塞不聞香。驚悸。目戴上不識人。

上星（一名神堂。）素註針三分。留六呼。灸五壯。銅人灸七壯。以細三稜針。宜瀉諸陽熱氣。無令上衝頭目。主面赤腫。頭風。頭皮腫。鼻中息肉。痎瘧。振寒。熱病汗不出。目眩目睛痛。不能遠視。口鼻出血不止。不宜多灸。恐拔氣上。令人目不明。

神庭。足太陽督脈之會。素註灸三壯。銅人灸二七壯。至七七壯。禁針。針則發狂。目失精。主登高而歌。棄衣而走。角弓反張。吐舌。癲疾。風癇。目上視不識人。頭風。目眩。鼻出清涕不止。目淚出。驚悸不得安寢。嘔吐煩滿。寒熱頭痛喘渴。岐伯曰。凡欲療風。勿令人灸多。緣風性輕。多即傷。惟宜灸七壯。至三七壯止。張子和曰。目腫目翳。針神庭、上星、顖會、前頂。翳者可使立退。腫者可使立消。

素髎 一名面王。外台不宜灸。針一分。素註針三分。主鼻中肉息不消。多涕。生瘡鼻窒。喘急不利。鼻喎噼。衄衂。

水溝 一名人中。督脈手足陽明之會。素註針三分。留六呼。灸三壯。銅人針四分。留五呼。得氣即瀉。灸不及針。日灸三壯。明堂日灸三壯。至二百壯。下經灸五壯。主消渴飲水無度。水氣遍身腫。癲癇。語不識尊卑。乍哭乍喜。中風口噤。牙關不開。面腫唇動。狀如蟲行。卒中惡。鬼擊。喘渴。目不可視。黃疸。馬黃瘟疫。通身黃。口喎噼。灸不及針。艾炷小雀糞。大風水面腫。針此一穴。出水盡即愈。

兌端○銅人針二分。灸三壯。主癲疾吐沫。小便黃。舌乾消渴。衄血不止。唇吻强。齒齦痛。鼻塞。痰涎口噤鼓頷。姙如大麥。

齗交○任督足陽明之會。銅人針三分。灸三壯。主鼻中息肉。蝕瘡。鼻塞不利。額頞中痛。頸項强。目淚多眵。牙疳腫痛。內眥赤痒痛生白翳。面赤心煩。馬黃黃疸。寒暑瘟疫。小兒面瘡。癬久不除。點烙亦佳。

經外奇穴先後

楊繼洲著

耳尖二穴。在耳尖上。捲耳取尖上是穴。治眼生翳膜。用艾炷五壯。

內迎香二穴。在鼻孔中。治目熱暴痛。用蘆管子搐出血最效。

鼻準二穴。在鼻柱尖上。專治鼻上生酒醉風。宜用三稜針出血。

聚泉一穴。在舌上。當舌中吐出舌。中直有縫陷中是穴哮喘咳嗽。及久不愈。若灸則不過七灸。法用生姜切片如錢厚。搭於舌上穴中。然後灸之。如熱嗽用雄黃末少許。和於艾炷中灸之。如冷嗽用款冬花末和於艾炷中灸。灸畢。以清茶連生薑細嚼咽下。又治舌胎舌強亦可用。小鍼出血。

左金津右玉液二穴。在舌下兩旁紫脈上是穴。捲舌取之治重舌腫痛喉痺。用白湯煮三稜針出血。

魚腰二穴。在眉中間。治眼垂廉翳膜。鍼入一分。沿皮向兩旁是也

海泉一穴　在舌下中央脈上是穴。治消渴。用三稜鍼出血。

太陽二穴　在眉後陷中。太陽紫脈上是穴。治眼紅腫及頭疼。用三稜針出血。其出血之法。用帛一條。紫纏其頸項。紫色即見。刺出血立愈。又法以手緊紐其領。令紫脈見。却於紫脈上刺出血極效。

大骨空二穴。在手大指中節上。屈指當骨尖陷中是穴。治目久痛及生翳膜內障。可灸七壯。

中魁二穴　在手中指第二節骨尖。屈指得之。治五噎反胃吐食。可灸七壯。宜瀉之。又陽谿二穴亦名中魁。陽谿穴。在腕中上側兩筋間陷中。手陽明大腸脈所行。

八邪八穴　在手五指歧骨間。左右手各四穴。其一大都二穴。在手大指次指虎口赤白肉際。握拳取之。可灸七壯。鍼一分。治頭風牙痛。其二上都二穴。在手食指中指本節歧骨間。握拳取之。治手臂紅腫。針入一分。可灸五壯。其三中都二穴。在手中指無名指本節歧骨。又名液門也。治手臂紅腫。針入一分。可灸五壯。共四下都二穴。在手無名指小指本節後歧骨間。一名中渚也。中渚之穴。在液門下五分。治手臂紅腫針一分。灸五壯。兩手共八穴。故名八邪。按液門、本在小次指歧骨間陷中。此恐有誤。

八風八穴。在足五指歧骨間。兩足共八穴。故名八風。治脚背紅腫。針一分。灸五壯。

十宣十穴。在手十指頭上。去爪甲一分。每指一穴。兩手共十穴。故名十宣。治乳蛾。用三棱出血大效。或用軟絲縛在本節前。次節後。內側中間如眼狀。如灸一火。兩邊都著艾。灸五壯。針尤妙。

五虎四穴。在手食指及無名指第二節骨尖。握拳取之。治五指拘攣。灸五壯。兩手共四穴。

肘尖二穴　在手肘骨尖上。屈肘得之。治瘰癧。可灸七壯。

肩柱骨二穴。在肩端起骨尖上是穴。治瘰癧亦治手不能舉動。灸七壯。

二白四穴。即郄門也。在掌後橫紋中直上四寸。一手有二穴。一穴在筋內兩筋間。即間使後一寸一穴在筋外。與筋內之穴相並。治痔脫肛。

內踝尖二穴。在足內踝骨尖是穴。灸七壯。治下片牙疼。及腳內廉轉筋。

獨陰二穴。在足第二指下橫紋中是穴。治小腸疝氣。又治死胎。胎衣不下。灸五壯。又治婦人乾噦嘔吐紅。經血不調。

外踝尖二穴。在足外踝骨尖上是穴。可灸七壯。治足外廉轉筋。及治寒熱腳氣。宜三稜出血。

囊底一穴在陰囊十字紋中。治腎臟風瘡。及治小腸疝疾。腎家一切症候。悉皆治之。灸七壯。艾炷如鼠糞。

鬼眼四穴 在手大指去爪甲角如韭葉許。兩指並起。用帛縛之。當兩指歧縫中是穴。又二穴在足大指。取穴亦如之。同治五癎等証。正發病時。灸之甚效。

髖骨四穴 在梁邱兩旁各開寸五分。兩足共四穴。治腿痛。灸七壯。梁邱係胃經穴。在膝上二寸兩筋間。

中泉二穴 在手臂腕中。在陽谿陽池中間陷中是穴。灸二七壯。治心痛及腹中諸氣疼不可忍。

四關四穴。即兩合谷、兩太衝穴是也。

小骨空二穴 在手小指第二節尖是穴。灸七壯。治手節疼目痛。

印堂一穴。在兩眉中陷中是穴。針一分。灸五壯。治小兒驚風。

子宮二穴。（子嗣）在中極兩旁各開三寸。針二寸。灸二七壯。治婦人久無

龍玄二穴。在兩手側腕叉紫脈上。灸七壯。禁針。治手疼。

左針

四縫四穴在左手四指內中節是穴。三稜針出血。治小兒猢猻勞等

高骨二穴在掌後寸部前五分。針一寸半灸七壯。治手病。

膝門二穴在曲泉兩旁各開三寸脈中。治膀胱七疝奔豚。曲泉、係肝經穴。在膝股上內側輔骨下。大筋上。小筋下陷中。屈膝横紋頭取之。

百虫窠二穴即血海也。在膝臏上內廉白肉際二寸半。灸二七壯。鍼五分。治下部生瘡。

睛中二穴在眼黑珠正中。取穴之法。先用青布搭目。外以冷水淋一刻。方將三稜針於目外角離黑珠一分許。刺入半分之微。然後入金針約數分深。旁入目上層。轉撥向瞳人輕輕而下。斜插定目內。即能視物。一飯頃出針。輕扶偃卧。仍用青布搭目。外在以冷水淋三日夜止。初針盤膝正坐。將箸一把兩手握於物前。寧心正視。其穴易得。治一切內障。年久不能視物。頂

刻光明。神秘穴也。　凡學針人眼者。先試針內障羊眼。能針羊眼復明。方針人眼。不可造次。

補瀉

九針論　素問

岐伯曰。聖人之起天地之數也。一而九之。故以立九野。九而九之。九九八十一。以起黃鍾數焉。以針應九數也。何以言之。一者、天也。天者陽也。五臟之應天者肺。肺者、五臟六腑之華蓋也。皮者肺之合也。人之陽也。故為之治針。必大其頭而銳其末。令毋得深入。而陽氣出。二者地也。人之所以應土者。肉也。故為之治針。必筩其身而圓其末。令毋得傷肉分。傷則氣得竭。三者人也。人之所以成生者。血脈也。故為之治針。必大其身而圓其末。令可以按脈勿陷。以致其氣。令邪氣獨出。四者、時也。時者、四時八風之

中興石印

容於經絡中為溜病者也。故為之治針。必筩其身而鋒其末。令可以瀉熱出血而痼病竭。五者、音也。音者、冬夏之分。分於子午。陰於陽別。寒與熱爭。兩氣相搏。合為癰膿者。故為之治針。必令其末如劍鋒。可以取大膿。六者、律也。律者、調陰陽四時。而合十二經脈。虛邪客於經絡而為暴痺者也。故為之治針。必令尖如氂。且圓且銳。中身微大。以取暴氣。七者、星也。星者、人之竅。邪之所客於經為痛痺。舍於經絡者也。故為之治針。令尖如蚊虻喙。靜以徐往。微以久留。正氣因之。真邪俱往。出針而養者也。八者、風也。風者、人之股肱八節也。八正之虛風。八風傷人。內舍於骨解腰脊節腠之間為深痺也。故為之治針。必長其身。鋒其末。可以取深邪遠痺。九者、野也。野者、人之節解皮膚之間也。淫邪流溢於身。如風水之狀。而溜不能過於機關大節者也。故為之治針。令尖如挺。其鋒微圓。以取大氣之不能過於關節者也。一天、二地、三人、四時、五音、六律、七星、八風、九野、身行亦應之。針有所宜。故曰九針。人皮應天。人肉應地。人脈應人。人筋應時。人聲應音。人陰陽合氣應律。人齒面目應星。人出入氣應風。人九竅三百六十五絡應野。故一針皮。二針肉。三針脈四針筋。五針骨。六針調陰陽。七針應精。八針除風。九針通九竅。除三百六十五節氣。此之謂有所主也。

九鍼式 鍼灸大成

帝曰、針之長短有數乎。岐伯對曰、一曰鑱針。取法於巾針。頭大末銳。末平半寸。卒銳之長一寸六分。二曰圓針。取法於絮針。筩其身而卵其鋒。針如卵形。圓其末。長一寸六分。三曰鍉針。鍉音低 取法於黍粟之銳。長三寸半。四曰鋒針。取法於絮針。筩其身。鋒其末。刃三隅。長一寸六分。五曰鈹針。取法於劍。鋒末如劍。廣二寸半。長四寸。六曰圓利針。取法於氂針。且圓且銳。微大其末。反小其身。又曰中身微大。長一寸六分。七曰毫針。取法於毫毛。尖如蚊虻喙。長三寸六分。八曰長針。取法於綦針。鋒利身薄。長七寸。九曰火針。取法於鋒針。尖如挺。其鋒微圓。長四寸。此九針之長短也。

九針圖

鑱針 平半寸。長一寸六分。頭大末銳。治在皮膚。刺熱者用此。今之名箭頭針是也。

圓針 其身圓。鋒如卵形。長一寸六分。揩摩分肉用此。

鍉針 其鋒如黍粟之銳。長三寸五分。脈氣虛少用此。鍉音時、又音低

鋒針 其刃三隅。長一寸六分。發痼疾刺大者用此。今之所謂三稜針是也。

鈹針 一名鈹針。末如劍鋒。廣一寸半。長四寸。破病癰出膿。今名劍針是也。鈹音披

圓利針 尖如氂。且圓且利。其末微大。長一寸六分。取暴痺。刺小者用此。

毫針 法象毫。尖如蚊虻喙。長三寸六分。取痛痺。刺寒者用此。

長針 鋒如利。長七寸。痺深居骨解腰脊節腠之間者用此。今之名跳針是也。

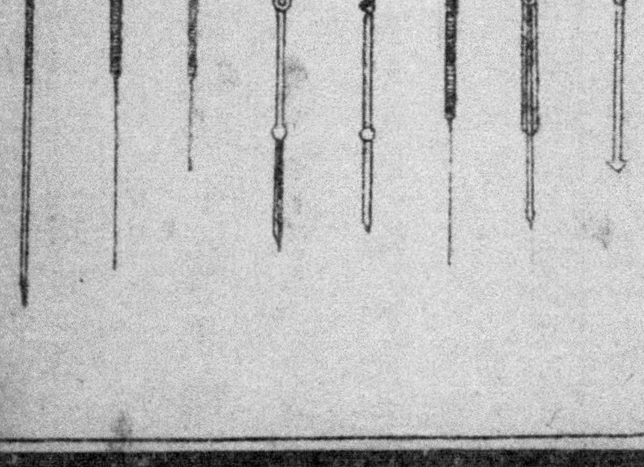

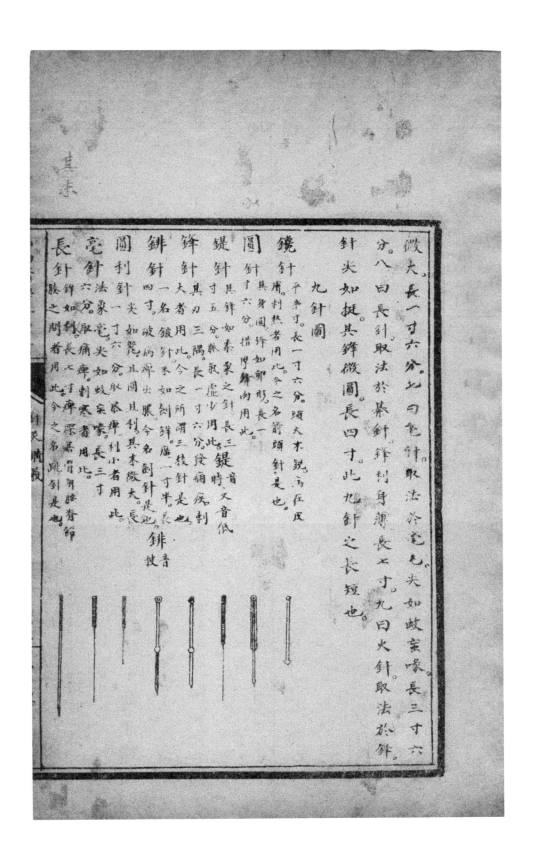

火針 一名燔針長四寸風虛腫毒解肌排毒用此

五行生成數解 張景岳

五行之理。原出自然。天地生成。莫不有數。聖人察河圖而推定之。其序曰天一生水。地六成之。地二生火。天七成之。天三生木。地八成之。地四生金。天九成之。天五生土。地十成之。夫五行各具形質。而惟水火最為輕清。乃為造化之初。故天以一奇生水。地以二偶生火。若以物理論之。亦必水火為先。以小驗大。以今驗古。可知之矣。如草木未實。胎卵未生。莫不先由於水。而後成形。是水為萬物之先。故水數一。化生已兆。必分陰陽。既有天一之陽水。必有地二之陰火。故火次之。其數則二。陰陽既合。必有發生。水氣生木。故木次之。其數則三。既有發生。必有收沒。燥氣生金。故金次之。其數則四。至若天五生土。地十成之。似乎土生最後。而戴廷槐曰。有地即有土矣。若土生在後。則天三之木。地四之金。將何所附且水火木金。無不賴土。土豈後生者哉。然土之所以言五與十者。蓋以五為全數之中。十為成數之極。中者言土之不偏而總統乎四方極者言物之歸宿而包藏乎萬有。皆非所以言後也。再以分位陰陽之理合之亦然如水王於子。子者陽生之初。一者陽起之數。故水曰一。火王於午。午者陰生之初。二者陰起之數。故火曰二。木王東方。東者陽也三者奇數亦陽也。故木曰三。金王西方。西者陰也。四者偶數亦陰也。故金曰四。土王中宮而統乎四維。五為數中。故土曰五。此五行生數之祖。先有生數而後有成數。乃成一陰一陽生成之道。此天地自然之理也雖河圖列五行之次序而實以分五行之陰陽陰陽既有次序氣數必有盛衰。如六元正紀大論云。寒化一。寒化六災一宮。災三宮之類。皆由此數而定。歧伯曰太過者其數成不及者其數生。土常以生也。謂如甲丙戊庚壬五太之年為太過。其數應於成。乙丁已辛癸五少之年為不及。其數應於生。惟土之常以生數者益五為數之中。土居位之中。而兼乎四方之氣故土數常應於中也。雖易繫有天十成之之謂。而三部九候論曰。天地之數。始於一。終於九焉。此所以土不待十而後成也。先聖察生成之數以求運氣者益欲因數以占夫氣化之盛衰。而示人以法陰陽。和術數先歲氣。合天和也。其所以關於生道者非淺。閱者其毋忽之。

逐日人神歌 针灸大成

初一十一二十一起。足拇鼻柱手小指。初二十二二十二。外踝髮際外踝位。初三十三二十三。股內牙齒足及肝。初四十四二十四又腰間胃脘陽明手。初五十五二十五并。口內徧身足陽明。初六十六二十六同。手掌胸前又在胸。初七十七二十七。內踝氣衝及在膝。初八十八二十八辰腕內股內又在陰。初九十九二十九。在尻在足膝脛後。初十二十三十日腰背內踝足附覓。

五臟募穴 聚英

中府肺募。巨闕心募。期門肝募。章門脾募。京門腎募。

按難經云、陽病行陰。故令募在陰。腹曰陰。募皆在腹。

東垣曰、凡治腹、之募。皆為元氣不足。從陰引陽。勿悮也。

腎俞、十四椎下 各開寸半

又曰、六淫客邪。及上熱下寒筋骨皮肉血脈之病。錯取於胃之合及諸腹之募者。必危。

五臟俞穴 俞、猶委輸之輸。言經氣由此而輸於彼也。

肺俞 三椎下。各開寸半。 心俞 五椎下。各開寸半。 肝俞 九椎下各開寸半。 脾俞 十二椎下。各開寸半。

按難經云、陰病歸陽。故令俞在陽。背曰陽。俞皆在背。

東垣曰、天外風寒之邪。乘中而入在人之背上腑俞臟俞。是人之受天外風邪。亦有二說。中於陽、則流於經。此病始於外寒。終歸外熱。收治風寒之邪。治其各臟之俞。

八會

腑會中脘。 臟會章門。 筋會陽陵泉。 髓會絕骨。

血會膈俞。 骨會大杼。 脈會太淵。 氣會亶中。

十二經氣血多少歌　　聚英

多氣多血經須記。大腸手經足胃經。少血多氣有六經。三焦胆腎心脾肺。多血少氣心包絡。膀胱小腸肝所異。

十二經納天干歌　　徐氏

甲胆乙肝丙小腸。丁心戊胃己脾鄉。庚屬大腸辛屬肺。壬屬膀胱癸腎藏。三焦亦向壬中寄。包絡同歸入癸方。

十二經納地支歌　　徐氏

肺寅大卯胃辰宮。脾巳心午小未中。申胱酉腎心包戌。亥焦子胆丑肝通。大、大腸小、小腸、

十五絡脈穴辨　　節要

十五絡脈者。十二經之別絡而相通焉者也。其餘三絡。為任督二脈之絡。脾之大絡。總統陰陽諸絡。灌溉於臟腑者也。

難經謂三絡、為陽蹻陰蹻二絡。嘗考之。無穴可指。且二蹻亦非十四經之正也。針灸節要以為任絡曰屏翳。督絡曰長强。誠得十四經發揮之正理。加以脾之大絡曰大包。此合十五絡也。

内經補瀉

帝曰。余聞刺法。有餘者瀉之。不足者補之。岐伯曰。百病之生。皆有虛實。而補瀉行焉。瀉虛補實。神去其室。致邪失正。眞不可定。粗之所敗。謂之天命。補虛瀉實。神歸其室。久塞其空。謂之良工。凡用針者隨而濟之。迎而奪之。虛則實之。滿則瀉之。菀陳則除之。邪盛則虛之。徐而疾則實。疾而徐則虛。言實與虛。若有若無。察後與先。若存若亡。為虛為實。若得若失。虛實之要。九針最妙。補瀉之時。以針為之。瀉曰迎之。必持内之。放而出之。排陽得針。邪氣得泄。按而引針。是謂内溫。血不得散。氣不得出也。補曰隨之。隨之之意。

若忘。若行。若按。如蚊寅止。如留而還。去如絃絶。令左屬右。其氣故止。外門已閉。中氣乃實。必無留血。必取誅之。刺之而氣不至。無問其數。刺之而氣至。乃去之。勿復針。

針有懸布天下者五。一曰、治神、二曰知、養身。三曰知、毒藥。四曰制、砭石、大小。五曰知五臟、血氣之診。五法俱立。各有所先。今末世之刺也。虛者實之。滿者泄之。此皆衆工所共知也。若夫法天則地。隨應而動。和之者若響。隨之者若影。道無鬼神。獨來獨往。帝曰。願聞其道。岐伯曰。凡刺之真。必先治神。五臟已定。九候已備。後乃存針。衆脈不見。衆凶弗聞。外內相得。無以形先。可玩往來。乃施於人。人有虛實。五虛勿近。五實勿遠。至其當發。間不容瞚。手動若務。針耀而勻。靜意視義。觀適之變。是謂冥冥。莫知其形。見其烏烏。見其稷稷。從見其飛。不知其誰。伏如橫弩。起如發機。

刺虛者須其實。刺實者須其虛。經氣已至。慎守勿失。淺深在志。遠近若一。如臨深淵。手如握虎。神無營於衆物。義無邪下。必正其神。○用針之要。易陳而難入。粗守形。上守神。神乎神客在門。未覩其疾。惡知其原。刺之微在遲速。粗守關。上守機。機之動不離空。空中之機。清淨而微。其來不可逢。其往不可追。知機之道者不可掛以髮。不知機道。叩之不發。知其往來。要與之期。粗之闇乎。妙哉工獨有之。往者為逆。來者為順。明知逆順。正行無問。迎而奪之。惡得無虛。隨而濟之。惡得無實。迎之隨之。以意和之。針道畢矣。凡用針者。虛則實之。滿則泄之。菀陳則除之。邪盛則虛之。大要曰。持針之道。堅者為寶。正指直刺。無針左右。神在秋毫。屬意病者。審視血脈。刺之無殆。方刺之時。必在懸陽。及與兩衛。神屬勿去。知病存亡。血脈者在腧横居。視之獨澄。切之獨堅。

刺虛則實之者。針下熱也。氣實乃熱也。滿則泄之者。針下寒也。宛陳則除之者。出惡血也。邪盛則虛之者。出針勿按也。徐而疾則實者。徐出針而疾按之也。疾而徐則虛者。疾出針而徐按之也。言實與虛者。寒溫氣多少也。若有若無者。疾不可知也。察後與先者。知病先後也。若存若亡者。脈時有無也。為虛與實者。工勿失其法也。若得若失者。離其法也。虛實之要。九針最妙者。謂其各有所宜也。補瀉之時者。與氣開闔相合也。九針之名。各不同形者。針窮其所當補瀉也。刺實須其虛者。留針陰氣隆至。乃去針也。刺虛須其實者。陽氣隆至。針下熱乃去針也。經氣已至。慎守勿失者。勿變更也。淺深在志者。知病之內外也。遠近如一者。淺深其候等也。如臨深淵者。不敢墮也。手如握虎者。欲其壯也。神無營於眾物。靜志觀病人。無左右視也。義無邪下者。欲端以正也。必正其神者。欲瞻病人。自制其神。令氣易行也。
所謂易陳者。易言也。難入者。難着於人也。粗守形者。守刺法也。上
守神者。守人之血氣有餘不足可補瀉也。神客者。正邪共會也。
神者。正氣也。客者邪氣也。在門者。邪循正氣之所出入也。未覩其
疾者。先知邪正何經之疾也。惡知其原者。先知何經之病所取
之處也。刺之微在遲速者。徐疾之意也。粗守關者。守四肢而不知
血氣正邪之往來也。上守機者。知守氣也。機之動不離其空者。
知氣之虛實。用針之徐疾也。空中之機清淨而微者。針以得氣。密
意守氣勿失也。其來不可逢者。氣盛不可補也。其往不可追者。
氣虛不可瀉也。不可掛以髮者。言氣易失也。叩之不發者。言不
知補瀉之義。血氣已盡而氣不下也。知其往來者。知氣之逆順
盛虛也。要與之期者。知氣之可取之時也。粗之闇者。冥冥不知氣

之微密也。妙在工獨有之者。盡知針意也。往者為逆者。言氣之虛而小。小者逆也。來者為順者。言形氣之平。平者順也。明知逆順。正行無問者。言知所取之處也。迎而奪之者。瀉也。隨而濟之者。補也。所謂虛則實之者。氣口虛而當補之也。滿則泄之者。氣口盛而當瀉之也。菀陳則除之者。去血脈也。邪勝則虛之者。言諸經有盛者。皆瀉其邪也。徐而疾則實者。言徐內而疾出也。疾而徐則虛者。言疾內而徐出也。言實與虛。若有若無者。言實者有氣。虛者無氣也。察得與失。若存若亡者。言氣之虛實。補瀉之先後。察其氣之已下與常存也。為虛與實。若得若失者。言補者佖然若有得也。瀉者怳然若有失也。是故工之用針也。知氣之所在。而守其門戶。明於調氣。補瀉所在。徐疾之義。所取之處。瀉必用圓。切而轉之。其氣乃行。疾而徐出。邪氣乃出。伸而逆之。搖大其穴。氣出乃疾。補必用方。外引其皮。令當其門。左引其樞。右推其膚。微旋而徐推之。必端以正。安以靜。堅心無解。欲微以留氣。而疾出之。推其皮。蓋其外門。神氣乃存。用針之要。無忘其神。○瀉必用方者。以氣方盛也。以月方滿也。以日方溫也。以身方定也。以息方吸而內針。乃復候其方吸而轉針。乃復候其方呼而徐引針。故曰瀉。補必用圓者。圓者行也。行者移也。刺必中其榮。復以吸排針也。故圓與方非刺也。○瀉實者。氣盛乃內針。針與氣俱內。以開其門。如利其戶。針與氣俱出。精氣不傷。邪氣乃下。外門不閉。以出其實。搖大其道。如利其路。是謂大瀉。必切而出。大氣乃屈。持針勿置。以定其意。候呼內針。氣出針入。針孔四塞。精無從出。方實而疾出針。氣入針出。熱不得還。閉塞其門。邪氣布散。精氣乃得存。動氣候時。近氣不失。遠氣乃來。是謂追之。

補者必然若有得也
瀉者恍然若有失也

內經

吸則內針。無令氣忤。靜以久留。無令邪布。吸則轉針。以得氣為故。候呼引針。呼盡乃出。大氣皆出。故命曰瀉。捫而循之。切而散之。推而按之。彈而努之。爪而下之。通而取之。外引其門。以閉其神。呼盡內針。靜以久留。以氣至為故。如待所貴。不知日暮。其氣已至。適而自護。候吸引針。氣不得出。各在所處。推闔其門。令神氣存。大氣留止。故命曰補。○補瀉勿失。與天地一。經氣已止。慎守勿失。淺深在志。遠近如一。如臨深淵。手如握虎。神無營於衆物。持針之道。欲端以正。安以靜。先知虛實。而行疾徐。左手執骨。右手循之。無與肉裹。瀉欲端以正。補必閉膚。輔針導氣。邪得淫泆。真氣得居。帝曰。扞皮開腠理奈何。岐伯曰。因其分肉。左別其膚。微內而徐端之。適神不散。邪氣得出。○知其氣所在。先得其道。稀而疏之。稍深以留。故能徐入之。大熱在上。推而下之。上者引而去之。視先痛者。常先取之。大寒在外。留而補之。入於中者。從合瀉之。上氣不足。推而揚之。下氣不足。積而從之。寒入於中。推而行之。

夫實者、氣入也。虛者、氣出也。氣實者、熱也。氣虛者、寒也。入實者左手開針孔也。入虛者、右手閉針孔也。

形氣不足。病氣有餘。是邪勝也。急瀉之。形氣有餘。病氣不足。急補之。形氣不足。病氣不足。此陰陽俱不足也。不可刺。刺之則重不足。不足則陰陽俱竭。血氣皆盡。五臟空虛。筋骨髓枯。老者絕滅。壯者不復矣。形氣有餘。病氣有餘。此謂陰陽俱有餘也。急瀉其邪。調其虛實。故曰有餘者瀉之。不足者補之。此之謂也。故曰、刺不知逆順真邪相搏。滿而補之。則陰陽四溢。腸胃充郭。肝肺內䐜。陰陽相錯。虛而瀉之。則經絡空虛。血氣枯竭。腸胃懾辟。皮膚薄著。毛腠夭焦。予之死期。䐜音嗔凡用針之類。在於調氣。氣積於胃。以通營衛。各行其道。宗氣留於海。其下者經於氣衝。其直者走於息道。故厥在於足。宗氣不下。脉中之血。流而不止。弗之大調。弗能取之。○散氣可收。聚氣可布。深居靜處。占神往來。閉戶塞牖。魂魄不散。專意一神。精氣之分。毋聞人聲。以收其精。必一其神。令志在針。淺而留之。微而浮之。以移其神。氣至乃休。男內女外。堅拒勿出。謹守勿內。是謂得氣。○刺之而氣不至。無問其數。刺之而氣至。乃去之。勿復針。針各有所宜。各不同形。各任其所為。刺之要。氣至而有效。效之信。若風之吹雲。明乎若見蒼天。刺之道畢矣。

用針者。必先察其經絡之虛實。切而循之。按而彈之。視其應動者。乃復取之而下之。六經調者。謂之不病。雖病謂之自已。一經上虛下虛而不通者。此必有橫絡盛加於大經。令之不通。視而瀉之。

此所謂解結也。上寒下熱。先刺其項。太陽久留之。已刺即熨項與乃胛。令熱下合乃止。此所謂推而上之者也。上熱下寒。視其脈虛而陷下於經者取之。氣下乃止。此所謂引而下之者也。大熱徧身。狂而妄見妄聞妄語。視足陽明及大絡取之。虛者補之。血而實者瀉之。因其偃臥。居其頭前。以兩手四指挾按頭動脈。久持之。捲而切推。下至缺盆中而復止。如前熱去乃至。此所謂推而散之者也。

帝曰。余聞刺法言曰。有餘者瀉之。不足者補之。何謂有餘。何謂不足。岐伯曰。有餘有五。不足亦有五。帝欲何問。帝曰。願盡聞之。岐伯曰。神有有餘有不足。氣有有餘有不足。血有有餘有不足。形有有餘有不足。志有有餘有不足。凡此十者其氣不等也。帝曰。人有精氣津液。四肢、九竅、五臟、十六部。三百六十五節。乃生百病。百病之生。皆有虛實。今夫子乃言有餘有五。不足亦有五。何以生之乎。岐伯曰。皆生於五臟也。夫心臟神。肺臟氣。肝臟血。脾臟肉。腎臟志。而此成形。志意通。內連骨髓。而成形五臟。五臟之道。皆出於經隧以行血氣。血氣不和。百病乃變化而生。是故守經隧焉。帝曰。神有餘不足何如。岐伯曰。神有餘則笑不休。神不足則悲。血氣未并。五臟安定。邪客於形。洒淅起於毫毛。未入於經絡也。故命曰神之微。帝曰補瀉奈何。岐伯曰。神有餘則瀉其小絡之穴出血。勿之深斥。無中其大經。神氣乃平。神不足者視其虛絡按而致之。刺而利之。無出其穴。無泄其氣。以通其經。神氣乃平。帝曰。刺微奈何。岐伯曰。按摩勿釋。着針勿斥。移氣於不足。神氣乃得復。帝曰。氣有餘不足奈何。岐伯曰。氣有餘則喘嗽上氣。不足則息利少氣。血氣未并。五臟安定。皮膚微病。命曰白氣微泄。帝曰補瀉奈何。岐伯曰。氣有餘則瀉其經隧。無傷其經。無出其血。無泄其氣。不足則補其經隧。無出其氣。帝曰。刺微奈何。岐伯曰。按摩勿釋。出針視之。曰我將深之。適人必革。精氣自伏。邪氣散亂。無所休息。氣泄腠理。真氣乃相得。帝曰。血有餘不足奈何。岐伯曰。血有餘則怒。不足則恐。血氣未并。五臟安定。經絡水溢。則經有留血。帝曰。補瀉奈何。岐伯曰。血有餘則瀉其盛經。出其血。不足則補其虛經。內針其脈中。久留而視脈大。疾出其針。無令血泄。帝曰。刺留血奈何。岐伯曰。視其血絡。刺出其血。無令惡血得入於經。以成其疾。帝曰。形有餘不足奈何。岐伯曰。形有餘則腹脹涇溲不利。不足則四肢不用。血氣未并。五臟安定。肌肉蠕動。命曰微風。帝曰。補瀉奈何。岐伯曰。形有餘則瀉其陽經。不足則補其陽絡。帝曰。刺微奈何。岐伯曰。取分肉間。無中其經。無傷其絡。衛氣得復。邪氣乃索。帝曰。志有餘不足奈何。岐伯曰。志有餘則腹脹飧泄。不足則厥。血氣未并。五臟安定骨節有動。帝曰。補瀉奈何。岐伯曰。志有餘則瀉。然骨之前出血。不足則補其復溜。帝曰。刺未并奈何。岐伯曰。即取之無中其經。邪乃立虛。○血清氣滑。疾瀉之則氣易竭。血濁氣濇。疾瀉之則經可通○蠕音然

難經補瀉。

經言虛者補之。實者瀉之。不虛不實。以經取之。何謂也。然虛者補其母。實者瀉其子。 先補之。然後瀉之。不虛不實。以經取之者。是正經自生病。不中他邪也。當自取其經。故言以經取之。

經言春夏刺淺。秋冬刺深者。何謂也。然春夏者陽氣在上。人氣亦在上。故當淺取之。秋冬者。陽氣在下。人氣亦在下。故當深刺之。

春夏各致一陰。秋冬各致一陽者。何謂也。然春夏溫必致一陰

者。初下針沉之至腎肝之部。得氣引持之。陰也。秋冬寒。必致一陽者。初内針淺而浮之。至心肺之部。得氣推内之。陽也是謂春夏必致一陰。秋冬必致一陽。

經言刺榮無傷衛。刺衛無傷榮。何謂也。然刺陽者。卧針而刺之。刺陰者。先以左手攝按所針榮俞之處。氣散乃内針。是謂刺榮無傷衛。刺衛無傷榮也。

經言能知迎隨之氣。可令調之。調氣之方。必在陰陽。何謂也。然所謂迎隨者。知榮衛之流行。經絡之往來。隨其逆順而取之。故曰迎隨。調氣之方。必在陰陽者。知其内外表裏。隨其陰陽而調之。故曰調氣之方。必在陰陽。

諸井者。肌肉淺薄氣少不足使也。刺之奈何。然諸井者木也。榮者火也。火者木之子。當刺井者。以榮瀉之。故經言補者不可以為瀉。

瀉者不可以為補。此之謂也。

經言東方實。西方虛。瀉南方。補北方。何謂也。然金木水火土。當更相平。東方木也。西方金也。木欲實。金當平之。火欲實。水當平之。土欲實。木當平之。金欲實。火當平之。水欲實。土當平之。東方肝也。則知肝實。西方肺也。則知肺虛。瀉南方火。補北方水。南方火。火者木之子也。北方水。水者木之母也。水勝火。子能令母實。母能令子虛。故瀉火補水。欲令金不得平木也。經言不能治其虛。何問其餘。此之謂也。

金不得不字疑衍。謂瀉火以抑木。補水以濟金。欲令金得平木。一云瀉火補水。而旁治之。不得徑以金平木。

火者木之子。子能令母實。謂子有餘。則不食於母。令瀉南方者。奪子之氣。使之食其母也。金者水之母。母能令子虛。謂母不足。則不能蔭其子。謂母不足。則不能蔭其子。今補北方者。益子之氣。則不至食其母也。此與八十一難。義正相發。其曰不能治其虛。安問其餘。則隱然實實虛虛之意也。

補水瀉火之圖

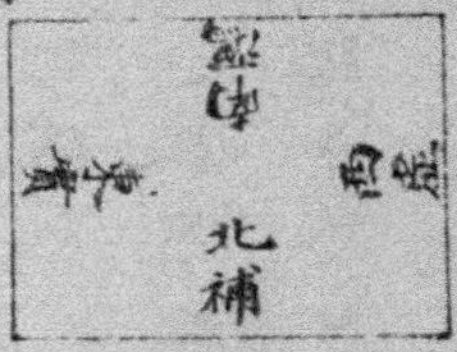

經言上工治未病。中工治已病。何謂也然所謂治未病者。無令得受肝之邪。故曰治未病焉。中工見肝病。不曉相傳。但一心治肝。故曰治已病也。

五臟傳病之圖

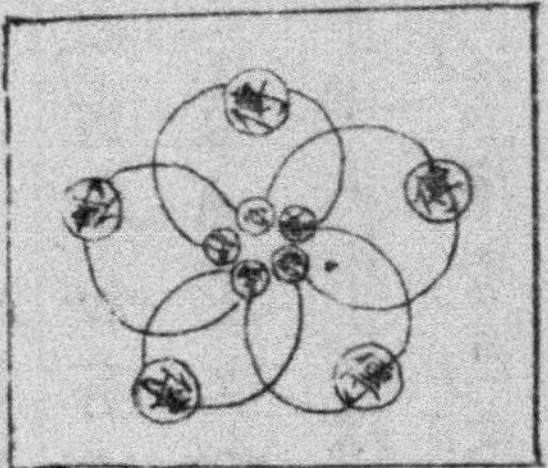

心病傳肺。肺傳肝。肝傳脾。脾傳腎。腎傳心。復傳肺。七傳者死。謂傳其所勝也。

心病傳脾。脾傳肺。肺傳腎。腎傳肝。肝傳心。間臟者生。謂傳其子也。

何謂補瀉。當補之時。何所取氣。當瀉之時。何所置氣。然當補之時。從衛取氣。當瀉之時。從榮置氣。其陽氣不足。陰氣有餘。當先補其陽而後瀉其陰。陰氣不足。陽氣有餘。當先補其陰而後瀉其陽。榮衛通行。此其要也。

針有補瀉。何謂也。然補瀉之法。非必呼吸出內針也。知為針者信者信其左。不知為針者信其右。當刺之時。先以左手壓按所針滎俞之處。彈而努之。爪而下之。其氣之來。如動脉之狀。順針而刺之。得氣推而内之。是謂補。動而伸之。是謂瀉。不得氣。乃與男外女内。不得氣。是謂十死不治也。

信其左。謂善針者信用左手。不知針法者自左手起也。

經言迎而奪之。惡得無虛。隨而濟之。惡得無實。虛之與實。若得若失。實之與虛。若有若無。何謂也。然迎而奪之者。瀉其子也。隨而濟之者。補其母也。假令心病。瀉手心主俞。是謂迎而奪之者也。補手心主井。是謂隨而濟之者也。所謂實之與虛者。牢濡之意也。氣來實牢者為得。濡虛者為失。故曰。若得若失也。

經言有見如入。有見如出者。何謂也。然所謂有見如入者。謂左手見氣來至乃内針。針入見氣盡乃出針。是謂有見如入。有見如出也。

經言無實實虛虛。損不足而益有餘。是寸口脈耶。將病自有虛實耶。其損益奈何。然是病。非謂寸口脈也。謂病自由虛實也。假令肝實而肺虛。肝者木也。肺者金也。金木當更相平。當知金木平。假令肺實而肝虛。微少氣。用針不補其肝。而反重實其肺。故曰實實虛虛。損不足而益有餘。此者中工之所害也。

策問　楊氏

問人之一身。猶之天地。天地之氣。不能以恆順。而必待於範圍之功人身之氣。不能以恆平。而必待於調攝之技。故其致病也。既有不同。而其治之亦不容一律。故藥與針灸。不可缺一者也。然針灸之法。昔之專門者。故各有方書。若素問、針灸圖。千金方。外臺秘要。

與夫補瀉灸刺諸法以示來世矣。其果何者而為之原歟。亦豈
無得失去取於其間歟。諸生以是名家者請詳言之。

對曰。天地之道。陰陽而已矣。夫人之身。亦陰陽而已矣。陰陽者。造
化之樞紐。人類之根柢也。惟陰陽得其理則氣和。氣和則形亦以
之和矣。如其拂而疾焉。則贊助調攝之功。自不容已矣。否則在造
化不能為天地立心。而化工以之而息。在夫人不能為生民立命。
而何臻壽考無彊之休哉。此固聖人贊化育之一端也。何可以醫
家者流而小之邪。愚嘗觀之易曰。大哉乾元。萬物資始。至哉坤
元。萬物資生。是一元之氣流行於天地之間。一闔一闢。往來不窮。
行而為陰陽。布而為五行。流而為四時。而萬物由之以化生。此則
天地顯仁藏用之常。固無庸以贊助為也。然陰陽之施化。不能以
無愆。而雨暘寒暑。不能以時若。則範圍之功。不能無待於聖人也。

故易曰。后以裁成天地之道。輔相天地之宜。以左右民。此其所以人無夭札物無疵厲。而以之收立命之功矣。然而吾人同德天地之理以為理。同得天地之氣以為氣。則其元氣流行於一身之間無異於一元之氣流行於天地之間也。夫何喜怒哀樂心思嗜慾之汨於中。寒暑風雨溫涼燥濕之侵於外。於是有疾在腠理者焉。有疾在血脈者焉。有疾在腸胃者焉。然而疾在腸胃。非藥餌不能以濟。在血脈非針刺不能以及。在腠理非熨焫不能以達。是針灸藥者醫家之不可缺一者也。夫何諸家之術惟以藥。而於針灸則併而棄之。斯何以保其元氣。以收聖人壽民之仁心哉。然是針與灸也。亦未易言也。孟子曰。離婁之明。不以規矩不能成方員。師曠之聰。不以六律不能正五音。若今之方書。固離婁之規矩。師曠之六律也。故不遡其原。則無以得古人之立法之意。不窮其流。則何以

和五气顺荣卫周流循环而无壅埋血脉畅方能一气流行而痛痹之患矣

知後世變法之弊。今以古人方書言之。有素問難經焉。有靈樞銅人圖焉。有千金方有外臺秘要焉。有金蘭循經。有針灸雜集焉。然靈樞之圖。或議其太繁而雜。於金蘭循經。或嫌其太簡而略。於千金方或詆其不盡傷寒之數。於外臺秘要或議其為醫子蔽。於針灸雜集或論其外盡針灸之妙。溯而言之。則惟素難為最要。益素難者。醫家之鼻祖。濟生之心法。垂之萬世而無弊者也。夫既由素難以遡其原。又由諸家以窮其流。探脈絡。索營衛。診表裏。虛則補之。實則瀉之。熱則凉之。寒則温之。或通其氣血。或維其真元。以律天時。則春夏刺淺。秋冬刺深也。以襲水土。則濕致高原。熱處風涼也。以取諸人。肥則刺深。瘦則刺淺也。又由是而施之。以動搖進退。搓彈攝按之法。示之。以喜怒憂懼思勞醉飽之忌。窮之以井滎俞經合之源。究之以主客標本之道。迎隨開闔之機。夫然後陰陽和。五氣順。榮衛固。脈絡綏。而凡腠理血脈。四體百骸。一氣流行。而無壅滯痿痺之患矣。不猶聖人之裁成輔相。而一元之氣周流於天地之間乎。先儒曰。吾之心正。則天地之心亦正。吾之氣順。則天地之氣亦順。此固贊育之極功也。而愚於醫之灸刺也亦云。

問灸穴須按經取穴。其氣易達而其病易除。然人身三百六十五絡。皆歸於頭。頭可多灸歟。灸良已。間有不發者。當用何決發之。

嘗謂穴之在人身也。有不一之名。而灸之在吾人也。有至一之會。蓋不知其名。則含謬無措。無以得其周身之理。不觀其會。則散漫靡要。何以達其貫通之原。故名也者。所以盡乎周身之穴也。固不失之太繁。會也者。所以貫乎周身之穴也。亦不失之太簡。人而知乎此焉。則執簡可以御繁。觀會可以得要。而按經治疾之餘。尚何疾之有不愈。而不足以仁壽斯民也哉。執事之發策。而以求穴在呼按經。首陽不可多灸。及所以發灸之術。下詢承學。是誠究心於民瘼者。愚雖不敏。敢不攄述所聞以對。嘗觀古人一身之氣。周流於百骸之間。而統之則有其宗。猶化工一元之氣。磅礴於乾坤之內。而會之則有其要。故仰觀於天其星辰之奠麗不知其幾也。而求其要。則惟以七宿為經。二十四曜為緯。俯察於地其山川之流峙不知其幾也。而求其要。則惟以五嶽為宗。四瀆為委。而其他咸弗之求也。天地且然。而況人之一身。內而五臟六腑。外而四體百形。表裏相應。脈絡相通。其所以生息不窮。而肖形於天地者。寧無所綱維統紀於其間耶。故三百六十五絡。所以言其煩也。而非要也。十二經穴。所以言其法也。而非會也。總而會之。則人身之氣有陰陽。而陰陽之運有經絡。循其經而挍之則氣有連屬而穴無不正。疾無不除。譬之庖丁解牛。會則其奏通則其虛。無假斤斵之勞。而頃刻無全牛焉何也。彼固得其要也。故不得其要。雖取穴之多。亦無以濟人。苟得其要。則雖會通之簡。亦足以成功。惟在善灸者加之意焉耳。自今觀之。如灸風而取諸風池百會。灸勞而取諸膏肓百勞。灸氣而取諸氣海。灸水而取諸水分。欲去腹中之病。則灸三里。欲治頭目之疾。則灸合谷。欲愈腰腿。則取環跳風市。欲拯手臂。則取肩顒曲池。其他病以八脉。治以疾異。所以得之心而應之手者。罔不昭然有經絡焉。而得之則為良醫。失之則為粗工。凡以辨諸此也。至於首為諸陽之會。百脈之宗。人之受病固多。而吾之施灸宜别。若不察其機而多灸之。其能免夫頭目旋眩。還視不明之咎乎。不審其地而併灸之。其能免夫氣血滯絕。肌肉單薄之忌乎。是百脈之皆歸於頭。而頭之不可多灸。尤按經取穴者之所當究心也。若夫灸之宜發。或發之有速而有遲。固雖係於人之强弱不同。而吾所以治之者可不為之所耶。觀東垣灸三里七壯不發。而復灸以五壯即發。秋夫灸中脘九壯不發。而漬以露水。熨以熱履。熯以赤葱。即萬無不發之理。此其見之圖經玉樞諸書。益班班具載。可考而知者。吾能按經以求其原。而又多方以致其發。自無患乎氣之不達。疾之不瘳。而於灼艾之理斯過半矣。抑愚又有説焉。按經者法也。而所以神明之者心也。蘇子有言。一人飲食起居。無異於常人。而慨然不樂。問其所苦。且不能自言。此庸醫之所謂無足憂。而扁鵲倉公之所望而驚焉者也。彼驚之者何也。病無顯情。而心有默識。誠非常人思慮所能測者。今之人徒曰 吾能按經。吾能取穴。而不於心焉求之。譬諸刻舟而求劍。膠柱而鼓瑟。其療人之所不能療者。吾見亦罕矣。然而善灸者奈何。靜養以虛此心。觀變以運此病。旁求博采以擴此心。使吾心與造化相通。而於病之隱微。昭然無遁情焉。則由是而求孔穴之開闔。由是而察氣候之疾徐。由是而明呼吸補瀉之宜。由是而達迎隨出入之機。由是而酌從衛取氣。從榮置氣之要。不將從手應心。得魚兔而忘筌蹄也哉。此又岐黃之秘術。所謂百尺竿頭進一步者。不識執事以為何如。

問九針之法始於岐伯。其數必有取矣。而灸法獨無數焉。乃至定穴均一審慎。所謂奇穴。又皆不可不知也。試言以考術業之專工。

嘗謂針灸之療疾也。有數有法。而惟精於數法之原者。斯足以窺先聖之心。聖人之定穴也。有奇有正。而惟通於奇正之外者。斯足以神濟世之術。何也。法者針灸所立之規。而數也者。所以紀其法。以運用於不窮者也。穴者、針灸所定之方。而奇也者、所以翼夫正。以旁通於不測者也。數法肇於聖人。固精蘊之所寓。而定穴兼夫邪正。尤智巧之所存。善業醫者。果能因法以詳其數。緣正以通其奇。而於聖人之心學之要。所以默蘊於數法奇正之中者。又皆神而明之焉。尚何術之有不精。而不足以康濟斯民也哉。

執事發策。而於針灸之數法奇穴。下詢承學。蓋以術業之專工者望諸生也。而愚豈其人哉。雖然。一介之士。苟存心於愛物。於人必有所濟。愚固非工於醫業者。而一念濟物之心。物惓惓焉。竊以明問所及。敢無一言以對。夫針灸之法。果何所昉乎。粵稽上古之民。太朴未散。元醇未漓。與草木蓁蓁然。與鹿豕狉狉然。方將相忽於渾噩之天。而何有於疾。又何有於針灸之施乎。自羲農以還。人漸流於不古。而朴者散。醕者漓。內爲傷於七情之動。外爲感於六氣之侵。而眾疾胥於是乎交作矣。岐伯氏有憂之。於是量其虛實。視其寒溫。酌其補瀉。而制之以針刺之法焉。繼之以灸火之方焉。至於定穴。則即正穴之外。又益之以奇穴焉。非故爲此紛紛也。民之受疾不同。故所施之術或異。而要之非得已也。勢也。勢之所趨。雖聖人亦不能不爲之所也已。然針固有法矣。而數必取乎九者何也。蓋天地之數。陽主生。陰主殺。而九爲老陽之數。則期以生人。而不至於殺人者。固聖人取數之意也。今以九針言之。熛熱侵頭身。則法乎天以爲鑱針。頭大而末銳焉。氣滿於肉分。則法乎地。以爲圓針。身圓而末如卵形而末鋒焉。鋒如黍米之銳者爲鍉針。主按脈取氣法乎人。刃有三隅之象者爲鋒針。主瀉導癰血。

法四時也。鈹針以法音。而末如劍鋒者。非所以破癰膿乎。利針以法律。而尖似毫毛者。非所以調陰陽乎。法乎星則為毫針。尖如蚊蚋。可以和經絡。却諸疾也。法乎風則為長針。形體鋒利。可以去深邪。療痺痿也。至於燔針之刺。則其尖如挺。而所以主取大氣不出關節者。要亦取法於野而已矣。所謂九針之數。此非其可考者耶。然灸亦有法矣。而獨不詳其數者何也。蓋人之肌膚有厚薄。有淺深。而火不可以槩施。則隨時變化。而不泥於成數者。固聖人望人之心也。今以灸法言之。有手太陰之少商焉。灸不可過多。多則不免有肌肉單薄之忌。有足厥陰之章門焉。灸不可不及。不及則不免有氣血壅滯之嫌。至於任之承漿也。督之脊中也。手之少冲。足之湧泉也。是皆有之少商焉。而灸之過多。則致傷矣。脊背之膏肓也。腹中之中脘也。足之三里。手之曲池也。是針術之專門也。而灸之愈多則愈善矣。所謂灸法之數。此非其彷彿者耶、夫有針灸則必有會數法之全。有數法則必有所定之穴。而奇穴者。則又旁通於正穴之外。以隨時療症者也。而其數維何。吾嘗考之圖經。而知其七十有九焉。以鼻孔則有迎香。以鼻柱則有鼻準。以耳上則有耳尖。以舌下則有金津玉液。以眉間則有魚腰。以眉後則有太陽。以手大指則有骨空。以手中指則有中魁。至於八邪、八風之穴。十宣五虎之處。二白、肘尖、獨陰、囊底、鬼眼、髖骨、四縫、中泉、四關、凡此皆奇穴之所在。而九針之所刺者。刺以此也。灸法之所施者。施以此也。苟能即此以審慎之。而臨症定穴之餘。有不各得其當者乎。雖然此皆迹也。而非所論於數法奇正之外也。聖人之情。因數以示。而非數之所能拘。因法以顯。而非法之所能泥。用定穴以垂教。而非奇正之所能盡。神而明之。亦存乎其人焉耳。故善業醫者。苟能旁通其數法之源。冥會其奇正之奧。時可以針而針。時可以灸而灸。時可以補而補。時可以瀉而瀉。或針灸可並舉則並舉之。或補瀉可並行則並行之。治法因乎人。不因乎數。變通隨乎症。不隨乎法。定穴主乎心。不主乎奇正之陳迹。譬如老將用兵。運籌攻守。坐作進退。皆用一心之神以為之。而凡烏占雲祲。金版六韜之書。其所具載方略。咸有所不拘焉。則兵惟不動。動必克敵。醫惟不施。施必療疾。如是雖謂之無法可也。無數可也。無奇無正亦可也。而有不足以稱神醫於天下也哉。管見如斯。惟執事進而教之。

問病有先寒後熱。有先熱後寒者。然病固有不同。而針刺之法。其亦有異乎。試請言之。

對曰。病之在夫人也。有寒熱先後之殊。而治之在吾人也。有同異後先之辨。蓋不究夫寒熱之先後。則謬焉無措。而何以得其受病之源。不知同異之後先。則漫焉無要。而何以達其因病之治。此寒熱之症。得之有後先者。感於不正之氣。而適投於腠理之中。治寒熱之症。得之有後先者。乘其所致之由。而隨加以補瀉之法。此則以寒不失之慘。以熱則不過於灼。而疾以之而愈矣。是於人也。寧有不濟矣乎。請以一得之愚。以對揚

明問之萬一何如。蓋嘗求夫人物之所以生也。本之於太極。分之為二氣。其靜而陰也。而復有陽以藏於其中。其動而陽也。而復有陰以根於其內。惟陰而根乎陽也。則往來不窮。而化生有體。惟陽而根乎陰也。則顯藏有本。而化生有用。然而氣之運行也。不能無愆和之異。而人之罹之也。不能無寒熱之殊。是故有先寒後熱者。有先熱後寒者。是陽隱於陰也。苟徒以陰治之。則偏於陰。而熱以

之益熾矣。其先熱後寒者。是陰隱於陽也。使一以陽治之。則偏於陽。而寒以之益慘矣。夫熱而益熾。則變而為三陽之症。未可知也。夫寒而益慘。則傳而為三陰之症。未可知也。而治之法當何如哉。吾嘗攷之圖經。受之父師。而先寒後熱者。須施以陽中隱陰之法焉。於用針之時。先入五分。使行九陽之數。如覺稍熱。更進針令入一寸。方行六陰之數。以得氣為應。夫如是則先寒後熱之病可除矣。其先熱後寒者。用以陰中隱陽之法焉。於用針之時。先入一寸。使行六陰之數。如覺微涼。即退針漸出五分。卻行九陽之數。亦以得氣為應。夫如是則先熱後寒之疾瘳矣。夫曰先曰後者。而所中有榮有衛之殊。曰寒曰熱者。而所感有陽經陰經之異。使先熱後寒者。不行陰中隱陽之法。則失夫病之由來矣。是何以得其先後之宜乎。如先寒後熱者。不行陽中隱陰之法。則不達夫疾

中興石印

迎隨

之所致矣。其何以得夫化裁之妙乎。抑論寒熱之原。非天之傷人。乃人之自傷耳。經曰、邪之所湊。其氣必虛。盲人之蕩真於情竇也。而真者危。衆志於外華也。而淳者漓。眭心於物華也。而萃者渙。汩情於食色也。而完者缺。勞神於形役也。而堅者瑕。元陽喪。正氣亡。寒熱之毒。乘虛而襲。苟養靈泉於山下。出泉之府。契、妙道於日落萬川之中。嗜慾淡而天機深。太極自然之體立矣。寒熱之毒氣雖感。將無隙之可投也。譬如牆壁固。賊人烏得而肆其虐哉。故先賢有言曰。夫人與其治病於已病之後。孰若治病於未病之先。其寒熱之謂歟。

問經脈有奇經八脈　設為問答　楊氏

難經云。脈有奇經者。不拘於十二經。何謂也。然有陽維、有陰維、有陽蹻、有陰蹻、有衝、有任、有督、有帶之脈。凡此八脈。皆不拘於經。

故曰奇經八脈也。經有十二。絡有十五。凡二十七。氣相隨上下。何獨不拘於經也。然聖人圖設溝渠。通利水道。以備不然。天雨降下。溝渠溢滿。當此之時。雱霈妄行。聖人不能復圖也。此絡脈滿溢。諸經不能復拘也。

問迎隨之法

經曰。隨而濟之是為補。迎而奪之。是為瀉。夫行針者、當刺之時。用皮錢擦熱針。復以口温針熱。先以左手按其所刺榮俞之穴。彈而努之。爪而下之。捫而循之。通而取之。令病人咳嗽一聲。右手持針而刺之。春夏二十四息。先深後淺。其淺深之故。註標幽賦內。秋冬三十六息。先淺後深。徐徐而入。氣來如動脈之狀。針下輕滑。未得氣者。若魚之來吞鉤。既吞得氣。宜用補瀉。補隨其經脈推而按內之。停針一二時稍久。凡起針、左手閉針穴。

補瀉

徐出針而疾按之。瀉迎其經絡提而動伸之。停針稍久。凡起針、左手開針穴。疾出針而徐按之補針左轉大指努出。瀉針右轉。大指收入。補者先呼後吸。瀉者先吸後呼。疼痛即瀉。痒麻即補。

問補針要法

答曰。補針之法左手重切十字縫紋。右手持針於穴上。次令病人咳嗽一聲。隨咳進針。長呼氣一口。刺入皮三分。針手經絡者、效春夏停二十四息。鍼足經絡者、效秋冬停三十六息催氣針沉。行九陽之數。撚九撅九。號曰、天才。少停。呼氣二口。徐徐刺入肉三分如前息數足。又覺針沉緊。以生數行之。號曰人才。少停。呼氣三口。徐徐又揷至筋骨之間三分。又如前息數足。復覺針下沈澁。再以生數行之。號曰地才。再推進一豆。謂之按、為截、為隨也。此為極處。靜以久留。却須退針至人部。又待氣沉緊時。轉針頭向病所。

人留仍推出
新待針沉緊
復至轉針氣
向病所自覺
針下冷吸吸
麻病勢各退
針下微鬆提針
豆許搖而停之
吸之乃去徐入
急出其穴不閉

自覺針下熱。虛羸癢麻。病勢各散。針下微沉。後轉針向上插進一豆許。動而停之。吸之乃去。疾入徐出。其穴急捫之。岐伯曰。下針貴遲。太急傷血。出針貴緩。太急傷氣。正謂針之不傷於榮衛也。是則進退往來。飛經走氣。盡於斯矣。

問瀉針要法

凡瀉針之法。左手重切十字縫紋三次。右手持針於穴上。次令病人咳嗽一聲。隨咳進針。插入三分。刺入天部。少停直入地部。提退一豆。得氣沉緊。搓撚不動。如前息數足。行六陰之數。撚六搬六。吸氣三口。回針提出至人部。號曰地才。又待氣至鍼沉。如前息數足。以成數行之。吸氣二口。回針提出至天部。號曰人才。又待氣至針沉。如前息數足。以成數行之。吸氣回針。提出至皮間。號曰天才。退針一豆。謂之提。為担、為迎也。此為極處。靜以久留。仍推進人部。待針沉緊氣至。轉針頭向病所。自覺針下冷。寒熱痛疼。病勢各退。針下微鬆。提針一豆許。搖而停之。呼之乃去。徐入疾出。其穴不閉也。

問經絡

答曰。經脈十二。絡脈十五。外布一身。為血脈之道路也。其源內根於腎。乃生命之本也。根在內而布散於外。猶樹木之有根本。若傷其根本。則枝葉亦病矣。苟邪氣自外侵之。傷其枝葉。則亦累其根本矣。故言五臟之道。皆出經隧。以行氣血。經為正經。絡為支絡。血氣不和。百病乃生。但一經精氣不足。便不和矣。故經曰。邪中於陽。則溜於經。自面與頸則下陽明。自項與背。則下太陽。自頰與脇則下少陽。邪中於陰。則溜於府。自四末臂䯒始。而入三陰。臟氣實而不能容。故還之於腑。腑者。謂膽、胃、膀胱、大小腸也。故刺各有其道焉。針下察其邪正虛實。以補瀉之。隨其經絡榮衛。以迎隨之。其道皆不有違也。凡中外之病。始自皮膚血脈。相傳內連腑臟。則四肢九竅壅塞不通。內因之病。令氣盛衰。外連經絡。則榮衛傾移。上下左右。虛實生矣。經云、風寒傷形。憂恐忿怒傷氣。氣傷臟。乃病臟。寒傷形。乃病形。風傷筋。乃病筋。此形氣內外之相應也。

問子午補瀉

答曰、此乃宣行榮衛之法也。故左轉從子。能外行諸陽。右轉從午。能內行諸陰。人身則陽氣受於四末。陰氣受於五臟。亦外陽而內陰也。左轉從外則象天。右轉從內則象地。中提從中則象人。一左一右一提。則能使陰陽內外之氣。出入與上下相參往來。而榮衛自流通矣。男子生於寅。寅、陽也。以陽為主。故左轉順陽為之補。右轉逆陽為之瀉。女子生於申。申陰也以陰為主。故右轉順陰為之補。左轉逆陰為之瀉。此常法也。然病有陰陽寒熱之不同。則轉針取用出入當適所宜。假令病熱。則刺陽之經。以右為瀉。以左為補病寒則刺陰之經。以右為補。以左為瀉。此蓋用陰和陽。用陽和陰。通變之法也。大凡轉針順逆之道。當明於斯。子、合穴。尺盛補之順其入也。午、榮穴。寸盛瀉之順其出也。

問鍼頭補瀉何如

答曰。此補瀉之常法也。非呼吸而在手指。當刺之時。必先以左手壓按其所針榮俞之處。彈而努之。爪而下之。其氣之來。如動脈之狀。順針而刺之。得氣推而內之。是謂補。動而伸之。是謂瀉。夫實者。氣入也。虛者。氣出也。以陽生於外故入。陰生於內故出。此乃陰陽水火出入之氣所不同也。宜詳察之。此外有補針導氣之法。所謂捫而循之者。是於所刺經絡部分上下循之。故令氣血舒緩。易得往來也。切而散之者。是用大指爪甲左右於穴切之。腠理開舒。然後針也。推而按之者。是用右指撚針按住。近氣不失。則遠氣乃來也。彈而努之者。是用指甲彈針。令脈氣填滿。而得疾行至於病所也。爪而下之。是用左手指爪連甲按定針穴。乃使氣散而刺榮。使血散而刺衛。則置針各有準也。通而取之者。是持針進退。或轉或停。以使血氣往來。遠近相通。而後病可取也。外引其門。以閉其神者。是先用左指收合針孔。乃放針。則經氣不泄也。故曰。知為針者信其左。不知為針者信其右也。

問候氣之法若何

答曰。用針之法。候氣為先。須用左指按其穴門。心無內慕。如待貴人。伏如橫弩。起若發機。若氣不至。或雖至如慢。然後轉針取之。轉針之法。令患人吸氣。先左轉針。不至。左右一提也。更不至者。用男内女外之法。男即輕手按穴。謹守勿内。女即重守按穴。堅拒勿出。所以然者。持針居内是陰部。持針居外是陽部。淺深不同。左手按穴是要分明。只以得氣為度。如此而終不至者。不可治也。若針下氣至。當察其邪正。分其虛實。經言邪氣來者緊而疾。穀氣來者徐而和。但濡虛者即是虛。但牢實者即是實。此其訣也。

問呼吸之理。

答曰。此乃調和陰陽法也。故經言呼者因陽出。吸者隨陰入。雖此呼吸分陰陽。實由一氣而為體。其氣内歷於五臟。外隨於三焦。周布一身。循環經絡。流注孔穴。順其氣之方圓然後為用不同耳。是故五臟之出入。以應四時。三焦之升降。而為榮衛。經脈之循環。以合天度。然則呼吸出入。乃造化之樞紐。人身之關鍵。針家所必用也。諸陽淺在經絡。諸陰深在臟腑。補瀉皆取呼吸。出內其針。蓋呼則出其氣。吸則入其氣。欲補之時。氣出針入。氣入針出。欲瀉之時氣入入針。氣出出針。呼而不過三口。是外隨三焦之陽。吸而不過五口。是內迎五臟之陰。先呼而後吸者。為陽中之陰。先吸而後呼者。為陰中之陽。乃各隨其病陰陽寒熱而用之。是為活法。不可誤用也。

問隨迎之理何如。

答曰、此乃針下予奪之機也。第一要知榮衛之流行。所謂諸陽之經。行於脈外。諸陽之絡。行於脈內。諸陰之經。行於脈內。諸陰之絡。行於脈外。各有淺深。立針以一分為榮。二分為衛。交互停針。以候其氣。見氣方至。速便退針引之。即是迎。見氣已過。然後進針追之。即是隨。故刺法云、動退空歇迎奪右而瀉涼。推内進搓隨濟左而補煖。第二要知經脈往來。所謂足之三陽。從頭走足。足之三陰。從足走腹。手之三陰。從胸走手。手之三陽。從手走頭。得氣以針頭、逆其經脈之所來。動而伸之。即是迎。以針頭順其經脈之所往。推而内之。即是隨。故經云實者絶而止之。虛者引而起之。

凡下針之法。先用左手取穴爪按。令血氣開舒。乃可内針。若欲出鍼。勿以爪按。右手持針於穴上。令患人咳嗽一聲。撚之一左一右。透入腠理。此即是陽部奇分。刺要云、一分為榮。又云方刺之時。必在懸陽。然後用其呼吸。徐徐推之至於肌肉。以及分寸。此二者即是陰部偶分。刺要又云。二分為衛。方刺之時。必在懸陽。及與兩衛。神屬勿去。知病存亡。却以左手按穴令定。象地而不動。右手持針法天之運轉。若得其氣。左手按穴可動五兩以來。右手存意捻針而行補瀉。惟血脈在俞横居。視之獨澄。切之獨堅。凡刺脈者。隨其順逆不出血。則發針疾按之。凡刺淺深。驚針則止。凡行補瀉。穀氣而已。

問疾徐之理

答曰、此乃持針出入之法也。故經言刺虛實者。徐而疾則實。疾而徐則虛。然此經有兩解。所謂徐而疾者。一作徐内而疾出。一作徐出針而疾按之。所謂疾而徐者。一作疾内而徐出。一作疾出針而徐按之。兩說皆通。蓋疾徐二字。一解作緩急之義。一解作久速之義。若夫不虛不實。出針入針之法。則亦不疾不徐。配乎其中可也

問補瀉得宜

答曰、大畧補瀉無逾三法。一則診其脈之動靜。假令脈急者

深内而久留之。脈緩者、淺内而疾發針。脈大者、微出其氣。脈滑者、疾發針而淺内之。脈濇者、必得其脈隨其順逆久留之。必先按而循之。已發針。疾按其穴。勿出其血。脈小者、飲之以藥。二則隨其病之寒熱。假令惡寒者先令得陽氣入陰之分。次乃轉針退到陽分。令患人鼻吸口呼。謹按生成息數足。陰氣將至。鍼下覺寒。其人自清涼矣。又有病道遠者。必先使氣直到病所。寒即進針少許。熱即退針少許。然後却用生成息數治之。三則隨其診之虛實。假令形有肥有瘦。身有痛有癢麻。病作有盛有衰。穴下有牢有濡。皆虛實之診也。若在病所。別法取之。轉針向上氣自上。轉針向下氣自下。轉針向左氣自左。轉針向右氣自右。徐推其針氣自往。微引其針氣自來。所謂推之則前。引之則止。徐往微來以除之。是皆欲攻其邪而已矣。

問自取其經

答曰、刺虛刺實。當用隨迎。補其母而瀉其子。若不虛不實者。則當以經取。謂其正經自得病。不中他邪。故自取其經也。其法右手存意持針。左手候其穴中之氣。若氣来如動脈狀。乃内針。要續續而入。徐徐而撞。入榮至衛。至若得氣如鮪魚之食鈎。即是病之氣也。則隨本經氣血多少。酌量取之。畧待少許。見氣盡乃出針。如未盡、留針在門。然後出針。經曰、有見如入。有見如出。此之謂也。

問補者從衛取氣瀉者從榮置氣

答曰、十二經脈。皆以榮為根本。衛為枝葉。故欲治經脈。須調榮衛。欲調榮衛。須假呼吸。經曰、衛者、陽也。榮者、陰也。呼者、陽也。吸者、陰也。呼盡内針。靜以久留。以氣至為故者。即是取氣於衛。吸則内針。以得氣為故者。即是置氣於榮也。

問皮肉筋骨脈病

答曰、百病所起。皆始於榮衛。然後淫於皮肉筋骨脈。故經言是動脈者氣也。所生病者血也。先為是動而後所生病也。由是推之。則知皮肉筋脈。亦是後所生之病耳。是以刺法中但舉榮衛。蓋取榮衛逆順。則皮肉筋骨之治在其中矣。以此思之。至於部分有淺深之不同却要下針無過不及為妙也。一曰皮膚。二曰肌肉。三曰筋骨。

問刺有久速

答曰、此乃量病輕重而行。輕者一補一瀉足矣。重者至再至三也。假令得病氣而補瀉之。其病未盡。仍復停針候氣再至。又行補瀉。經言刺虛須其實。刺實須其虛也。

問諸家刺齊異同

答曰、靈樞所言、始淺刺之。以逐邪氣而來血氣。謂絕皮以出陽邪也。後刺深之以致陰氣之邪（謂陰邪出者少益深。絕皮致肌肉。未入分肉間也。）最後取刺極深之。以下穀氣。（謂已入分肉之間。則穀氣出矣。）此其旨矣。余讀難經、常見針師丁德用所註、乃言人之肌肉皆有厚薄之處。但皮膚之上、為心肺之部。陽氣所行。肌肉之下、為肝腎之部。陰氣所行也。是說所以發揮靈樞之旨卻甚詳。至於孫氏千金方所言、針入一分。則知天地之氣。（亦與始刺淺之而來氣血意合。）針入二分。則知呼吸出入上下水火之氣。（亦與後刺深之以致陰氣合意。）針入三分。則知四時五行五臟六腑順逆之氣。（亦與最後極深以下穀氣意合乃根本也。）玄珠密語言入皮三分。心肺之部。陽氣所行。入皮五分。腎肝之部。陰氣所行。（取象三天兩地之數。）此說可謂詳明矣。及夫後賢所著。則又有自一分而累至十分之說。此法益詳且密矣。大抵博約不同。其理互異。互相發明。皆不必廢。

問陰陽居易之理

答曰、此陰陽相乘之意也。以其陽入陰分。陰出陽分。相蕩而居。成其病也。推原所由。或因榮氣衰少。而衛氣內侵。或因衛氣衰少。而榮氣外溢。故令氣血不守其位。一方氣聚則為一方實。一方氣散則為一方虛。其實者為痛。其虛者為癢。痛者陰也。痛而以手按之不得者。亦陰也。法當深刺之。癢則陽也。法當淺刺之。病在上者、陽也、在下者、陰也、病先起於陰者。法當先治其陰。而後治其陽也。病先起於陽者。法當先治其陽。而後治其陰也。

問順逆相反之由

答曰、此謂衛氣不得循於常道也。其名曰厥。為病不同。刺法當別。故經言刺熱厥者。若留針反為寒。刺寒厥者。若留針反為熱。蓋被逆氣使然。由是言之。刺熱厥者、宜三刺陰。一刺陽。刺寒厥者、宜三刺陽。一刺陰。惟其久病之人。則邪氣入深。却當深而久留。須間日而復刺之。必先調其左右。去其血脈。

問虛實寒熱之治

答曰、先診人迎氣口。以知陰陽有餘不足。以審察上下經絡。循其部分之寒熱。切其九候之變易。按其經絡之所動。視其血脈之色狀。無過則同。有過則異。脈急以行。脈大以弱。則欲要靜。筋力無勞。凡氣有餘於上者。導而下之。不足於上者。推而揚之。經云、稽留不到者。因而迎之。氣不足者。積而從之。大熱在上者。推而下之。從下止者。引而去之。大寒在外者。留而補之。入於中者。從而瀉之。上寒下熱者推而上之。上熱下寒者。引而下之。寒與熱爭者。導而行之。菀陳而血結者。刺而去之。

問補者從衛取氣瀉者從榮置氣

衛氣者、浮氣也。專主於表。榮氣者、精氣也。專主於裏。故經言榮者、水穀之精也。血氣調和於五臟。灑陳於六腑。乃能入脈。循上下。貫五臟。絡六腑也。衛者。水穀之生也。悍疾滑利。不能入脈。故循皮膚之中。分肉之間。薰於肓膜。散於胸腹。逆其氣則病。從其氣則愈。如是則榮衛為中外之主。不亦大乎。安得不求其補瀉焉。

問刺陽者卧針而刺之刺陰者按令陽散乃内針

答曰。刺陽部者。從其淺也。係屬心肺之分。刺陰部者。從其深也。係屬腎肝之分。凡欲行陽。淺卧下針。循而捫之。令氣舒緩。彈而努之。令氣隆盛。而後轉針。其氣自張布矣。以陽部主動故也。凡欲行陰。必先爪按。令陽氣散。直深内針。得氣則深提之。其氣自調暢矣。以陰部主靜故也。

問能知隨迎之氣可令調之

答曰。迎隨之法。因其中外上下。病道遥遠而設也。是故當知榮衛内外之出入。經脈上下之往來。乃可行之。夫榮衛者、陰陽也。經言陽受氣於四末。陰受氣於五臟。故瀉者先深而後淺。從内引持而出之。補者先淺而後深。從外推内而入之。乃是因其陰陽内外而進退針耳。至於經脈為流行之道。手之三陽。從手上頭。手三陰經。從胸至手。足三陽經。從頭下足。足三陰經。從足入腹。故手三陽瀉者、針芒望外、逆而迎之。補者針芒望内、順而追之。餘皆倣之。乃是因其氣血往来而順逆行針也。大率言榮衛者。是内外之氣出入。言經脈者。是上下之氣往來。各隨所在順逆而為刺也。故曰迎隨耳。

問補瀉之時與氣開闔相應否

答曰、此、非止推於十干之穴。但凡針入皮膚間。當陽氣舒之分。謂之開。針至内分間。當陰氣封固之分。謂之闔。然開中有闔。闔中有開。一開一闔之機。不離孔中。交互停針。察其氣以為補瀉故千經言衛外為陽部。榮内為陰部。

問方刺之時必在懸陽及與兩衛神屬勿去知病存亡

答曰、懸陽、謂當膝理間朝針之氣也。兩衛謂迎隨呼吸出入之氣也。神屬不去。知病存亡。謂左手占候以為補瀉也。此古人立法。言多妙處。

問容針空豆許

此法正為迎隨而設也。是以氣至針下。必先提退空歇容豆許。候氣至然後迎之隨之。經言近氣不失。遠氣乃來。

問刺有大小

答曰、有平補平瀉。謂其陰陽不平而後平也。陽下之曰補。陰上之曰瀉。但得内外之氣調則已。有大補大瀉。惟其陰陽俱有盛衰。内針於天地部内。俱補俱瀉。必使經氣内外相通。上下相接。盛氣乃衰。此名調陰換陽。一名接氣通經。一名從本引末。審按其道以予之。徐往徐來以去之。其實一義也。

問穴在骨所

答曰、初下針入腠理。得穴之時。隨吸納鍼。乃可深之。不然氣與針迸不能進。又凡肥人内虛。要先補後瀉。瘦人内實。要先瀉後補。

問補瀉得宜

答曰、凡病在一方。中外相襲。用子午法補瀉。左右轉針是也。病在三陰三陽。用流注法補瀉。榮俞呼吸出納是也。二者不同。至彈爪提按之類無不同者。要明氣血何如耳。

問迎奪隨濟闡言補瀉其義何如

答曰、迎者、迎其氣之方來。如寅時氣來注於肺。卯時氣來注於大腸。此時肺大腸氣方盛而奪瀉之也。隨者、隨其氣之方去。如卯時氣去注大腸。辰時氣去注於胃。肺與大腸。此時正虛而濟補之也。餘倣此。

問鍼入幾分留幾呼

答曰不如是之相拘。蓋肌肉有淺深。病去有遲速。若肌肉厚實處則可深。淺薄處則宜淺。病去則速去針。病滯則久留針為可耳。

問補瀉有不在井滎俞經合者多何如

答曰、如睛明、瞳子髎、治目疾。聽宮、絲竹空、聽會、治耳聾。迎香治鼻。地倉治口喎。風池、頭維、治頭項。古人亦有不係井滎俞經合者如此。蓋以病在上取之上也。

問經穴流注按時補瀉病在各經絡按時能去病否

答曰、病著於經。其經自有虛實耳。補虛瀉實。亦自中病也。病有一針而愈。有數針始愈。蓋病有新痼淺深。而新淺者一針可愈。若深痼者必屢針可除。丹溪東垣有一劑愈者。有至數十劑而愈者。今人用一針不愈。則不在針矣。且病非獨出於一經一絡者。其發必有六氣之兼感。標本之差殊。或一針以愈其標。而本末盡除。或獨取本而標復尚作。必數針方絕其病之鄰也。

問針形至微何能補瀉

答曰、如氣毬然。方其未有氣也。則癟塌不堪蹴踢。及從竅吹之。則氣滿起胖。此虛則補之之義也。去其竅之所塞。則氣從竅出、復癟塌矣。此實則瀉之之義也。

問內經治病湯藥少而針灸多何也

答曰、內經、上古書也。上古之人勞不至倦。逸不至流。食不肥鮮。以戕其內。衣不蘊熱。以傷其外。起居有節。寒暑知避。恬淡虛無。精神內守。病安從生。雖有賊風虛邪。莫能深入。不過湊於皮膚。經滯氣鬱而已。以針行氣。以灸散鬱。則病隨已。何待於湯液耶。當今之世。道德日衰。以酒為漿。以妄為常。縱慾以竭其精。多慮以散其真。不知持滿。不解御神。務快其心。過於逸樂。起居無節。寒暑不避。故病多從內生。外邪亦易中也。經曰。針刺治其外。湯液治其內。病既屬內。非湯液終不能濟也。此和緩以後。方藥盛行。而針灸兼用。固由世不古若。人非昔比。亦業針法之不精。傳受之不得其訣耳。非古用針灸之多。今用針灸之少。亦非湯液之宜於今而不宜於古也。學者當究心焉。

問八法流注之要訣何如

答曰、口訣固多。未能悉錄。今先撮其最要者而言之。上古流傳真

迎衝脈
公孫通衝脈
內關通陰維
後谿通督脈
申脈通陽蹻
臨泣通帶脈
外關通陽維
列缺通任脈
照海通陰蹻

口訣。八法原行只八穴。口吸生數熱變寒。口呼成數寒變熱。先呼後吸補自真。先吸後呼瀉自捷。徐進疾退曰瀉寒。疾進徐退曰補熱。緊提慢按似冰寒。慢提緊按如火熱。脈外陽行是衛氣。脈內陰行是榮血。虛者徐而進之機。實者疾而退之說。補其母者隨而濟。瀉其子者迎奪挈。但分迎奪與隨濟。實瀉虛補不妄說。天部皮膚肌肉人。地部筋骨分三截。衛氣逆行榮順轉。夏淺冬深肥瘦別。毋傷筋膜用意求。行針猶當辨骨節。拇指前進左補虛。拇指後退右瀉實。牢濡得失定浮沉。牢者為得濡為失。瀉用方而補用圓。自然榮衛相交接。右瀉先吸退針呼。左補先呼出針吸。莫將此法作尋常。彈努循捫指按切。分筋離骨陷中求。却將機關都漏泄。行人載道欲宣揚。湍水風林沒休歇。感謝三皇萬世恩。闡盡針經真口訣。

三衢楊氏補瀉十二字分次第手法及歌。玄機秘要

一爪切者。凡下鍼、用左手大指爪甲重切其鍼之穴。令氣血宣散。然後下鍼。不傷於榮衛也。

取血先將爪切深。須教毋外慕其心。致令榮衛無傷礙。醫者方堪入妙鍼。

二指持者、凡下針、以右手持針於穴上。着力旋插。直至腠理。吸氣三口。提於人部。依前口氣徐徐而用。正謂持鍼者手如握虎勢若擒龍。心無外慕。若待貴人之說也。

持針之士要心雄。勢如握虎與擒龍。欲知機關三部奧。須將此理再推窮。

三口溫者。凡下針、入口中必須溫熱。方可與刺。使血氣調和。冷熱不相爭鬥也。

溫針一理最為良。口內調和納穴塲。毋令冷熱相爭搏。榮衛宣通始得祥。

四進針者。凡下針、要病人神氣定。息數勻、醫者亦如之。切不可太、忙。又須審穴在何部分。如在陽部。必取筋骨之間陷下為真。如在陰分。郄膕之內動脈相應。以爪重切經絡。少待。方可下手。

進針理法取機關。失經失穴豈堪施。陽經取陷陰經脈。三思已定再思之。

五指循者。凡下針若氣不至。用指於所屬部分。經絡之路上下左右循之。使氣血往來上下均勻。針下自然氣至沉緊。得氣即瀉之故也。

循其部分理何明。只為針頭不沉緊。推則行之引則止。調和氣血兩來臨六爪攝者、凡下針、如針下邪氣滯澀不行者。隨經上下。用大指爪甲切之。其氣自通行也。

攝法應知氣滯經。須令爪切勿教輕。上下通行隨經絡。故教學者要窮經。

七退針者。凡退針必在六陰之數分明。三部之用斟酌。不可不誠心着意。溷亂差訛。以瀉為補。以補為瀉。欲退之際。一部一部。以針緩緩而退也。

退針手法理誰知。三才訣内総玄機。一部六陰三吸氣。須臾疾病愈如飛。

八指搓者。凡轉針如搓線之狀。勿轉太緊。隨其氣而用之。若轉太緊。令人肉纏針。則有大痛之患。若氣滯澁。即以第六攝法切之。方可施也。

搓針泄氣最為奇。氣至針纏莫急移。渾如搓線悠悠轉。急轉纏針肉不離。

九撚指者。凡下針之際。治上大指向外撚。治下大指向內撚。外撚者、令氣向上而治病。內撚者、令氣至下而治病。如出至人部。內撚者為之補。轉針頭向病所。令取真氣以至病所。外撚者為之瀉。轉鍼頭向病所。令俠邪氣退至針下出也。此乃針中之秘旨也。

撚針指法不相同。一般在手兩般窮。內外轉移行上下。邪氣逢之疾豈容。

十指留者。如出針至於天部之際。須在皮膚之間。留一豆許。少時方出針也。

留針取氣候沉浮。出容一豆入容侔。致令榮衛縱橫散。巧妙玄機在指頭。

十一針搖者。凡出針三部。欲瀉之際。每壹部搖二次。計六搖而已。以指捻針。如扶人頭搖之狀。庶使孔穴開大也。

搖針三部六搖之。依次推排指上施。孔穴大開無窒礙。致令邪氣出如飛。

十二指拔者。凡持針欲出之時。待針下氣緩不沉緊。便覺輕滑。用指捻針如拔虎尾之狀也。

拔針一法最為良。浮沉澀滑任推詳。勢猶取虎身中尾。此訣誰知蘊錦囊。

口訣 燒山火能除寒。三進一退熱湧湧。鼻吸氣一口。呵五口。

燒山之火能除寒。一退三飛病自安。始是五分終一寸。三番出入慢提看。

凡用針之時。須撚運入五分之中。行九陽之數。其一寸者。即先淺後深也。若得氣。便行運針之道。運者。男左女右。漸漸運入一寸之内。三出三入。慢提緊按。若覺針頭沉緊其揷針之時。熱氣復生。冷氣自除。未效。依前再施也。

四股似水最難禁。增寒不住便來臨。醫師運起燒山火。患人時下即安寧。

口訣　透天涼能除熱。三退一進冷冰冰。口吸氣一口。鼻出五口。凡用針之時。進一寸内。行六陰之數。其五分者。即先深後淺也。若得氣。便退而伸之。退至五分之中。三入三出。緊提慢按。覺針頭沉緊。徐徐舉之。則涼氣自生。熱氣自除。如不效。依前法再施。

一身渾似火來燒。不住之時熱上潮。若能加入清涼法。須臾若毒自然消。

口訣　陽中隱陰。　能治先寒後熱。淺而深。

陽中隱箇陰。先寒後熱人。五分陽九數。一寸六陰行。凡用針之時。先運入五分。乃行九陽之數。如覺微熱。便運入一寸之內。却行六陰之數以得氣。此乃陽中隱陰。可治先寒後熱之症。先補後瀉也。

先寒後熱身如瘧。醫師不曉實和弱。叮嚀針要陰陽刺。祛除寒免災惡。

口訣　陰中隱陽。　能治先熱後寒。深而淺。

凡用針之時。先運入一寸。乃行六陰之數。如覺病微涼。即退至五分之中。却行九數以得氣。此乃陰中隱陽。可治先熱後寒之症。先瀉後補也。

先熱後寒如瘧疾。先陰後陽號通天。鍼師運起雲雨澤。榮衛調和病自痊。

口訣　留氣法。　能破氣。伸九提六。

留氣運針先七分。純陽得氣十分深。伸時用九提時六。癥瘕消溶氣理勻。

凡用針之時。先運入七分之中。行純陽之數。若得氣便深入一寸中。微伸提之。却退至原處。若未得氣。依前法再行。可治癥瘕氣塊之疾。

痃癖癥瘕疾宜休。却在醫師志意求。指頭手法為留氣。身除疾痛再無憂。

口訣　運氣法。能瀉。先直後卧。

運氣用純陰。氣來便倒針。令人吸五口。疼痛病除根。

凡用針之時。先行純陰之數。若覺鍼下氣滿。便倒其針。令患人吸氣五口。使針右至病所。此乃運氣之法。可治疼痛之病。

運氣行針好用工。遍身疼痛忽無蹤。此法密傳堪濟世。論金宜值萬千鍾。

口訣　提氣法。從陰微撚。能除冷麻之症。

凡用針之時。先從陰數。似覺氣至。微撚輕提其針。使針下經絡氣聚。可治冷麻之症。

提氣從陰六數同。堪除頑痺有奇功。欲知奧妙先師訣。取次機關一掌中。

口訣　中氣法。能除積。先直後卧。瀉之。

凡用針之時。先行運氣之法。或陽或陰。使卧其針。向外至疼痛。立起其針。不與內氣同也。

中氣須知運氣同。一般造化兩般功。手中運氣叮嚀使。妙理玄機起疲癃。

若關節阻澁氣不通者。以龍虎大段之法。通經接氣。驅而運之。仍以循攝切摩。無不應矣。又按捫摩屈伸導引之法而行。

口訣蒼龍擺尾手法。補。

蒼龍擺尾行關節。回撥將針慢慢扶。一似江中船上舵。週身遍體氣流蘇。或用補法而就得氣。則純補。補法而未得氣。則用瀉。此亦人之活變也。

凡欲下針之時。飛氣至關節去處。便使回撥者。將鍼慢慢扶之。如船之舵。左右隨其氣而撥之。其氣自然交感。左右慢慢撥動。週身遍體。奪流不失其所矣。

蒼龍擺尾氣交流。氣血奪來遍體週。任君體有千般症。一插須教疾病休。

口訣赤鳳摇頭手法。瀉。

凡下針得氣。如要使之上。須關其下。要下須關其上。連連進針。從辰至巳。退針從巳至午。撥左而左點。撥右而右點。其實只在左右動。似手摇鈴。退方進圓。兼之左右摇而振之。

針摇船中之艣。猶如赤鳳摇頭。辨别隨迎逆順。不可違理胡求。

口訣　龍虎交戰手法。　三部俱一補一瀉。

龍虎交戰爭。龍虎左右施。陰陽三相隱。九六住疼時。

凡用針時。先行左龍則左撚。凡得九數。陽奇零也。却行右虎則右撚。凡得六數。陰偶對也。乃先龍後虎而戰之。以得氣補之。故陽中隱陰。陰中隱陽。左撚九而右撚六。是住痛之針。乃得返復之道。號曰龍虎交戰。以得邪盡。方知其所。此乃進退陰陽也。

青龍左轉九陽宮。白虎右旋六陰通。返復玄機隨法取。消息陰陽九六中。

口訣　龍虎升降手法。

凡用針之法。先以右手大指向前撚之入穴。後以左手大指前撚。經絡得氣。行轉其針。向左向右。引起陽氣。按而提之。其氣自行。如氣未滿。更依前法再施。龍虎升騰撚妙法。氣行上下合交還。依師口訣分明說。目下教君疾病痊。

口訣　五藏交經。

五藏交經須氣溢。候他血氣散宣時。蒼龍擺尾東西撚。定穴五行君記之。

凡下針之時。氣行至溢。須要候氣血宣散。乃施蒼龍左右撥之。可也。

五行定穴分經絡。如船解纜自通亨。必在針頭分造化。須教氣血自縱橫。

口訣　通關交經。

通關交經。蒼龍擺尾。赤鳳搖頭。補瀉得理。先用蒼龍擺尾。後用赤鳳搖頭。運入関節之中。後以補則用補中手法。瀉則用瀉中手法。使氣於其經便交。

先用蒼龍來擺尾。後用赤鳳以搖頭。再行上下八指法。關節宜通氣自流。

口訣　關節交經。

關節交經。氣至關節。立起針來。施中氣法。

凡下針之時。走氣至關節去處。立起其針。與施中氣法。納之可也。

關節交經莫大功。必令氣走納經中。手法用之三五度。須知其氣自然通。

口訣子午補瀉總歌。

補則須彈針。爪甲切宜輕。瀉時甚切忌。休使疾再侵。

凡用針者、若刺針時先用口温針。次用左手壓穴。其下針之處。彈而努之。爪而下之。捫而循之。通而取之。却令病人咳嗽一聲。左手持針而刺之。春夏二十四息。秋冬三十六息。徐出徐入氣來如動脉之狀。鍼下微緊。留待氣至。後宜用補瀉之法若前也。

動與搖一例。其中不一般。動為補之氣。搖之瀉即安。

口訣子午搗臼法。治水蠱膈氣。

子午搗臼。上下針行。九入六出。左右不停。

下針之時。調氣得匀。以針行上下。九入六出。左右轉之不已。必按陰陽之道。其症始愈。

子午搗臼是神機。九入六出會者稀。萬病自然合大數。要使患者笑嘻嘻。

口訣子午補瀉歌。

每日午前皮上揭。有似滚湯煎、冷雪。若是寒時皮内尋。不枉教君皮破裂。陰陽返復怎生知。虛實辨別臨時訣。針頭如弩似發機。等閒休與旁人說。

左轉為男補之氣。右轉却為瀉之記。女人反此不為真。此是陰陽補瀉義。熱病不瘥瀉之須。冷病纏身補是宜。哮吼氣來為補瀉。氣不至時莫急旋。

補隨其經脈。納而按之。左手閉針穴。徐出針而疾按之。瀉迎其經脈。動而伸之。左手開針穴。疾出針而徐按之。經曰、隨而濟之。是為之補。迎而奪之。是為之瀉。

素問曰、刺實須其虛者。留針待陰氣至。乃去針也。刺虛須其實者。

留針待陽氣備。乃去針也。

口訣十二經絡之病。欲針之時。實則瀉之。虛則補之。熱則疾之。寒則留之。陷則灸之。不虛不實。以經取之。經云虛則補其母而不足。實則瀉其子而有餘。當先補而後瀉。假令人氣在足太陽膀胱經。虛則補其陽所出為井屬金。下針得氣。隨而濟之。右手取針。徐出而疾捫之。是謂補也。實則瀉其陽所注為俞屬木。下針得氣。迎而奪之。左手開針穴。疾出針而徐捫之。是謂之瀉也。至陰、足太陽經井穴。在足小指外側。束骨、足太陽經俞穴。在足小指外側本節後陷中。

進火。補、初進針一分。呼氣一口。退三退。進三進。令病人鼻中吸氣。口中呼氣三次。把針搖動。自然熱矣。如不應。依前導引。

進水。瀉、初進針一分。吸氣一口。進三進。退三退。令病人鼻中出氣。口中吸氣三次。把鍼搖動。自然冷矣。如不應。依前導引之。再不應。依生成息數。按所病藏府之數。自覺冷熱應手。

下手八法口訣

揣。揣而循之。凡點穴以手揣摩其處。在陽部筋骨之側陷者為真。在陰部郄膕之間動脈相應。其肉厚薄。或伸或屈。或平或直。以法取之。按而正之。以大指爪切掐其穴。於中庶得。進退方有準也。難經曰。刺榮毋傷衛者。乃掐按其穴令氣散。以針而刺。是不傷衛氣也。刺衛毋傷榮者。乃撮起其穴。以針卧而刺之。是不傷其榮血也。此乃陰陽補瀉之大法也。

爪。爪而下之。此則針賦曰。左手動而切按。欲令氣血得以宣散。是不傷於榮衛也。右手輕而徐入。欲不痛之因。此乃下針之秘法也。

搓。搓而轉之。如搓線之貌。勿轉太緊。轉者。左補右瀉。以大指次指相合。大指往上進為之左。大指往下退為之右。此則迎隨之法也。故經曰。迎奪右而瀉涼。隨濟左而補暖。此則左右補瀉之大法也。

彈。彈而努之。此則先彈針頭。待氣至卻進一豆許。乃先淺而後深。自外推內。補針之法也。

搖。搖而伸之。此乃先搖動針頭。待氣至卻退一豆許。乃先深而後淺。自內引外。瀉針之法也。故曰針頭補瀉。

捫。捫而閉之。經曰。凡補必捫而出之。故補欲出針時。就捫閉其穴。不令氣出。使氣血不泄。乃為真補。

循。循而通之。經曰。凡瀉針必以手指於穴上四旁循之。使令血氣宣散。方可下針。故出針時不閉其穴。乃為真瀉。此提按補瀉之法。

撚。撚者。治上大指向外撚。治下大指向內撚。外撚者。令氣向上而治病。內撚者。令氣向下而治病。如針出時內撚者。令氣行至病所。外撚者令邪氣至針下而出也。此下手八法口訣也。